一問一答 英検®準1級 完全攻略問題集

森 明智 著

高橋書店

音声のダウンロードについて

パソコン・スマートフォン等から無料で音声を聞くことができます。手順については、カバー折り返し部分をご参照ください。

はじめに

日常において，外国人の方と一緒に働くことや取引をすること，あるいは学校に帰国子女がいることなどの経験はもはや当たり前に近いこととなっています。すでに十分な英語力を持つ人も国内でも珍しくなく，今後の日本は**「英語ができること」よりも，「英語でできること」が問われる時代**となるでしょう。限られた場面だけでなく，幅広い分野で使える英語能力が求められているのであり，その要求は今後も高まりつづけるでしょう。

英検®準１級は，公益財団法人 日本英語検定協会の公式な定義では，「社会生活で求められる英語」に対する理解を測るとしており，これは２級の「社会生活で必要な英語」とは異なっています。つまり，**準１級は自分が社会生活を営むために必要な英語力を持っているだけでなく，周囲から求められる要望にも応じられる英語力を持っている証明**になるといえます。

この点から，準１級を高く評価する機関は多く，難関校といわれる大学でも，英語試験を満点にする措置を行ったり大幅な加点を認めたりする大学が見られます。履歴書においても大きなアドバンテージを与えてくれます。中学や高校の英語教員に取得を求める自治体もあり，この級が持つ英語能力の証明への信頼性の高さが分かります。それだけに，試験には中学や高校で扱う英語や一般的な大学英語の内容を超えた，専門性の高い英文も含まれます。準備せずに受験すれば難しさに驚くことになるでしょう。

本書は問題と答えを提示するだけでなく，個々の問題に対する考え方や着眼点を提示してあります。また，これ一冊で十分な対策ができるよう，別冊の「頻出単熟語集」には一般的な単語集にも劣らない 1603 語を収録しました。長文で出題される上級単語も含んでいるため難しく感じるかもしれませんが，合格のためにはけっして無駄にならないはずです。むしろ，分からない部分があっても，その点こそが自分の英語力を高めてくれる部分と思って取り組んでほしいと望むばかりです。なぜならそれは，高度な英語力を求める人であれば誰もが通る道だからです。本書が「英検」準１級取得を目指す人の手助けとなることを祈っています。

著　者

CONTENTS ◆ 目次

Part 4 ライティングテスト 78

Part 5 リスニング TR-1～TR-33 100

第2章 模擬試験 TR-34～TR-60

第3章 二次試験 面接 TR-61～TR-67

本文デザイン／有限会社 エムアンドケイ　イラスト／森 海里, ゆきたこーすけ　執筆協力／ケイコネクト株式会社
編集協力／株式会社 エディット　音声作成協力／ケイコネクト株式会社　校正／株式会社 ぷれす

英検®受験のポイント

※試験内容などは変わる場合があります

準1級は，最終目標である1級の手前まで着実に力をつけているレベルで，およそ大学中級程度とされています。社会生活で求められる英語を十分理解し，使用できることが求められます。入試優遇，単位認定，教員採用試験での優遇，さらに海外留学の条件など，多方面で幅広く適用されます。

一次試験は筆記とリスニングに分かれ，合格すると二次試験の受験資格が与えられます。

二次試験は面接形式のスピーキングテストとなります。

一次試験

筆記

<table>
<tr><th>求められるおもな能力</th><th>形式</th><th colspan="2">内容</th><th>問題文の種類</th><th>解答形式</th></tr>
<tr><td>語彙・文法力</td><td>短文の語句空所補充</td><td colspan="2">文脈に合う適切な語句を補う</td><td>短文
会話文</td><td rowspan="3">4肢選択
（選択肢印刷）</td></tr>
<tr><td rowspan="2">読解力</td><td>長文の語句空所補充</td><td colspan="2">パッセージの空所に，文脈に合う適切な語句を補う</td><td rowspan="2">説明文
評論文 など</td></tr>
<tr><td>長文の内容一致選択</td><td colspan="2">パッセージの内容に関する質問に答える</td></tr>
<tr><td rowspan="2">作文力</td><td rowspan="2">英作文</td><td>英文要約</td><td>与えられた英文を要約する</td><td>説明文</td><td rowspan="2">記述式</td></tr>
<tr><td>意見論述</td><td>指定されたトピックについての英作文を書く</td><td>——</td></tr>
</table>

リスニング

<table>
<tr><td rowspan="3">聴解力</td><td>会話の内容一致選択</td><td>会話の内容に関する質問に答える（放送回数1回）</td><td>会話文</td><td rowspan="3">4肢選択
（選択肢印刷）</td></tr>
<tr><td>文の内容一致選択</td><td>パッセージの内容に関する質問に答える（放送回数1回）</td><td>説明文
評論文 など</td></tr>
<tr><td>Real-Life形式の内容一致選択</td><td>与えられた状況をもとに，アナウンスなどを聞いて質問に答える（放送回数１回）</td><td>アナウンス など</td></tr>
</table>

二次試験

英語での面接

求められるおもな能力	形式	内容	解答形式
発話力	自由会話	面接委員と簡単な日常会話を行う	個人面接 面接委員1人 （ナレーション，応答内容，発音，語彙，文法，語法，情報量，積極的にコミュニケーションを図ろうとする意欲や態度などの観点で評価）
	ナレーション	4コマのイラストの展開を説明する（2分間）	
	受験者自身の意見を問う質問	イラストに関連した質問に答える	
		カードのトピックに関連した内容についての質問に答える	
	受験者自身の意見を問う質問	カードのトピックにやや関連した、社会性のある内容についての質問に答える	

◉試験日程

第1回		第2回		第3回	
一次試験	6月	一次試験	10月	一次試験	1月
二次試験	7月	二次試験	11月	二次試験	2月

◉一次試験免除について

一次試験に合格し，二次試験を棄権あるいは二次試験が不合格だった場合，一次試験が1年間免除され，次回は二次試験から受験できます。ただし，申し込み時に申請が必要です。

◉申し込み方法

インターネット，コンビニエンスストア，英検®特約書店から申し込めます。

※S-CBT試験については，公益財団法人 日本英語検定協会のホームページをご参照ください。

※英検®は，公益財団法人 日本英語検定協会の登録商標です。

◆◆◆本書の特長◆◆◆

1 ▶テーマ別に学べる〈分野別〉一問一答問題

実際の本試験で出題される形式に沿ってパート分けしています。問題を解いたあと，解答・解説をすぐに確認できる一問一答式で，学習を効率的に進められます。

ポイントをつかむ！
テーマごとに学習上の注意点や，問題を解くためのポイントを示しています。

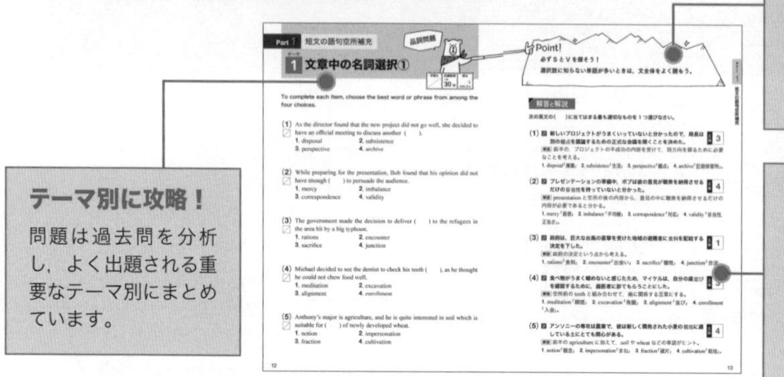
Part 1 短文の語句空所補充

1 文章中の名詞選択①

Point!
必ずSとVを探そう！
選択肢に知らない単語が多いときは，文全体をよく読もう。

To complete each item, choose the best word or phrase from among the four choices.

(1) As the director found that the new project did not go well, she decided to have an official meeting to discuss another ( ).
1. disposal 2. subsistence
3. perspective 4. archive

(2) While preparing for the presentation, Bob found that his opinion did not have enough ( ) to persuade the audience.
1. mercy 2. imbalance
3. correspondence 4. validity

(3) The government made the decision to deliver ( ) to the refugees in the area hit by a big typhoon.
1. rations 2. encounter
3. sacrifice 4. junction

(4) Michael decided to see the dentist to check his teeth ( ), as he thought he could not chew food well.
1. meditation 2. excavation
3. alignment 4. enrollment

(5) Anthony's major is agriculture, and he is quite interested in soil which is suitable for ( ) of newly developed wheat.
1. notion 2. impersonation
3. fraction 4. cultivation

解答と解説

(1) 新しいプロジェクトがうまくいっていないと分かったので，局長は別の視点を議論するための正式な会議を開くことを決めた。 3

(2) プレゼンテーションの準備中，ボブは彼の意見が聴衆を納得させるだけの妥当性を持っていないと分かった。 4

(3) 政府は，巨大な台風の直撃を受けた地域の避難者に食料を配給する決定を下した。 1

(4) 食べ物がうまく噛めないと感じたため，マイケルは，自分の歯並びを確認するために，歯医者に診てもらうことにした。 3

(5) アンソニーの専攻は農業で，彼は新しく開発された小麦の栽培に適している土にとても関心がある。 4

テーマ別に攻略！
問題は過去問を分析し，よく出題される重要なテーマ別にまとめています。

赤チェックシートで隠して学べる！
解答と選択肢などの日本語訳は文字色を赤くしています。シートで隠して学習しましょう。

2 ▶本番形式の模擬試験

一問一答式の問題を解き終えたら，学習の仕上げとして本番形式の模擬試験を解きましょう。

時間を計り，本試験と同じ時間内で解く練習もできます。

準1級模擬試験 筆記問題

1 To complete each item, choose the best word or phrase from among the four choices.

(1) Seeing the difficult situation refugees faced, Jessica decided to ( ) 10,000 dollars to them.
1 drain 2 donate 3 propel 4 reconstruct

(2) Because of the sudden rain, pedestrians on the street got ( ).
1 drenched 2 congested 3 relieved 4 splintered

(3) Michael is a promising candidate to study abroad in Europe and he will ( ) his goal.
1 attain 2 empower 3 defy 4 expand

(4) Territorial dispute over that area can become a ( ) crisis between two countries.
1 entrusting 2 scrapping 3 paving 4 simmering

(5) When you see children grow, you must be both strict and ( ) to them, depending on the situation.
1 tolerant 2 classified 3 fictional 4 biased

3 ▶別冊 頻出単熟語

英検®の頻出単語・熟語を別冊にまとめています。

どれも重要な単語・熟語なので，赤チェックシートを活用する学習をくりかえしましょう。

頻出単語には関連語や派生語も併記しています。まとめて覚えると，効率よく語彙力がアップします。

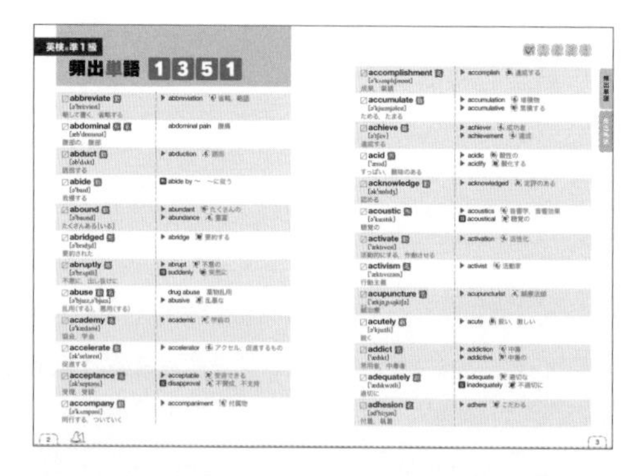
英検®準1級 頻出単語 1351

abbreviate / abdominal / abduct / abide / abound / abridged / abruptly / abuse / academy / accelerate / acceptance / accompany

accomplishment / accumulate / achieve / acid / acknowledge / acoustic / activate / activism / acupuncture / acutely / addict / adequately / adhesion

第 1 章

分野別
一問一答問題

攻略テクニック！

Part 1 短文の語句空所補充

POINT

※試験内容などは変わる場合があります

形　式　短文または会話文の空所に入る最も適切な語句を，4つの選択肢から選ぶ。最後の4問は句動詞の問題が出題される

問題数　18問

目標時間　12分程度。1問を平均1分かけずに解くイメージ

傾　向　文法知識だけではなく，語彙力が決め手となる。品詞別では名詞，形容詞，動詞の出題が多く，ほぼ同数出題されている

対　策　短文の語句空所補充では，文の数が少ないため文脈に頼った解答が難しい。つまり，ふだんから難単語に触れ，思い出すための学習法を実践していないと，合格に必要なスコアを取るのは難しい。ここでは語彙の増やし方にしぼって対策法を紹介する

品詞問題

テクニック① ふだんから学術的な英文に触れる！

準1級レベルの単語は日常生活に必要なレベルを超えています。このセクションでスコアを上げたいのであれば，**意識的に学術的な英文に触れておく**必要があります。

例えば，英字新聞であれば政治，経済だけでなく科学的な記事にも目を通しておきましょう。このような対策をすれば，単に語彙を増やすだけでなく，試験に出されやすい話題に関する知識も増やせます。自分がその話題を知っていること，あるいは類似の話題を知っていることも，英文の意味を理解するうえで大きな助けになります。

テクニック② 文章を論理的に読み取ろう！

英文が2文ある場合や，重文や複文の場合，節と節などの論理的な関係から選択肢をしぼることができます。**逆接**や**因果関係**などの論理接続を表す単語(**but, therefore, however, so, because**)などに注目するとよいでしょう。また**代名詞**や**指示語**，**〈the ＋名詞〉**など既出の単語に気をつけて，論理関係を理解することが解答の根拠を見つけるカギとなります。

テクニック③ 知っている単語でも意外な意味に注意！

準１級の受験者となると，基本単語はすでに習得済みという自信を持っている人も多いでしょう。しかし，基礎的な単語が持つ意外な意味に足をとられることもあります。**基礎的な単語でも，一度辞書ですべての意味を確認**しておくとよいでしょう。

例えば，pen という単語。「ペン」の意味のほかに，じつは「**檻**」という意味もあります。さらに「**雌の白鳥**」も pen と呼ばれます。このような簡単な単語であっても違和感を覚えたときは辞書で意味を確認しましょう。

テクニック④ 接頭辞・接尾辞・語根から意味を推測しよう！

選択肢の中に知らない単語がある場合, 意味を推測して解答しなければいけません。そのためには単語を**接頭辞**・**接尾辞**・**語根**などの部分に分けて考えてみましょう。例えば astro- が「**星**」を意味する接頭辞だということを知っていれば，astrology「**占星術**」といった単語の意味を推測できるかもしれません。ほかにも col-，com-「**一緒に**」，-ward「**〜の方へ**」，-ous，-ious「**〜の性質を持つ**」などは覚えておくとよいでしょう。

例

col-, com-「一緒に」	collaborate「共同制作する」 company「仲間，付き合い」
de-，dis-「〜ない」	dislike「嫌う」　disappear「見えなくなる」
re-「再び」	recover「回復する」　renewal「再開」
-ward「〜の方へ」	backward「後方へ」　eastward「東方へ」

熟語問題

テクニック⑤ 熟語に強くなろう！

単語には，単語自体の意味だけでなく，一緒に使う**前置詞**やほかの単語との**組み合わせ**で様々な意味を持つようになるものもあります。熟語に強くなるにはまず，熟語における前置詞のイメージを押さえましょう。out「**広がる，なくなる**」，off「**離れる**」，down「**弱まる**」などの意味を覚えておけば，burn out「**燃え尽きる**」，wear off「**擦り切れる**」，run down 〜「**〜を消耗させる**」などの意味を想像することができるでしょう。

Part 1 短文の語句空所補充

テーマ
1 文章中の名詞選択①

学習日	目標時間	得点
/	1問 30秒	/5 合格点3点

To complete each item, choose the best word or phrase from among the four choices.

(1) As the director found that the new project did not go well, she decided to have an official meeting to discuss another (　　).

1. disposal　**2**. subsistence
3. perspective　**4**. archive

(2) While preparing for the presentation, Bob found that his opinion did not have enough (　　) to persuade the audience.

1. mercy　**2**. imbalance
3. correspondence　**4**. validity

(3) The government made the decision to deliver (　　) to the refugees in the area hit by a big typhoon.

1. rations　**2**. encounter
3. sacrifice　**4**. junction

(4) Michael decided to see the dentist to check his teeth (　　), as he thought he could not chew food well.

1. meditation　**2**. excavation
3. alignment　**4**. enrollment

(5) Anthony's major is agriculture, and he is quite interested in soil which is suitable for (　　) of newly developed wheat.

1. notion　**2**. impersonation
3. fraction　**4**. cultivation

必ずSとVを探そう！

選択肢に知らない単語が多いときは，文全体をよく読もう。

解答と解説

次の英文の(　　)に当てはまる最も適切なものを 1 つ選びなさい。

(1) 訳 **新しいプロジェクトがうまくいっていないと分かったので，局長は別の観点を議論するための正式な会議を開くことを決めた。**

正解 3

解説 前半の，プロジェクトの不成功の内容を受けて，別方向を探るために必要なことを考える。

1. disposal「廃棄」 **2**. subsistence「生活」 **3**. perspective「観点」 **4**. archive「記録保管所」。

(2) 訳 **プレゼンテーションの準備中，ボブは彼の意見が聴衆を納得させるだけの妥当性を持っていないと分かった。**

正解 4

解説 presentation と空所の後の内容から，意見の中に聴衆を納得させるだけの内容が必要であると分かる。

1. mercy「慈悲」 **2**. imbalance「不均衡」 **3**. correspondence「対応」 **4**. validity「妥当性，正当さ」。

(3) 訳 **政府は，巨大な台風の直撃を受けた地域の避難者に食料を配給する決定を下した。**

正解 1

解説 政府の決定という点から考える。

1. rations「食料」 **2**. encounter「出会い」 **3**. sacrifice「犠牲」 **4**. junction「合流」。

(4) 訳 **食べ物がうまく噛めないと感じたため，マイケルは，自分の歯並びを確認するために，歯医者に診てもらうことにした。**

正解 3

解説 空所前の teeth と組み合わせて，歯に関係する言葉にする。

1. meditation「瞑想」 **2**. excavation「発掘」 **3**. alignment「並び」 **4**. enrollment「入会」。

(5) 訳 **アンソニーの専攻は農業で，彼は新しく開発された小麦の栽培に適している土にとても関心がある。**

正解 4

解説 前半の agriculture に加えて，soil や wheat などの単語がヒント。

1. notion「観念」 **2**. impersonation「まね」 **3**. fraction「破片」 **4**. cultivation「栽培」。

Part 1 短文の語句空所補充

テーマ

2 文章中の名詞選択②

To complete each item, choose the best word or phrase from among the four choices.

(1) The manager tried her best to proceed with the project with as much (　　) as possible, because of her demanding client.

1. permanence　**2**. friction
3. disarray　**4**. precision

(2) The manager always emphasizes that staff's (　　) to the team is the most important point for the project.

1. blockade　**2**. dedication
3. tariff　**4**. stiffness

(3) The experts warn that spreading disease in crops can lead to (　　) on a big scale.

1. prologue　**2**. heritage
3. famine　**4**. insight

(4) I think he must make a great effort from now on to get a (　　) from this university. His grades are not sufficient at present.

1. faculty　**2**. capital
3. dent　**4**. diploma

(5) Many children lost their parents in the war, so Luke is trying to help those (　　) live in the world.

1. vehicles　**2**. orphans
3. stables　**4**. restrictions

全体の文意に注意しよう！

複数の意味を持つ名詞に注意しよう！

解答と解説

次の英文の(　　)に当てはまる最も適切なものを 1 つ選びなさい。

(1) 訳 **部長は，要求の多い彼女の顧客のため，できるだけ正確にプロジェクトを進めるために全力を尽くそうとした。**

解説 要求の多い顧客から不平が出ないために必要なことを考える。

1. permanence「永続性」 2. friction「摩擦」 3. disarray「混乱」 4. precision「正確さ」。

(2) 訳 **部長はチームに対するスタッフの献身が，プロジェクトの最も重要なポイントだと常に強調する。**

解説 team に対して必要なことを考える。

1. blockade「障害」 2. dedication「献身」 3. tariff「関税」 4. stiffness「凝り，堅いこと」。

(3) 訳 **専門家は作物に広がりつつある病気が，大規模な飢饉につながる可能性があると警告している。**

解説 spreading disease in crops の表現から連想する。crop は「作物」なので，食料への打撃が何を引き起こすかを考える。

1. prologue「序幕」 2. heritage「遺産」 3. famine「飢饉」 4. insight「洞察」。

(4) 訳 **彼は，この大学で卒業証書をもらうために今からかなり努力しなければならないと思う。彼の成績は，現時点では十分ではない。**

解説 文中の university や grades are not sufficient がヒントとなる。成績が十分ではない状態から，何のために努力をするのかを考える。

1. faculty「能力，学部」 2. capital「資本」 3. dent「へこみ」 4. diploma「卒業証書」。

(5) 訳 **その戦争で多くの子どもたちが親を失ったため，ルークはそれらの孤児たちが世界で生きていけるよう助けようとしている。**

解説 前半の親を失った子どもたちという内容から分かる。

1. vehicle「乗り物」 2. orphan「孤児」 3. stable「馬小屋」 4. restriction「制限」。

Part 1 短文の語句空所補充

テーマ

3 会話中の名詞選択

品詞問題
学習日
目標時間
1問
30秒
得点
5
合格点3点

To complete each item, choose the best word or phrase from among the four choices.

(1) **A**: I am still not convinced by the judgment in the football match last week.
B: I know how you feel, but please remember that the (　　) tried to make the best decision.

1. apprentice　**2**. sibling　**3**. peasant　**4**. referee

(2) **A**: Professor Jones criticized my report so severely. I can't understand why.
B: It's because he believes in your potential, so don't think of his comment as (　　).

1. formation　**2**. harassment　**3**. flattery　**4**. proficiency

(3) **A**: Have you checked Michael's report?　How is it?
B: I'm afraid it is not a good one. It has a serious (　　) in the part of statistical analysis.

1. heap　**2**. flaw　**3**. nuance　**4**. sequel

(4) **A**: I agree with your idea, basically, but you need to think more about the details.
B: I know that. Next time, I will do some (　　) to my idea.

1. shelter　**2**. intimation　**3**. modifications　**4**. dread

(5) **A**: Cindy, would you tell the finance department that accountants are scheduled to visit our company next week to conduct the yearly (　　)?
B: I will. I hope there will be no trouble.

1. audit　**2**. victim　**3**. structure　**4**. province

Point!

but など，逆接を表す接続詞に注意しよう！
会話全体から話題の内容をとらえよう。

解答と解説

次の英文の(　　)に当てはまる最も適切なものを 1 つ選びなさい。

(1) 訳 A: 先週のサッカーの試合での判定には今でも納得できないよ。
B: 君の気持ちは分かるけど，審判員も最良の判断をしようとしたことを覚えておいてほしいな。

解説 A の judgment がヒント。それを言い換えられる言葉が何か考える。
1. apprentice「弟子」 2. sibling「兄弟，姉妹」 3. peasant「小作農」 4. referee「審判員」。

(2) 訳 A: ジョーンズ教授はぼくのレポートを厳しく批判したよ。理由が分からないよ。
B: それは，彼が君の可能性を信じているからなのだから，彼のコメントを嫌がらせとは考えないで。

解説 A が批判に対してどのようにとらえているか考える。1. formation「形成」 2. harassment「嫌がらせ」 3. flattery「お世辞」 4. proficiency「熟練」。

(3) 訳 A: マイケルのレポートを見た？　どう思う？
B: 残念だけどよいものではないね。統計分析の部分に深刻な欠点があるよ。

解説 B が it is not a good one と言っているので，その原因を考える。
1. heap「積み重ね」 2. flaw「欠点」 3. nuance「微妙な差異」 4. sequel「続編」。

(4) 訳 A: 基本的には君の案に同意するけど，細部をもっと考えた方がいいね。
B: それは分かっているよ。次回は，自分の案に修正を行うよ。

解説 A の後半の提案から，細部にとって必要なことを考える。
1. shelter「避難所」 2. intimation「暗示」 3. modification「修正」 4. dread「恐怖」。

(5) 訳 A: シンディ，会計士たちが年次監査を行うために来週わが社に来ることになっていると財務部に伝えてくれないか？
B: 分かったわ。何も問題がなければいいけど。

解説 A の前半の finance department「財務部」や accountant「会計士」がヒント。
1. audit「監査」 2. victim「犠牲者」 3. structure「構造」 4. province「領域」。

テーマ

4 文章中の動詞選択①

学習日	目標時間	得点
/	1問 30秒	/5 合格点3点

To complete each item, choose the best word or phrase from among the four choices.

(1) With the cease fire agreement, the government ( ) that the war had ended.

1. prospered **2**. formulated
3. proclaimed **4**. lodged

(2) Facing the picture of a famous artist, John was ( ) at it for a long time.

1. gliding **2**. gazing
3. grooming **4**. glancing

(3) Mark advised Dan not to ( ) the data because it could be a serious crime.

1. mediate **2**. adhere
3. fabricate **4**. incorporate

(4) Even if you are in the severely competitive world of business, keep it in mind to ( ) with the rules.

1. replicate **2**. rebound
3. conspire **4**. comply

(5) There are some mistakes in Jacob's draft, so we will ( ) incorrect sentences.

1. correspond **2**. breach
3. amend **4**. symbolize

Point!

自動詞と他動詞の違いに注意しよう！

似た意味の単語に惑わされないよう，意味を正確に覚えよう。

解答と解説

次の英文の(　　)に当てはまる最も適切なものを 1 つ選びなさい。

(1) 訳 **停戦合意とともに，政府は戦争が終了したことを宣言した。**

解説 cease fire「停戦」の合意のもとで，政府は何をするのか考える。

1. prosper「繁栄する」 **2**. formulate「策定する」 **3**. proclaim「宣言する」 **4**. lodge「提出する」。

(2) 訳 **有名な画家の絵に向き合って，ジョンはそれを長い間見つめていた。**

解説 facing the picture や for a long time より，絵に向かって長い時間何をしていたのか考える。

1. glide「滑る」 **2**. gaze「じっと見る」 **3**. groom「身づくろいする」 **4**. glance「ちらりと見る」。

(3) 訳 **マークはダンに，データを偽造しないよう助言した。なぜなら，それは重大な犯罪になりうるからだ。**

解説 後半の serious crime と目的語が data であることから考える。

1. mediate「調停する」 **2**. adhere「付着する」 **3**. fabricate「偽造する，でっちあげる」 **4**. incorporate「合体させる」。

(4) 訳 **たとえあなたがビジネスの厳しい競争の世界にいるとしても，ルールに従うことを念頭に置きなさい。**

解説 空所の後の with the rules に着目する。keep it in mind to ～で「～することを心に留めておく」。

1. replicate「複製する」 **2**. rebound「はね返る」 **3**. conspire「共謀する」 **4**. comply「従う」。

(5) 訳 **ジェイコブの原稿にはいくつかの間違いがあり，我々は間違っている文を修正するつもりだ。**

解説 結果を表す so に着目し，間違った文をどうするのか考える。draft は「原稿」。

1. correspond「対応する」 **2**. breach「破る」 **3**. amend「修正する」 **4**. symbolize「象徴化する」。

短文の語句空所補充

テーマ

5 文章中の動詞選択②

学習日	目標時間	得点
/	1問 30秒	/5 合格点3点

To complete each item, choose the best word or phrase from among the four choices.

(1) It can be difficult to ( ) money from your account in a foreign country. So, you need a credit card when you go abroad.

1. withdraw **2**. ignite
3. grant **4**. strangle

(2) Our boss advised us not to ( ) the latent danger too much for the new plan, saying there is no progress without taking risks.

1. exert **2**. magnify
3. discard **4**. endorse

(3) Amy felt quite depressed to see her cell-phone was ( ) in water.

1. witnessed **2**. signified
3. soaked **4**. threatened

(4) Everybody was relieved to know the riot was ( ) by the government, because a member of their staff was working in that area.

1. contaminated **2**. illustrated
3. entitled **4**. suppressed

(5) John has a great sense of humor. His joke ( ) a lot of laughter in the meeting.

1. provoked **2**. predicted
3. prevented **4**. progressed

Point!

個々の単語ではなく，前後のつながりで連想しよう！
文中からキーワードを見つけて，関連する動詞を探そう。

解答と解説

次の英文の(　　)に当てはまる最も適切なものを 1 つ選びなさい。

(1) 訳 **外国では，あなたの口座からお金を引き出すのが難しいことがある。だから，外国へ行くときにはクレジットカードが必要だ。**

解説 from your account「あなたの口座から」がヒントになる。
1. withdraw「引き出す」　2. ignite「火をつける」　3. grant「承諾する」
4. strangle「絞める，抑える」。

(2) 訳 **我々の上司は，リスクなしに進歩はないと語って，新しい計画の潜在的な危険をあまりに誇張しすぎないように私たちに助言した。**

解説 文の後半の内容から，上司が潜在的な危険についてどのような助言をしたのか判断する。
1. exert「用いる」　2. magnify「誇張する」　3. discard「捨てる」　4. endorse「裏書きする，支持する」。

(3) 訳 **エイミーは，自分の携帯電話が水に浸かっているのを見て，とても落ち込んだ。**

解説 depressed から，携帯電話はどのような状態か考える。
1. witness「目撃する」　2. signify「意味する」　3. soak「浸す」　4. threaten「脅す」。

(4) 訳 **皆，政府によって暴動が鎮圧されたことを知って安心した。というのは，彼らのスタッフの一人がその地域で働いていたからだ。**

正解 4

解説 riot「暴動」は覚えておきたい。空所後の by ～「～によって」に着目する。
1. contaminate「汚染する」　2. illustrate「説明する」　3. entitle「権利を与える」
4. suppress「鎮圧する」。

(5) 訳 **ジョンはすばらしいユーモアのセンスを持っている。彼の冗談は会議中，多くの笑いを引き起こした。**

解説 1 文目の内容を踏まえて，主語が His joke，目的語が a lot of laughter となる動詞を選ぶ。
1. provoke「引き起こす」　2. predict「予言する」　3. prevent「防ぐ」
4. progress「進歩する」。

Part 1 短文の語句空所補充

テーマ

6 文章中の動詞選択③

学習日
目標時間
1問
30 秒
得点
/5
合格点 3 点

To complete each item, choose the best word or phrase from among the four choices.

(1) It is almost impossible to (   ) wild animals without expert's help.

1. twist **2**. tame
3. crawl **4**. sue

(2) The whole marketing team must go to China next month from the U.S.A., so everyone must see if their passports will (   ) or not.

1. expire **2**. depart
3. abound **4**. groan

(3) In the huge earthquake, the shelf in our office was about to (   ).

1. tumble **2**. task
3. halt **4**. beckon

(4) Joe tried to (   ) our attention from his project. It seemed he was facing some trouble within his team.

1. divert **2**. renounce
3. resent **4**. afflict

(5) My boss always says that there is good timing for business, and we must (   ) that chance.

1. tickle **2**. seize
3. trim **4**. anguish

Point!

目的語と意味がつながるかを考えよう！
文中の名詞に注意して文意を推測しよう。

解答と解説

次の英文の(　　)に当てはまる最も適切なものを1つ選びなさい。

(1) 訳 **専門家の助けなしに野生動物を飼い慣らすのはほぼ不可能だ。** 正解 **2**

解説 wild animals「野生動物」と without expert's help がヒントになる。

1. twist「より合わせる」 **2**. tame「飼い慣らす」 **3**. crawl「這う」 **4**. sue「訴訟を起こす」。

(2) 訳 **マーケティングチーム全体は来月アメリカから中国へ行かなければならないので，全員自分のパスポートの期限が切れるかどうかを確認しなければならない。** 正解 **1**

解説 see if ～「～かどうかたしかめる」と passports に着目して考える。

1. expire「有効期限が切れる」 **2**. depart「出発する」 **3**. abound「たくさんいる」 **4**. groan「うめく」。

(3) 訳 **大きな地震で，我々のオフィスの棚は，倒れるところだった。** 正解 **1**

解説 地震で，the shelf「棚」はどうなるか。

1. tumble「倒れる」 **2**. task「仕事を課す」 **3**. halt「立ち止まる」 **4**. beckon「合図する，手招きする」。

(4) 訳 **ジョーは彼のプロジェクトから我々の注意をそらそうとした。彼はチーム内で何らかの問題に直面しているように見えた。** 正解 **1**

解説 2文目の内容から，空所後の our attention につながる語が分かる。

1. divert「そらす」 **2**. renounce「捨てる」 **3**. resent「腹を立てる」 **4**. afflict「苦しめる」。

(5) 訳 **私の上司は，仕事にはよい時期があり，我々はその機会をつかまなければならないといつも言っている。** 正解 **2**

解説 前半の good timing for business や，文末の chance がヒント。

1. tickle「くすぐる」 **2**. seize「つかむ」 **3**. trim「刈り込む」 **4**. anguish「悩む」。

品詞問題

テーマ

7 会話中の動詞選択

学習日	目標時間	得点
/	1問 30秒	/5 合格点3点

To complete each item, choose the best word or phrase from among the four choices.

(1) **A**: I think I need to answer the questionnaire from the insurance company.
B: Make sure to (　　) the last question. It is for married couples, so you can't answer it.

1. grasp　**2**. omit　**3**. thaw　**4**. insure

(2) **A**: Where should I get my medicine? My prescription is here.
B: Please go to the pharmacy next to this hospital. Pharmacists will (　　) that medicine.

1. repeal　**2**. diminish　**3**. hinder　**4**. dispense

(3) **A**: Sometimes I (　　) my memories of school days.
B: It is no wonder. I know you spent good days with funny friends.

1. ascend　**2**. betray　**3**. uphold　**4**. cherish

(4) **A**: The weather is really bad today. How do you think the flight will go?
B: The boss decided to (　　) the student's training flight. It will be rescheduled for another day.

1. premeditate　**2**. cancel　**3**. cram　**4**. abide

(5) **A**: I am sorry that we couldn't get the contract. It was my mistake.
B: All of us should have done more preparation. You are not to (　　).

1. cite　**2**. eliminate　**3**. blame　**4**. feed

Point!

知っている単語でも意外な意味があるので注意。
選択肢に知らない動詞があったら消去法で考えていこう！

解答と解説

次の英文の(　　)に当てはまる最も適切なものを1つ選びなさい。

(1) 訳 **A: 保険会社からのアンケートに回答する必要があると思うんだ。**
B: 最後の質問は省くのを確認して。それは夫婦のための質問だから，あなたは回答できないよ。

正解 2

解説 B の最後の言葉から，最後の質問にはどのように対応するのか分かる。
1. grasp「つかむ」 **2**. omit「省く, 抜かす」 **3**. thaw「解かす」 **4**. insure「保険をかける」。

(2) 訳 **A: どこで薬をもらえますか？　私の処方箋はここにあります。**
B: この病院の隣の薬局へ行ってください。薬剤師がその薬を調剤します。

正解 4

解説 prescription「処方箋」や pharmacy「薬局」がヒントになる。
1. repeal「無効にする」 **2**. diminish「減らす」 **3**. hinder「妨げる」 **4**. dispense「調剤する」。

(3) 訳 **A: 時どき，自分の学生時代がなつかしいよ。**
B: 無理ないよ。君がおもしろい友人と楽しく過ごしたのを知っているよ。

正解 4

解説 B の言葉から，A には学生時代がいい思い出になっていることが分かる。
1. ascend「登る」 **2**. betray「裏切る」 **3**. uphold「支持する」 **4**. cherish「なつかしむ」。

(4) 訳 **A: 今日の天候は本当によくない。フライトはどうなると思う？**
B: 主任が，学生の訓練飛行を取りやめると決めたよ。別の日に延期になるだろうね。

正解 2

解説 A の言葉の flight は B の student's training flight のこと。
1. premeditate「前もって熟慮する」 **2**. cancel「取りやめる」 **3**. cram「詰め込む」 **4**. abide「我慢する」。

(5) 訳 **A: 契約をとれなくて残念です。私のミスでしたね。**
B: 我々みんなが，もっと準備をしておくべきだったね。君のせいではないよ。

正解 3

解説 B は，契約不成立は全員の準備不足であって一人の責任ではないと伝えている。**1**. cite「引用する」 **2**. eliminate「除去する」 **3**. blame「責任にする」, be to blame「責任がある」 **4**. feed「食事を与える」。

Part 1 短文の語句空所補充

テーマ

8 文章中の形容詞選択

To complete each item, choose the best word or phrase from among the four choices.

(1) Employees agree that the client's demand is (　　). They are required to finish the task in a week, although it usually takes a month at least.

1. unconscious　　**2**. immaterial
3. unreasonable　　**4**. inventive

(2) Everyone thought Jenny was considering a small and (　　) thing in this project. However, it is revealed that that point is quite essential now.

1. prevalent　　**2**. trivial
3. savage　　**4**. arrogant

(3) The staff members of that museum felt (　　) to find out most objects donated by local people were quite ordinary things.

1. miscellaneous　　**2**. sweltering
3. thunderous　　**4**. dejected

(4) The new president felt (　　) when she read the report which revealed their profits had been declining for a year.

1. perpetual　　**2**. brutal
3. gloomy　　**4**. prior

(5) This is a secondhand laptop computer, so the user is (　　) for the cost of repairs.

1. misty　　**2**. naive
3. optimistic　　**4**. liable

形容詞は名詞や動詞からの派生語として覚えよう！

-ous など接尾辞をマスターして形容詞に強くなろう。

解答と解説

次の英文の(　　)に当てはまる最も適切なものを1つ選びなさい。

(1) 訳 **社員たちは，その顧客の要求が不当だとして合意している。普通なら少なくとも1か月かかる仕事を，1週間で終えるよう要求されている。**

解説 2文目から，顧客の要求は度を超えていると分かる。

1. unconscious「無意識の」 **2**. immaterial「重要でない」 **3**. unreasonable「不当な」 **4**. inventive「独創的な」。

(2) 訳 **このプロジェクトにおいて，ジェニーは細かく，そしてささいなことを考えているとみんな思っていたが，今はその点が非常に重要だと分かっている。**

正解 2

解説 逆接を表す however に着目して，essential「きわめて重要な」と反対の意味になる語を選ぶ。

1. prevalent「広まっている」 **2**. trivial「ささいな」 **3**. savage「残酷な」 **4**. arrogant「傲慢な」。

(3) 訳 **その博物館のスタッフたちは，地域の人々から寄付された物のほとんどが，とてもありふれた物であることを知ってがっかりした。**

解説 find out に続く内容から，空所に合う語を判断する。

1. miscellaneous「種々雑多な」 **2**. sweltering「暑くてうだるような」 **3**. thunderous「雷のような」 **4**. dejected「がっかりした」。

(4) 訳 **新社長は，利益が1年の間に減少していたことを明らかにした報告書を読んだとき，憂うつな気分になった。**

解説 when 以下の内容から，社長がどのような気分か推測できる。

1. perpetual「永遠の」 **2**. brutal「残忍な」 **3**. gloomy「憂うつな」 **4**. prior「前の」。

(5) 訳 **これは中古のノート型パソコンなので，使用者に修理費用の責任がある。**

正解 4

解説 so に着目し，パソコンが中古であることで起こり得る結果を考える。

1. misty「霧の多い」 **2**. naive「世間知らずの」 **3**. optimistic「楽天的な」 **4**. liable「責任がある」。

テーマ
9 文章中の副詞選択

品詞問題

学習日	目標時間	得点
／	1問 30秒	／5 合格点3点

To complete each item, choose the best word or phrase from among the four choices.

(1) Due to a breakdown of the new system for automatic analysis, we had to analyze the issue (　　).

1. mutually　　**2**. partially
3. manually　　**4**. regretfully

(2) Everyone was quite surprised when the door opened (　　) at night.

1. abruptly　　**2**. humorously
3. exceptionally　　**4**. sarcastically

(3) Joe tried to speak (　　) about the issue, although the topic had quite sensitive aspects.

1. shamelessly　　**2**. enviously
3. narrowly　　**4**. frankly

(4) The manager advised us to keep the daily report so that we could analyze results of the project (　　) in the future.

1. inefficiently　　**2**. gaudily
3. cowardly　　**4**. cumulatively

(5) Emily's suggestion was a very unexpected one, and it showed a (　　) new aspect.

1. wholly　　**2**. frequently
3. cynically　　**4**. statistically

副詞は文全体の流れと関係していることに注意！

副詞と形容詞は派生語としてまとめて覚えよう。

解答と解説

次の英文の(　　)に当てはまる最も適切なものを 1 つ選びなさい。

(1) 訳 **自動分析のための新システムの故障によって，我々は手作業でその問題を分析しなければならなかった。**

解説 automatic「自動の」では分析できないことから考える。

1. mutually「互いに」 2. partially「部分的に」 3. manually「手(作業)で」 4. regretfully「悔やんで」。

(2) 訳 **そのドアが夜突然開いたとき，皆とても驚いた。**

解説 surprised からドアがどのように開いたのか推測できる。

1. abruptly「突然に」 2. humorously「おどけて」 3. exceptionally「並外れて, 例外的に」 4. sarcastically「皮肉っぽく」。

(3) 訳 **その話題は非常にデリケートな側面を持っていたが，ジョーはその問題について率直に話そうとした。**

解説 although に着目して話しにくい内容をどのように話そうとしたのか考える。

1. shamelessly「厚かましく」 2. enviously「うらやましそうに」 3. narrowly「かろうじて」 4. frankly「率直に」。

(4) 訳 **我々が将来において累積的にプロジェクトの結果を分析できるように，部長は我々に毎日の報告を記録するように助言した。**

解説 so that 〜は「〜するために」と，目的を表すことから考える。

1. inefficiently「非効率的に」 2. gaudily「けばけばしく」 3. cowardly「臆病な」 4. cumulatively「累積的に」。

(5) 訳 **エミリーの提案はとても予想外のものであり，それはまったく新しい側面を見せた。**

解説 前半の unexpected と文末の new aspect から考える。

1. wholly「まったく」 2. frequently「頻繁に」 3. cynically「皮肉に」 4. statistically「統計的に」。

テーマ

10 会話中の熟語の名詞選択

学習日	目標時間	得点
／	1問 30秒	／5 合格点3点

To complete each item, choose the best word or phrase from among the four choices.

(1) ／
A: Mary, I heard that our secret information for the project is well known to other companies.
B: That is unbelievable! We must keep on our ( ) about information security.
1. humbleness **2**. toes **3**. impulses **4**. observations

(2) ／
A: Elena, I'm afraid many members will object to my proposal at the meeting. Maybe I should compromise a little.
B: Your proposal is good. Try to stick to your ( ) a little longer. Perhaps they will start to understand what you want to say.
1. guns **2**. manners **3**. recklessness **4**. kindnesses

(3) ／
A: Jenny, how is the book you bought at the beginning of this term?
B: Honestly, it is impressive. It always gives me food for ( ).
1. clumsiness **2**. sobriety **3**. thought **4**. opinion

(4) ／
A: Erica, finally, I found a good article for our report!
B: Sounds great! But hold your ( ). We must first confirm the source of the information.
1. bosses **2**. genes **3**. attempts **4**. horses

(5) ／
A: You look happy today. What happened?
B: My son's baseball team won the matches consecutively, four times in a ( ).
1. hazard **2**. row **3**. implication **4**. inquiry

Point!

選択肢以外の単語も確認しておこう！
熟語は名詞のもとの意味と大きく変わるものもあるので注意。

解答と解説

次の英文の(　　)に当てはまる最も適切なものを 1 つ選びなさい。

(1) 訳 A: メアリー，プロジェクトについての我々の秘密の情報が，ほかの会社によく知られていると聞いたけど。

B: 信じられない！　情報セキュリティには用心しなければならないわ。

解説 A の発言を受けて，B は情報セキュリティにどう対応すべきか答えている。
1. humbleness「謙遜」 2. toe「つま先」, keep on *one's* toes「用心する」
3. impulse「衝動」 4. observation「観察」。

(2) 訳 A: エレナ，多くのメンバーが会議でぼくの提案に反対するんじゃないかな。もしかすると，少し妥協すべきかな。

B: あなたの提案はすばらしいわ。もう少し自分の意見を守ってみたら。もしかして，彼らがあなたの言いたいことを理解し始めるかもしれないわ。

解説 A の発言に対して，B は何を試すように勧めているのか考える。
1. gun「銃」, stick to *one's* guns「自分の立場を守る」 2. manner「態度, 礼儀」
3. recklessness「無謀さ」 4. kindness「親切な行為」。

(3) 訳 A: ジェニー，今学期の初めに君が買った本はどう？

B: 正直に言って，すばらしいわ。私に思考の糧を与えてくれるの。

解説 すばらしい本が与えるものは何かを考える。
1. clumsiness「不器用」 2. sobriety「酔っていないこと」 3. thought「思考」, food for thought「思考の糧」 4. opinion「意見」。

(4) 訳 A: エリカ，我々のレポートによい記事をやっと見つけたよ！

B: よかった！　でも落ち着いて。まず，情報源を確認しないとね。

解説 興奮している A に対して B は冷静な発言をしていることから考える。
1. boss「上司」 2. gene「遺伝子」 3. attempt「試み」 4. horse「馬」, hold *one's* horses「落ち着く, 早合点しない」。

(5) 訳 A: 今日はうれしそうだね。何があったの？

B: 息子の野球チームが連続して勝利したんだ，立て続けに 4 回ね。

解説 four times ～は，前の情報をさらに詳しく述べている。
1. hazard「危険」 2. row「列」, in a row「立て続けに」 3. implication「示唆」
4. inquiry「質問」。

テーマ
11 文章中の熟語の名詞選択

学習日	目標時間 1問 30秒	得点 /5 合格点3点

To complete each item, choose the best word or phrase from among the four choices.

(1) That baseball team could not win the tournament, but they were trying to go forward, licking their (　　).

1. wounds　**2**. leagues
3. observers　**4**. fights

(2) Leo's presentation did not get the results he had expected, but he gritted his (　　) and tried to focus on the next step.

1. frustration　**2**. pursuance
3. concealment　**4**. teeth

(3) John is interested in the man in (　　) due to political reasons. He will likely be imprisoned if he goes back to his home country.

1. interruption　**2**. grasp
3. exile　**4**. discomfort

(4) He must be treated on the (　　) that he is innocent until proven guilty in court.

1. instillation　**2**. harassment
3. presumption　**4**. disregard

(5) New evidence of the scandal has recently come to (　　) by the media.

1. rebellion　**2**. pesticide
3. light　**4**. orb

Point!

(　　)の前後から文の内容をイメージしよう！

動詞から派生している名詞もあるので意味を推測しよう。

解答と解説

次の英文の(　　)に当てはまる最も適切なものを 1 つ選びなさい。

(1) 訳 **あの野球チームはトーナメントでは勝てなかったが，敗北から立ち直ろうとしながら，前進しようとしていた。**

解説 逆接の but に着目して後半の内容を考える。lick の本来の意味は「なめる」。

1. wound「**傷**」, lick *one's* wounds「**敗北から立ち直る，傷心をいやす**」 **2**. league「**連盟，仲間**」 **3**. observer「**観察者**」 **4**. fight「**戦い**」。

(2) 訳 **レオのプレゼンテーションは彼の期待した結果を得られなかったが，彼は歯を食いしばって，次の段階に集中しようとした。**

解説 文の前半から，レオが残念な気持ちを抱いていることが分かる。

1. frustration「**失敗，挫折**」 **2**. pursuance「**遂行**」 **3**. concealment「**隠ぺい**」 **4**. teeth「**歯**」, grit *one's* teeth「**歯を食いしばる**」。

(3) 訳 **ジョンは，政治的な理由で亡命中の男性に関心を持っている。彼は母国に帰れば，投獄されてしまうだろう。**

解説 the man は政治的な理由で国外にいると分かる。

1. interruption「**中断**」 **2**. grasp「**把握**」 **3**. exile「**亡命**」, in exile「**亡命中で**」 **4**. discomfort「**当惑**」。

(4) 訳 **法廷で有罪と証明されるまでは，彼は無罪であるという前提で扱われなければならない。**

解説 that 以下の文から，疑わしきは罰せず，の内容と分かる。

1. instillation「**教え込むこと**」 **2**. harassment「**嫌がらせ**」 **3**. presumption「**推定**」, on the presumption that ～「**～という前提で**」 **4**. disregard「**無視，軽視**」。

(5) 訳 **そのスキャンダルの新たな証拠が最近，メディアによって明るみに出た。**

解説 scandal や by the media がヒント。秘密だったものがどうなったのかを考える。

1. rebellion「**反乱**」 **2**. pesticide「**殺虫剤**」 **3**. come to light「**明るみに出る**」 **4**. orb「**球**」。

テーマ

12 会話中の熟語の動詞選択

学習日	目標時間	得点
/	1問 30秒	/5 合格点3点

To complete each item, choose the best word or phrase from among the four choices.

(1) **A**: What is the class impression of the new teacher?
B: Although I can't (　　) for the other members in my class, personally I think he is a good teacher.

1. read　**2**. hand　**3**. weigh　**4**. speak

(2) **A**: Paul is not here, but we'd better (　　) out to work.
B: He is supposed to come here. Please give me a minute. I will call him.

1. drag　**2**. play　**3**. wash　**4**. head

(3) **A**: How should we select the new members of the sales department?
B: Well, I want the top members for new employees, so, let's (　　) out the people who haven't made the minimum achievements.

1. smooth　**2**. find　**3**. give　**4**. cross

(4) **A**: Are you sure you don't want to go to see the doctor again, Bob?
B: Yes. I think I am fine. The doctor treated my wound and the pain will (　　) off soon.

1. sink　**2**. sit　**3**. wear　**4**. see

(5) **A**: How is your new house? I miss you because you moved away.
B: Everything is new to me. I think it will take more time to (　　) down.

1. attain　**2**. undermine　**3**. surpass　**4**. settle

Point!

(　　)の後の前置詞に注意して動詞を選ぼう。

熟語になると，もとの動詞の意味とは大きく変わるものがある！

解答と解説

次の英文の(　　)に当てはまる最も適切なものを 1 つ選びなさい。

(1) 訳 **A: 新任の先生のクラスの印象はどうだい？**
B: ぼくのクラスのほかのメンバーを代弁することはできないけれど，個人的には良い先生だと思うよ。

正解 4

解説 A がクラスの印象をたずねているのに対し，B は個人的な意見を述べていることから考える。

1. read for ～「～のために読む」 2. hand「手渡す」 3. weigh「重さを量る, 考える」 4. speak for ～「～を代弁する」。

(2) 訳 **A: ポールはここにいないけれど，我々は仕事に出かけるべきだ。**
B: 彼は来るはずだよ。少しだけ待って。彼に電話しよう。

正解 4

解説 逆接の but に着目して，A たちは何をするべきなのか考える。

1. drag out ～「～を引きずり出す」 2. play out「尽きる, 展開する」 3. wash out「洗い流す」 4. head「向かって進む」, head out「出かける」。

(3) 訳 **A: 販売部の新しいメンバーをどうやって選ぼうか？**
B: 新入社員にはトップのメンバーがほしいから，最低限の業績を達成していない人は外そう。

正解 4

解説 空所の前の so に着目する。so の後は，前半の内容の結論になる。

1. smooth out ～「(妨害などを)取り除く」 2. find out ～「～を発見する」 3. give out ～「～を発する」 4. cross out ～「～を消す」。

(4) 訳 **A: ボブ，もう一度医者に診てもらわなくていいのかい？**
B: うん。大丈夫だと思う。医者は傷の治療をしてくれたし，痛みはすぐに消えるはずだよ。

正解 3

解説 B の I am fine から，pain（痛み）はどうなると予想できるか考える。

3. wear off「(痛みなどが)徐々に消えていく」 4. see off ～「～を見送る」。

(5) 訳 **A: 新しい家はどう？　君が引っ越してしまって寂しいよ。**
B: 何もかも新しいよ。落ち着くにはもっと時間がかかると思うな。

正解 4

解説 2 人の対話から B は引っ越して，まだ間もないことが分かる。

1. attain「獲得する」 2. undermine「土台を壊す」 3. surpass「越える」 4. settle down「落ち着く」。

テーマ

13 文章中の熟語の動詞選択

学習日	目標時間	得点
/	1問 30秒	/5 合格点3点

To complete each item, choose the best word or phrase from among the four choices.

(1) He is in a lot of trouble right now, but he tries to solve it independently, so as not to (　　) back on others.

1. look　　**2**. add
3. fall　　**4**. get

(2) Grace had some free time before departure, so, she decided to (　　) around the place for a while.

1. hang　　**2**. settle
3. heap　　**4**. hold

(3) The lawyer severely condemned the company, saying it (　　) down the effects of serious accidents in the factory.

1. dropped　　**2**. jumped
3. faced　　**4**. played

(4) She worked so hard in the afternoon, trying to (　　) up her job and go home early.

1. give　　**2**. bounce
3. stand　　**4**. wrap

(5) Although it has a great history, the school decided to (　　) down the old school building.

1. tear　　**2**. absorb
3. bend　　**4**. certify

Point!

down や up など，動詞と組み合わせて使う前置詞に注目。
簡単な動詞ほど，熟語として多くの意味を持つので注意しよう。

解答と解説

次の英文の(　　)に当てはまる最も適切なものを 1 つ選びなさい。

(1) 訳 **彼は今，とても困っているが，他人に頼らないように，自力で解決しようとしている。**

解説 independently「自力で」がヒントになっている。

1. look back on ～「**～を振り返る**」 **3**. fall back on ～「**～に頼る**」 **4**. get back on ～「**～に復讐する**」。

(2) 訳 **グレイスは出発前に自由な時間があったので，その場所をしばらく歩き回ることに決めた。**

解説 前半の内容から，時間をつぶす意図が分かる。

1. hang around「**歩き回る**」 **2**. settle「**落ち着く**」 **3**. heap「**積み上げる**」 **4**. hold「**つかむ**」。

(3) 訳 **その弁護士は，工場での重大事故の影響を軽視したと述べて，その会社を厳しく非難した。**

解説 前半の condemned「非難した」の理由が saying 以下で述べられている。

1. drop down「**落ちる**」 **2**. jump down「**飛び降りる**」 **3**. face down「**下を向く**」 **4**. play down ～「**～を軽視する**」。

(4) 訳 **彼女は自分の仕事を切り上げて早く帰宅しようとして，午後一生懸命働いた。**

解説 trying to 以下は一生懸命働いた理由になっている。

1. give up ～「**～をあきらめる**」 **2**. bounce「**跳ねる**」 **3**. stand up「**立ち上がる**」 **4**. wrap up ～「**～を終える，切り上げる**」。

(5) 訳 **その学校は，すばらしい歴史を持っているが，古い校舎を壊すことを決定した。**

正解 1

解説 a great history が逆接を表す although でつながっていることから考える。

1.tear down ～「**～を取り壊す**」 **2**. absorb「**吸収する**」 **3**. bend down「**下に曲げる**」 **4**. certify「**保証する**」。

テーマ

14 会話中の動詞を含む熟語選択

学習日	目標時間	得点
/	1問 30秒	/5 合格点3点

To complete each item, choose the best word or phrase from among the four choices.

(1) A: I can't understand why you were so late today.
B: Unfortunately, the train finally (　　) at five-thirty, although it was supposed to come at four-thirty.
1. picked through　2. carried through
3. pulled in　4. tidied up

(2) A: I don't know how his family will treat their grandfather's heritage.
B: I really hope there will be no trouble about who will (　　) it.
1. sum up　2. close in
3. bring about　4. come into

(3) A: I think my piano sounds strange today.
B: When did you have your piano (　　) last time? Maybe you need an expert to check it.
1. called on　2. hung up
3. shown off　4. tuned up

(4) A: I think Jacob made so much effort for our project.
B: Yes, his devotion (　　) a great deal.
1. counted for　2. went back on
3. sold out　4. did away with

(5) A: I don't know why Andrew is working so hard to make money.
B: He is thinking the debt his father owed will (　　) him eventually.
1. come down to　2. reflect on
3. back down　4. put aside

Point!

熟語全体が選択肢になることもある！

(　　)のない方の文から，会話の内容をつかもう。

解答と解説

次の英文の(　　)に当てはまる最も適切なものを1つ選びなさい。

(1) 訳 **A: 今日，君がこんなに遅れた理由が分からないよ。**
B: 運悪く，4:30に来るはずの電車が，5:30にようやく到着したんだ。

正解 3

解説 A の late から電車がどうしたのか推測できる。
1. pick through ～「～を丹念に調べる」 **2**. carry through「最後までやり遂げる」 **3**. pull in「(列車が)駅に到着する」 **4**. tidy up「整理する」。

(2) 訳 **A: 彼の一家が，祖父の遺産をどのように扱うつもりか分からないな。**
B: 誰がそれを引き継ぐかについて問題にならないといいね。

正解 4

解説 A の heritage「遺産」がヒント。空所後の it は their grandfather's heritage のこと。**1**. sum up ～「～を合計する」 **2**. close in「近づく」 **3**. bring about ～「～をもたらす」 **4**. come into ～「～を受け継ぐ」。

(3) 訳 **A: 今日，私のピアノの音が変だと思う。**
B: 最後に調律してもらったのはいつ？　専門家に見てもらう必要があるかもね。

正解 4

解説 〈have ＋ O ＋過去分詞〉で「O を～してもらう」の意味。
1. call on ～「～を訪問する」 **2**. hang up ～「～をつるす, 電話を切る」 **3**. show off ～「～を見せびらかす」 **4**. tune up ～「～を調律する」。

(4) 訳 **A: ジェイコブは我々のプロジェクトにずいぶん努力してくれたね。**
B: そうだね，彼の貢献は，非常に価値があったよ。

正解 1

解説 ジェイコブの努力を2人とも評価していることから分かる。
1. count for ～「～の価値がある」 **2**. go back on ～「～を裏切る」 **3**. sell out「売り切る」 **4**. do away with ～「～を廃止する」。

(5) 訳 **A: アンドリューがなぜお金を儲けようと必死に働いているのか分からないな。**
B: 彼は，父親が負った借金がいずれは自分に回ってくると考えているんだよ。

正解 1

解説 Andrew が必死に働くのは，父親が負った借金を心配しているからだと分かる。**1**. come down to ～「～に回ってくる，降りてくる」 **2**. reflect on ～「～を考慮する」 **3**. back down ～「～を撤回する」 **4**. put aside ～「～をわきに置く」。

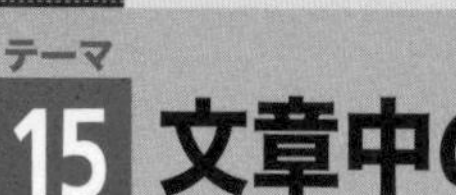

テーマ 15 文章中の動詞を含む熟語選択

学習日	目標時間	得点
／	1問 30秒	／5 合格点3点

To complete each item, choose the best word or phrase from among the four choices.

(1) ☐ The board of directors was shocked to find out the number of customers began to ( ) after the new product had appeared in the market.

1. fall off　**2**. trip up
3. sit in　**4**. try out

(2) ☐ We must finish this work by tomorrow. Let's ( ) another hour.

1. set off　**2**. take up
3. bring off　**4**. put in

(3) ☐ Dealing with unpredicted trouble ( ) a whole day.

1. aired out　**2**. made over
3. ate up　**4**. ran against

(4) ☐ No one had expected that the new plants would come to ( ) all over the region. We can see them in every farm around here.

1. crack up　**2**. fall through
3. spring up　**4**. even out

(5) ☐ At the end of my college life, I was thinking so hard to ( ) my ideas for the future.

1. blend into　**2**. dish out
3. line up　**4**. map out

Point!

(　　)前後の簡単な名詞などから文意を考えよう！
似た意味の熟語，反対の意味の熟語などをまとめて覚えよう。

解答と解説

次の英文の(　　)に当てはまる最も適切なものを1つ選びなさい。

(1) 訳 **重役会は，新製品が市場に出た後，客の数が減り始めたことを知って衝撃を受けた。**

解説 was shocked から，客の数がどうなったか推測できる。
1. fall off「減少する」 **2**. trip up「失敗させる」 **3**. sit in「代行する」 **4**. try out ～「～を試す」。

(2) 訳 **明日までにこの仕事を終えなければならない。もう1時間費やそう。**

正解 4

解説 1文目の内容から，さらに仕事を行おうとしていることが分かる。
1. set off「出発する」 **2**. take up ～「～を取り上げる，手に取る」 **3**. bring off ～「～を救い出す，うまくやってのける」 **4**. put in ～「～を費やす」。

(3) 訳 **予想外のトラブルにかかりきりで，丸一日がつぶれた。**

正解 3

解説「予想外のトラブル」が，丸一日をどうするか考える。
1. air out ～「～を風にあてる」 **2**. make over ～「～を譲り渡す，作り直す」 **3**. eat up「食い尽くす，使い尽くす」 **4**. run against ～「～にぶつかる，偶然出会う」。

(4) 訳 **その新しい植物がその地域のいたる所で生えてくるとは誰も予想していなかった。この辺りのあらゆる農場でそれを見ることができる。**

解説 new plants や see them in every farm から，推測できる。
1. crack up「衝突する」 **2**. fall through「失敗に終わる」 **3**. spring up「芽生える」 **4**. even out「平らになる」。

(5) 訳 **大学生活が終わるころ，私は将来への自分の考えを精密にまとめるために真剣に考えていた。**

正解 4

解説 At the end of my college life や for the future がヒント。空所後の my ideas につながる熟語を選ぶ。**1**. blend into ～「～に一体化する」 **2**. dish out ～「～を分配する」 **3**. line up「一列に並ぶ」 **4**. map out ～「～を精密にまとめる」。

Part 1 短文の語句空所補充

テーマ

16 名詞を含む熟語選択

To complete each item, choose the best word or phrase from among the four choices.

(1) Don't speak ill of others behind their (　　).

1. bots　　**2**. bucks
3. beaks　　**4**. backs

(2) You must accomplish it by all (　　). You are the only one who can make it in our team.

1. beans　　**2**. means
3. seams　　**4**. deans

(3) Jack is looking for a better job, being tired of living from (　　).

1. hand to mouth　　**2**. eye to eye
3. right to left　　**4**. mouth to mouth

(4) I couldn't believe Kelly opposed the proposal of her team. I thought they were in the same (　　).

1. bureau　　**2**. beat
3. boat　　**4**. bow

(5) Unfortunately, our new product was not successful at all, and we had to admit the result was (　　) what we had expected.

1. a far cry from　　**2**. of little use
3. second only to　　**4**. on the blink

Point!
知らない名詞は消去法で対応しよう！
名詞を含む熟語の意味は文章で覚えよう。

解答と解説

次の英文の(　　)に当てはまる最も適切なものを１つ選びなさい。

(1) 訳 **陰で他人の悪口を言うな。**

解説 behind が「～の背後で」という意味を持つことから推測できる。speak ill of ～は「～の悪口を言う」。
1. bot「**ウマバエの幼虫**」 **2**. buck「**雄鹿**」 **3**. beak「**くちばし**」 **4**. back「**背**」, behind *one's* back「**陰で**」。

(2) 訳 **君は何としてでもそれを果たさなくてはならない。我々のチームでそれができるのは君だけだよ。**

正解 2

解説「あらゆる（　　）を用いて，それを果たさなくてはならない」と考える。
1. bean「**豆**」 **2**. means「**手段**」, by all means「**何としてでも**」 **3**. seam「**縫い目**」 **4**. dean「**学部長**」。

(3) 訳 **ジャックは，その日暮らしの生活に疲れて，もっとよい仕事を探している。**

解説 前半の内容から，どのような生活に疲れているのか考える。
1. from hand to mouth「**その日暮らしで**」。

(4) 訳 **ケリーが自分のチームの提案に反対したことが信じられなかった。私は，彼女らは運命を共にしていると思っていたのだ。**

解説「彼女ら（ケリーとチーム）は同じ（　　）にいる」が直訳。
1. bureau「**(官庁などの)局**」 **2**. beat「**たたく音**」 **3**. boat「**ボート**」, be in the same boat「**運命を共にしている**」 **4**. bow「**おじぎ, 弓**」。

(5) 訳 **不運なことに，我々の新製品はまったく成功ではなく，結果が期待していたものとはほど遠いものであったと認めなければならなかった。**

正解 1

解説 新製品がまったく成功ではなかったという強い否定であることから連想できる。**1**. a far cry from ～「**～からほど遠い**」 **2**. of little use「**ほとんど役に立たない**」 **3**. second only to ～「**～に次いで２番目**」 **4**. on the blink「**調子が悪くて**」。

Part 1 短文の語句空所補充

テーマ

17 さまざまな形の熟語選択

学習日	目標時間	得点
/	1問 30秒	/5 合格点3点

To complete each item, choose the best word or phrase from among the four choices.

(1) You don't have to think about where we should stay for the next business trip. Janice is very ( ) about hotels, so she knows good hotels.

1. asinine **2**. obscene
3. particular **4**. hereditary

(2) I need more time to remember his name. It is on the ( ) of my tongue!

1. tap **2**. tip
3. tick **4**. token

(3) She has every ( ) to insist on her proposal because she has done great detailed research in advance about that issue.

1. lead **2**. dime
3. hue **4**. reason

(4) Voting rate is quite low at this election. It seems many people are ( ) to politics this time.

1. indifferent **2**. invaluable
3. cynical **4**. inflammatory

(5) Because our main computer freezes frequently now, we have to use another computer ( ) it.

1. in conflict with **2**. in place of
3. catch up on **4**. in vain

Point!

つづりが似た単語に惑わされないよう，注意しよう。

意味が推測しにくい熟語は，熟語まるごと覚えよう。

解答と解説

次の英文の(　　)に当てはまる最も適切なものを 1 つ選びなさい。

(1) 訳 **次の出張で，どこに泊まるか考える必要はないよ。ジャニスはホテルの好みがとてもうるさいから，彼女がよいホテルを知っているよ。**

正解 3

解説 2文目の so に着目し，ジャニスがよいホテルを知っている理由を考える。**1**. asinine「愚かな」 **2**. obscene「節度を欠いた」 **3**. be particular about ～「～について好みがうるさい」 **4**. hereditary「世襲の」。

(2) 訳 **彼の名前を思い出すのにもう少し時間がいる。のどまで出かかっているんだけど！**

正解 2

解説 名前を思い出せそうで思い出せない様子を表す表現。tongue は「舌」。**1**. tap「蛇口，栓」 **2**. tip「先端」，on the tip of *one's* tongue「のどまで出かかっている」 **3**. tick「(時計の)カチカチいう音」 **4**. token「しるし，象徴」。

(3) 訳 **彼女は，その件について細部にわたって事前に大変な調査を行ってきたのだから，自分の提案を主張するのはもっともだ。**

正解 4

解説 because 以下の内容から，彼女が自分の提案を主張するのは当然だと分かる。**1**. lead「先導」 **2**. dime「10セント硬貨」 **3**. hue「色合い」 **4**. have every reason to ～「～するのはもっともだ」。

(4) 訳 **今回の選挙は投票率がとても低い。今回は，多くの人々が政治に無関心であるように見える。**

正解 1

解説 2文目は，1文目の内容を根拠に述べていることから考える。**1**. be indifferent to ～「～に無関心である」 **2**. invaluable「極めて貴重な」 **3**. cynical「皮肉な」 **4**. inflammatory「(怒りなどを)かき立てる」。

(5) 訳 **我々のメインのコンピューターは最近フリーズしてばかりなので，その代わりに，別のコンピューターを使わなければならない。**

正解 2

解説 空所後の it は our main computer を指している。「別のコンピューターを使う」と述べていることもヒントになる。**1**. in conflict with ～「～と衝突して」 **2**. in place of ～「～の代わりに」 **3**. catch up on ～「～に追いつく」 **4**. in vain「無駄に」。

テーマ

18 前置詞・接続詞の選択

学習日	目標時間	得点
/	1問 30秒	/5 合格点3点

To complete each item, choose the best word or phrase from among the four choices.

(1) (　　) the time for the conference decreased, the morale of whole team increased.

1. Whereas　　**2**. No more than
3. In case　　**4**. As well as

(2) The child's parents rarely punished him for any kind of bad behavior, (　　) they were extremely lenient.

1. with　　**2**. of
3. for　　**4**. by

(3) Rebecca finally got the chance to interview the minister, (　　) her persistence in requesting many times.

1. because　　**2**. instead of
3. so that　　**4**. because of

(4) We could reach agreement (　　) September 4, 2002, and it made it possible to avoid fierce competition.

1. as of　　**2**. as in
3. as for　　**4**. as such

(5) I don't know why Johnny did not agree with the new idea, (　　) that it was a good one.

1. admitting　　**2**. considering
3. judging from　　**4**. providing

Point!

(4) の as など，使い方で様々な意味を持つ単語に注意！
意味だけでなく，品詞も見分けられるようにしよう。

解答と解説

次の英文の(　　)に当てはまる最も適切なものを 1 つ選びなさい。

(1) 訳 **会議の時間が減少した一方で，チーム全体の士気が上がった。**

解説 文の前半と後半が相反する内容であることから考える。
1. whereas「～であるのに，～である一方で」 **2**. no more than ～「わずか～」 **3**. in case ～「～の場合は」 **4**. as well as ～「～と同じく」。

(2) 訳 **その子の両親は，どのような行儀の悪い行動に対しても，めったに叱らなかった。なぜなら，彼らはとても甘かったからだ。**

正解 3

解説 空所の後は S と V がそろっている節なので接続詞を入れる。選択肢の中で接続詞としての用法があるのは for のみ。**3**. for「なぜなら～」。

(3) 訳 **レベッカは，何度でも依頼する粘り強さのために，ようやく大臣とのインタビューの機会を得た。**

解説 前半が結果で，後半が理由となっている。空所の後は S と V が揃っていないので接続詞 because は不可。**2**. instead of ～「～の代わりに」 **3**. so that S V「そのため～」 **4**. because of ～「～のために」。

(4) 訳 **我々は，2002 年 9 月 4 日現在で合意に達し，激しい競争を避けることが可能になった。**

解説 日付とともに使う表現。**1**. as of ～「～現在で」 **2**. as in ～「～のように」 **3**. as for ～「～に関しては」 **4**. as such「それ自体としては」。

(5) 訳 **ジョニーはそれがよい案だと認めたものの，なぜ新しい案に同意しなかったのか，私には分からない。**

解説 前の節と後ろの節を逆接でつなぐと，文の意味が通る。慣用的な分詞構文。
1. admitting that ～「～と認めているが」 **2**. considering ～「～を考慮すると」 **3**. judging from ～「～から判断すると」 **4**. providing「もし～ならば」。

テーマ 19 文法問題

To complete each item, choose the best word or phrase from among the four choices.

(1) I felt sorry for his failure. (　　) I been there, I could have advised him.

1. Was　　**2**. Did
3. Have　　**4**. Had

(2) To avoid (　　) the virus, you should stay at home today.

1. transmitting　　**2**. to transmit
3. detaining　　**4**. to detain

(3) In 1960's there were three popular electronic products in Japan. The first was the washing machine and the second was the refrigerator, (　　).

1. the third was the television　　**2**. being the television
3. the third being the television　　**4**. the third had been the television

(4) I became (　　) by mathematics during my first year. Every textbook I read made me want to learn more.

1. intriguing　　**2**. intrigues
3. intrigue　　**4**. intrigued

(5) Rebecca is (　　) a good candidate for the new sales manager than Mary, because both of them have shown great performance.

1. better　　**2**. no less
3. no more　　**4**. worse

Point!

原形や分詞など，動詞の形から解答できることもある！
仮定法や分詞構文など，難しい文法を復習しておこう。

解答と解説

次の英文の(　　)に当てはまる最も適切なものを１つ選びなさい。

(1) 訳 **私は彼の失敗について気の毒に思った。もし私がそこにいたら，彼に助言できたのだが。**

正解 4

解説 ２文目の後半が〈助動詞＋ have ＋過去分詞〉であることに注目すると仮定法過去完了の文だと判断できる。If I had been there, ...の If が省略され Had が主語の前に出た形。

(2) 訳 **ウイルスを感染させることを避けるため，今日は家にいる方がよい。**

正解 1

解説 avoid「避ける」は目的語に動名詞をとる。不定詞は不可。
1. transmit「感染させる」 **4**. detain「引き留める」。

(3) 訳 **1960 年代，日本では３つの人気の電化製品があった。１つ目は洗濯機，２つ目が冷蔵庫，３つ目はテレビであった。**

正解 3

解説 ２文目は The first was ... and the second was ..., と続いているので and the third was ...としたいところ。これを接続詞を使わず，分詞構文で表す。**3**. が正解。

(4) 訳 **１年目で，私は数学に関心を持った。私が読んだすべての教科書は，私にもっと学びたいと思わせた。**

正解 4

解説 〈become ＋過去分詞〉で「**〜されるようになる**」という意味を表す。intrigue は「**(人) の興味を引き付ける**」という意味なので，become intrigued で「**興味を抱くようになる，関心を持つ**」という意味になる。

(5) 訳 **レベッカはメアリーと同じく新しい営業部長へのよい候補者だ。なぜなら２人ともすばらしい業績を示してきたからだ。**

正解 2

解説 後半から２人ともよい業績をあげていることが分かるので，２人とも良い候補者だと考えられる。**2**. no less 〜 than A「**A と同じくらい〜**」。

攻略テクニック！

Part 2 長文の語句空所補充

POINT

※試験内容などは変わる場合があります

形式 長文の空所に合う最も適切な語句を4つの選択肢から選ぶ

問題数 6問。1つの長文につき設問は3つ

目標時間 12分程度。1問を約2分で解くイメージ

傾向 ノンフィクションの説明文（2題）が出題される。3～4段落構成で270 ～ 300語前後

対策 全部を読みこまなくても解答は可能。できるだけ短い時間で解くために，解き方に戦略を立てて臨むこと

テクニック① タイトルの重要性を認識しよう！

長文を読む際は**タイトル**をしっかり読んでおきましょう。準１級では，自分の知らないテーマが出題されてもおかしくありません。英文のタイトルには**文章全体を圧縮したメッセージ**が込められているので，タイトルからイメージをつかめているかどうか，という点は，後に続く英文を理解するうえで重要です。また，要約を問う質問に対しては，タイトルがヒントになる場合もあります。

テクニック② 英文のトピックと問題点の提示パターンを押さえておこう！

筆者が提供しようとする話題は多くの場合，１文目に出てきます。１文目は，**A is ～.** または **A means ～.** のような形で**トピックを定義づけるパターンの文**が多く，タイトルが抽象的でも話題を押さえることができます。

また，**第１段落の最後**には，具体的な人名や scientist，researcher などを主語として，**find that ～**，**claim that ～**，**believe that ～**，**be afraid that ～**と続く文がみられます。これらの文では，トピックについての**具体的な問題点が提示**されていることが多いので，内容理解や解答の手がかりになります。

テクニック③ 可能性を示す表現に注意しよう！

筆者の主張は冒頭か最後の段落に述べられていることが多く，その主張が「断言」されているのか，「可能性」を述べているのかは，使われている表現で判断できます。助動詞 **can**，**could** が使われている文や，**it is likely that ～**などの文は**可能性を示す表現**です。筆者の主張に関する問題では，この見極めが必要なこともあるので注意しましょう。

テクニック④ 空所の前後の論理展開を確認しよう！

大きな話の流れを理解したら，**空所の前後の論理展開**を確認しましょう。特に接続詞の種類を問う問題では，空所前後の主張の変化を見抜く必要があります。単純な順接，逆接だけでなく，まとめ，具体例の紹介など，**文章の構成やつながり**を認識したうえで考えましょう。

〈逆接〉 however「しかしながら」，although「～だけれども」，yet「けれども」，nevertheless「それにもかかわらず」
〈追加〉 furthermore「その上に」，additionally「さらに」
〈結果〉 hence「それゆえに」，therefore「それゆえに」，as a result「結果として」
〈譲歩〉 no matter who[which]「たとえ誰（どれ）でも」，admitting that「認めるが」

テクニック⑤ 文全体を修飾する副詞に注意しよう！

副詞には文全体を修飾するものがあります。文全体を修飾する副詞は，文の内容について**筆者の評価，判断，気持ち**を表すので，意味を正しく理解しておきましょう。ふつうは，文頭に置かれますが，文中や文末に置かれることもあります。

「確信度」を表す副詞
certainly「確かに」，probably「おそらく」，possibly「ひょっとしたら」
「筆者の判断や気持ち」を表す副詞
naturally「当然」，unfortunately「不運にも」，surprisingly「驚くべきことに」

テーマ

1 説明文①
教育

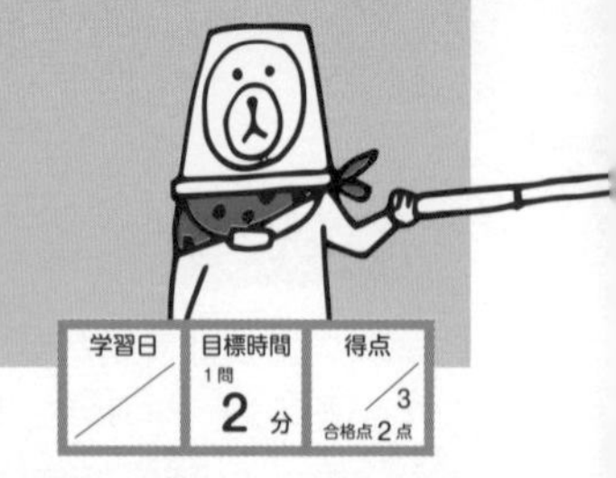

Read each passage and choose the best word or phrase from among the four choices for each blank.

Birth Order and Personality

Some people say first-born children are reliable, and last-born children are self-centered. Even psychologists support this idea, saying birth order has an undeniable influence on personality. However, this idea has more complex issues, such as the number of children, our bias, and family size. Take one of the common belief "many successful people are first-born children (including only children)" as an example.

First, think about the number of first-born children. If we gather many children from different families and count them based on their birth order, we will certainly see (**1**) first-born children than middle or last-born children. Then, it is no wonder that successful people tend to exist among first-born children. But this is the result of the number, having no relationship with birth order.

In addition, no one can escape from our own bias. All of us tend to seek or remember examples that support our expectations. If we believe that first-borns are cautious, determined, and more successful, we will try to see those aspects among first-born children and ignore the unexpected fact that (**2**).

As the last point, family size is an indispensable factor. The smaller families are, the more resources for education parents tend to give to first-born children. Still, this is caused by the family size, not by birth order itself. In other words, first-borns can get more attention from parents than middle or last-born children, and it is more related to a small size family. Only children have no reason to share resources with other brothers and sisters. If you have kids, keep it in mind that birth order has little effect on the personality, and (**3**) can be a convincing explanation for his or her character.

☐ **(1)** **1**. more **2**. less **3**. as many as **4**. no more than

☐ **(2)** **1**. many successful people were later-born children
2. many unsuccessful people were later-born children
3. a few successful people were later-born children
4. we can't decide who were successful or unsuccessful

☐ **(3)** **1**. effects of gender **2**. effects of family size
3. effects of careers **4**. effects of relationships with other siblings

Point!

タイトルに注目して，「出生順位と性格」がどのような観点で述べられているのか，考えながら読み進めよう！

解答と解説

次の英文を読み，空所に当てはまる最も適切な語句を選びなさい。

(1) 解説 第１段落より，この文は出生順位に対する一般観念に疑問を投げかけていると分かる。第２段落は,「成功者＝長子」という概念に対して，長子の数が多いからだという視点で反対意見を述べている。

正解 1

(2) 解説 第２段落は先入観という視点での反対意見である。人はつい自分の先入観を補強する例を探す傾向があり，「２番目以降に生まれても成功した人物のこと」を無視してしまうという主張が導ける。

(3) 解説 第４段落２文に「子どもの数が少ない家族であれば，それだけ教育資産を子どもたちに集中させやすい」とある。子どもの数（＝家族の大きさ）が，与えられる教育に影響するのだから，成功には出生順位ではなく，家族の大きさが関係していると述べていると分かる。

訳

生まれ順と人格

長子は頼りがいがあり，末子は自己中心的であるという人がいる。心理学者でさえ，この考えを支持しており，生まれ順は人格に明白な影響を与えると述べている。しかしながら，この考えは子どもの数や私たちの先入観，家族の大きさといった，もっと複雑な問題を抱えている。「成功した人の多くは長子（一人っ子を含む）だ」という通説を例にとってみよう。

第一に, 長子の数を考えてみよう。様々な家族から子どもを集めて, 生まれ順に基づいて数えれば, 確実に中間子や末子よりも長子の数が多いだろう。そのため，成功した人々に長子が多い傾向にあるのに，何の不思議もない。しかしこれは数の結果であって，生まれ順には関係がない。

加えて，誰も自らの先入観から逃れることはできない。私たちは自分の予想を支持する事例を，探したり記憶したりする傾向にある。もし私たちが長子は注意深く，意志が固く成功しやすいと信じていた場合は，長子の中にそういった特徴を見出そうとし，多くの成功した人々が２番目以降に生まれた子であるという予想外の事実は無視しようとする。

最後に, 家族の大きさは無視できない要素である。家族が小さければ小さいほど, 親はより多くの教育資金を長子にかける傾向がある。それでも, これは家族の大きさによるものであって, 生まれ順によるものではない。言い換えると, 長子は中間子や末子に比べて, 親の関心を多く引くことができ, これは小家族の方が関係している。一人っ子の場合は, 兄弟姉妹と資源(資金)を分ける理由がない。もし子どもがいるなら，生まれ順は人格にあまり影響を及ぼさず，家族の大きさによる影響の方が子どもの性格に対して納得のいく説明となりえる，ということを心に留めておくべきである。

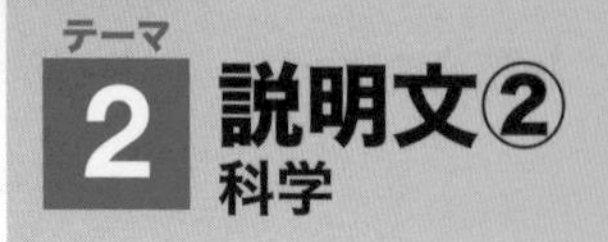

テーマ 2 説明文②
科学

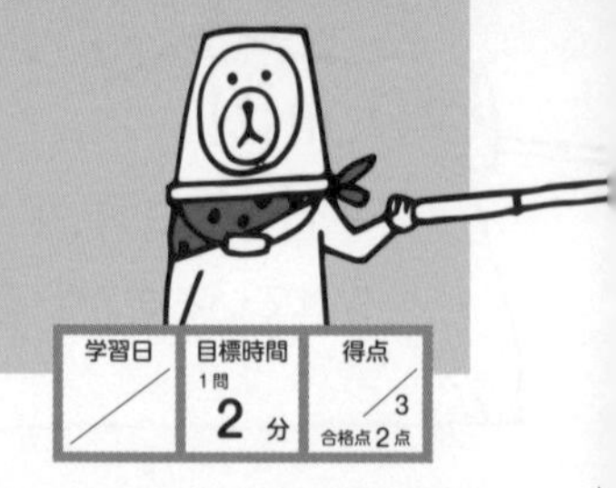

Read each passage and choose the best word or phrase from among the four choices for each blank.

Space Science on Earth

When you use a no-touch thermometer (infrared thermometer) or a car navigation system, maybe you should remember that those technologies were developed for astronauts in space. In fact, space science and technology come to our daily life (**1**) spinoff technology. They are called "spinoff," as they are by-products of original technology. No-touch thermometers were originally developed for measuring the temperature of stars and planets far away and a car navigation system was originally developed as GPS (Global Positioning System) which confirms the position of artificial satellites. Actually, there are more examples of spinoff technology.

Everyone knows the dangers of carbon monoxide which causes a lack of oxygen in our blood and leads to death. Usual detectors of carbon monoxide alert them when there is an unsafe level of carbon monoxide. The air-conditioning system developed by NASA can oxidize the carbon monoxide and make it into carbon dioxide in a spaceship. And now it is applied to our homes. Everyone would not deny that sustaining a safe life is (**2**) just giving alarm sounds. As another example, when you use freeze-dried foods, remember that they were also developed for astronauts dealing with long missions in space. These are processed foods which need no refrigeration and keep for a long time. In addition, they retain more than 90% of their nutritional value. When you are in a place where (**3**) is not usable, you will find the value of freeze-dried food more than anything.

Behind these tremendous developments, there was the Space Race during the Cold War era. Now, these technologies are peacefully applied to our daily life, not for war, and give us good food for thought for the development of technology.

☐ **(1)**	**1**. without	**2**. through	**3**. besides	**4**. about
☐ **(2)**	**1**. worse than	**2**. no more than	**3**. better than	**4**. no less than
☐ **(3)**	**1**. light	**2**. electricity	**3**. computer	**4**. traffic

Point!

第2段落の具体例に注目！

宇宙開発の技術がどのように役立っているかを読み取ろう。

解答と解説

次の英文を読み，空所に当てはまる最も適切な語句を選びなさい。

(1) 解説 第１段落の前文は宇宙科学技術が身近な製品に応用されているという導入文。３文以降でスピンオフ技術の具体的な説明や例が述べられている。よって **2**. through「**～を通して**」が正解となる。

正解 2

(2) 解説 選択肢の内容から比較構文と分かる。一酸化炭素の検出器と一酸化炭素の無害化装置の比較であることから，**3**. better than ～「**～よりよい**」が正解となる。

(3) 解説 空所前の２文に「冷蔵庫が必要なく，長期保存できる」「栄養価が落ちない」とフリーズドライ食品の長所が述べられている。これらの長所から，フリーズドライ食品が役立つのは **2**. electricity「**電気**」のない場所だと分かる。

訳

地球における宇宙科学

あなたが非接触型の温度計（赤外線放射温度計）やカーナビを使うとき，それらの科学技術が宇宙空間にいる宇宙飛行士のために開発されたものだと，記憶しておくべきだろう。実際，宇宙科学技術はスピンオフ技術を通して，私たちの日常生活にやって来ている。それらはもとの科学技術の副産物なので，「スピンオフ（＝副産物）」と呼ばれる。非接触型の温度計は遠くの星や惑星の温度を測定するためにもともとは開発され，カーナビは人工衛星の位置を確認するGPS（全地球測位システム）としてそもそも開発された。実際には，スピンオフ技術の例はもっとある。

血液中から酸素を欠乏させ，死に至らしめる原因となる一酸化炭素の危険性は，多くの人が知っている。通常の一酸化炭素検出器は，一酸化炭素が危険なレベルに達したら警報を出す。NASAで開発された空調システムは，宇宙船内で一酸化炭素を酸化させ二酸化炭素に変換することができる。そしてこれは現在，私たちの住居に用いられている。安全な生活を維持することは，ただ警報を鳴らすだけよりもよいということを否定する人などいないだろう。もうひとつ別の例として，フリーズドライ食品を扱うときも，それらは宇宙空間で長期間のミッションに取り組む宇宙飛行士のために開発されたものであると記憶しておくべきだ。これらは，冷蔵庫を必要としないで長期間保存できる加工食品である。加えて，それらは90％以上のその栄養価を保っている。あなたが電気の使えない場所にいるときにこそ，何よりもこのフリーズドライ食品の価値を見出すだろう。

こうしたすばらしい発明の背後には，冷戦時代中の宇宙開発競争があった。今日では，これらの科学技術は戦争のためではなく，私たちの日常生活に平和的に用いられ，科学技術の発展について考える材料を与えてくれる。

テーマ 3 説明文③ 環境・生物

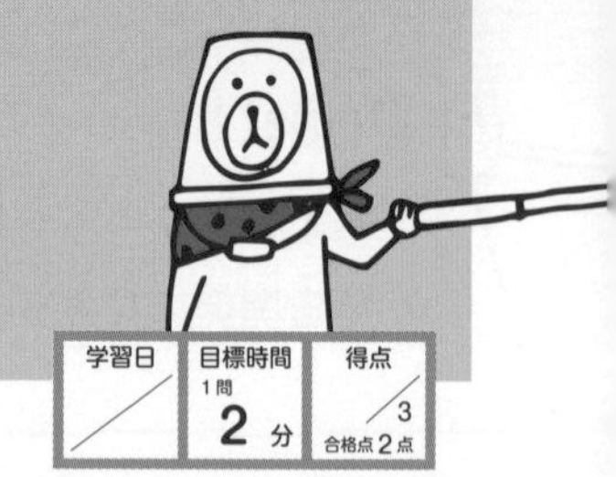

Read each passage and choose the best word or phrase from among the four choices for each blank.

Danger of Added Sugar

If you have the chance to check the food label, carefully check the line for sugars, because it can contain both the natural and added types of sugar labeled as total grams. Actually, other than natural sugar, extra sugar is added to our food and beverages while they are processed by the food industry. People usually cannot distinguish added sugar from natural sugars. But because of its danger, the FDA (Food and Drug Administration in the U.S.) made the rule that the term "added sugar" must be labeled. (**1**) that we should be careful of the amount of added sugar in our everyday food.

As we already know, WHO suggests that six teaspoons of sugar is an appropriate amount for adults each day, so taking too much sugar heightens the risk of cardiovascular disease, diabetes and high blood pressure, (**2**) obesity. But we must be careful as even the seemingly healthy food, such as yogurt or protein bars, contain added sugar. The reason for this is in the process. The food industry takes out the fat from these foods which must be defined as healthy. But without fat, any food can become tasteless, so they add sugar to make it tastier.

A scarier aspect of sugar is that it can be addictive. When we intake sugar, it emits endorphin and serotonin in our brains that make us comfortable. However, after that, they make us want more sugar. Some researchers even insist sugar is an addictive drug. Scientist Richard Johnson suggests that every time he traces a path to the first cause of illness, (**3**). We should think carefully what we eat every day.

(1)
1. It is recommended
2. It is unnecessary
3. It is ambiguous
4. It is sensitive

(2)
1. as precisely as
2. as economically as
3. as acutely as
4. as well as

(3)
1. he finds his way back to sugar
2. he doesn't see any relation with sugar
3. he only guesses the relation with sugar
4. he understands there are other causes

Point!

タイトルから「砂糖」に関する内容と分かる。身近なものに関する文では，自分の知識も大いに使って理解を進めよう！

解答と解説

次の英文を読み，空所に当てはまる最も適切な語句を選びなさい。

(1) 解説 空所前に，FDA が添加された糖の危険性のため，それを記載するルールを作ったとある。よって，添加糖について注意深くあるように **1**. It is recommended「**勧められている**」が正解と分かる。

正解 1

(2) 解説 第 2 段落は，その内容から added sugar が引き起こす健康への害について語っていると分かる。空所の前後はどちらも健康への害についての説明なので，**4**. as well as ～「**(～も) 同じく**」が正解と分かる。

(3) 解説 第 3 段落は砂糖の中毒性について説明している。そのため，研究者が病気の第 1 原因の調査をすると，**1**. he finds his way back to sugar「**砂糖にたどり着く**」と述べていると分かる。

訳

添加された砂糖の危険性

もし食品のラベルをチェックする機会があるならば，砂糖類の情報を慎重にチェックすべきである。なぜなら，天然糖と添加された糖が総量として記載されていることがあるからだ。実際，食品業界によって，加工途中で天然糖以外にも甘味料が食品や飲み物に加えられている。大抵の人は，天然糖と添加された糖の区別をつけることができない。しかしその危険性から FDA（米国食品医療品局）は，「添加された糖」という項目が表示されなければならないという規則を設けた。私たちの日常の食品に，どれだけの量の添加された糖が入っているか注意しなければならないと勧告している。

すでにわかっていることだが，WHO は 1 日にティースプーン 6 杯の砂糖が大人にとって妥当な量であるとしている。そのため，砂糖を多く摂ることは心疾患や糖尿病，高血圧，肥満になるリスクを高める。しかし，ヨーグルトやプロテイン・バーのような健康的に見える食品にさえ，添加された糖類が加わっているかもしれないので注意すべきである。その理由は，その製造過程にある。食品業界は，健康的だと思われなければならないこれらの食品から，脂質を取り除いている。しかし，脂質がないと食品は美味しくなくなってしまう。そのため，より味をよくするために糖類を加えるのだ。

砂糖のより恐ろしい特徴は，中毒性があることだ。砂糖を摂取すると，脳内にエンドルフィンとセロトニンが放出され，それが私たちを心地よくさせる。しかしながら，その後でもっと砂糖がほしくなってしまうのだ。砂糖は中毒性のある薬物であると主張する研究者もいる。科学者のリチャード・ジョンソンは病気のそもそもの原因をたどると，いつも砂糖にたどり着くと示唆している。私たちは，自分たちが毎日食べる物を慎重に考えるべきである。

テーマ

4 説明文④ 経済

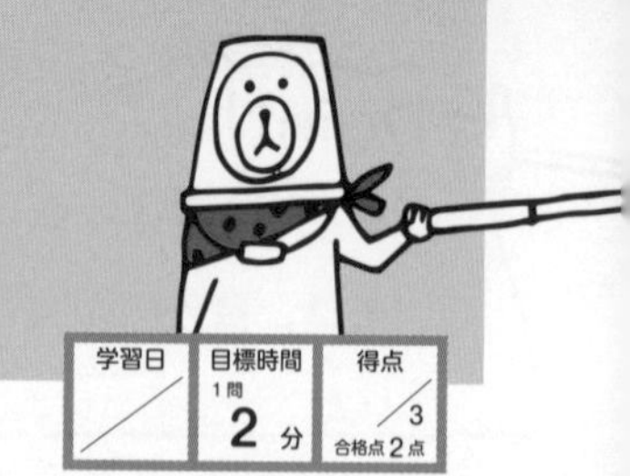

Read each passage and choose the best word or phrase from among the four choices for each blank.

Changing Value of Money

When we learn history, we notice that the value of same amount money has changed drastically. For example, in the Meiji era, people could buy 30kg of rice by one yen, but that is impossible now. Now, many people may think the value of one million yen is high. (**1**), it may not have so much value compared with the past. Why does the value of money change?

The main reason for this is inflation. Inflation is the result of a booming economy, and it generally increases the cost of our lives. Then, the rise in cost means that the value of money is going to decrease. Therefore, if people want to keep the same level of living standard for a long period in a good economy, they need more amounts of money. In other words, we can say the current Japanese economy has become much more active than that of the Meiji era. But due to the increased cost of living now, younger generations tend to save (**2**) before.

(**3**) the inflation and the decreased value of money, even if we have a million yen, it may not be enough for us to lead our ideal life, compared to the Meiji era. But we should not be disappointed too much. Leading ideal lives requires more effort than others, and this point will not be changed in any era.

☐ (1)	**1**. More than that	**2**. In other words	**3**. However	**4**. So that
☐ (2)	**1**. as much as	**2**. less than	**3**. more than	**4**. no more than
☐ (3)	**1**. As of	**2**. Because of	**3**. According to	**4**. Despite

Point!

第1段落最終文に着目！

現在と過去を比較して，お金の価値を述べていることを押さえよう。

解答と解説

次の英文を読み，空所に当てはまる最も適切な語句を選びなさい。

(1) 解説 空所後に「100万円はそれほど大金ではないかもしれない」とあるので，前文と逆の内容になることを示す **3**. However「**しかしながら**」が正解だと分かる。

正解 **3**

(2) 解説 第2段落は，インフレにより物価が上がっていること，生活水準を維持するためによりお金が必要であることが述べられている。この内容と貯蓄の関係を考えると，**2**. less than ～「**(以前)よりも(貯蓄を)しない**」が正解と分かる。

(3) 解説 インフレとお金の価値が下がっていることは，100万円で理想的な生活を送るのに十分ではないことの理由にあたると考えられるので，**2**. Because of ～「**(～) のために**」が正解と分かる。

お金の価値の変化

歴史を学ぶと，同じ量のお金の価値が大幅に変わってきていることに気づく。例えば，明治時代には30キロの米が1円で買えたが，それは現在では不可能である。今では多くの人が100万円の価値を高いと思うかもしれない。しかし，過去と比べればそれほど価値は高くないかもしれない。なぜお金の価値は変わるのだろうか。

このことの大きな理由はインフレーションである。インフレーションは好景気の結果であり，一般に私たちの生活にかかる費用を増やす。そして，費用の上昇はお金の価値が下がることを意味する。それゆえ，好景気の中で長期間同じ生活水準を維持したいのであれば，もっと多くのお金が必要になる。言い換えれば，現在の日本経済は明治時代に比べて活気づいていると言うことができる。しかし，現在，生活にかかる費用の増加が原因で，若い世代は以前より貯蓄が少ない傾向がある。

インフレーションとお金の価値の下降のために，100万円持っていたとしても，明治時代と比べれば，それだけでは理想的な生活を送るには十分ではないかもしれない。しかし，あまりがっかりしてはいけない。理想的な生活を送るには，他の人より努力することが必要であり，それはどの時代でも変わらないのだ。

攻略テクニック！

Part 3 長文の内容一致選択

POINT

※試験内容などは変わる場合があります

形式	長文を読み，その内容に関する質問の答えを4つの選択肢から選ぶ
問題数	7問。1つの長文につき設問は3～4つ
目標時間	25分程度。1問を約3分で解くイメージ
傾向	やや専門的な内容の説明文が出題される
対策	抽象的な内容についても理解できる語彙力，段落ごとのポイントや全体の話題をつかむ読解力をつけよう

テクニック① タイトルと1文目に注目！

長文を読む際には**タイトルと1文目に注目**し，そこから内容をできるだけ連想するように心がけましょう。準1級では自分の知らないテーマが出題されることも少なくありません。**タイトルには全体のメッセージが圧縮**されており，また**1文目では簡潔な説明**がされていることを覚えておきましょう。例えば，1文目は，「The term ＋タイトル＋ refers to ～」あるいは，「タイトル＋ means ～」などのような説明の文になっていることが多く，内容を把握するための大きな助けとなります。

テクニック② 本文よりも先に設問に目を通す！

設問には当然，間違っている選択肢も入っているので，すべてをじっくり読む必要はありません。しかし英文のタイトルと設問文を合わせて読むと，ある程度の文脈をつかむことはできます。本文をじっくり読んでしまうとどうしても時間がかかってしまいます。**本文を読む前**に**タイトルと設問文**に簡単にでも目を通して，**大きな文脈の流れ**を把握しましょう。

テクニック③ 段落と設問との関係に注意！

英検の内容一致選択の問題は，最初の設問は第１段落にヒントがある，という具合に**設問と段落の順が一致する**傾向にあります。内容を一読したら段落に注目して，設問の答えを探しながら読むようにしましょう。できれば解答後に見直しの時間もほしいので，まずは答えの根拠を探しつつ，短時間で設問に答えるよう意識しましょう。

テクニック④ 〈主語+動詞〉に注目しよう！

英文を最初から最後まで，丁寧に読んでいると時間がかかってしまいます。タイトルや１文目，段落と設問の関係に注目しながら，**〈主語（何が，誰が）＋動詞（どうした）〉に注目して，すばやく読む**癖をつけましょう。その際，知らない単語があったとしても，その意味にこだわっていては時間がかかってしまいます。**知っている単語や表現からできるだけ連想，推測し**，背景を探って理解に結びつけましょう。

テクニック⑤ 準否定語や比較構文に注意しよう！

論理展開として，筆者の主張に対する肯定／否定の対比が用いられることが多くあります。few, little, rarely, seldom, hardly, scarcely などの**準否定語**は，肯定を表す語ではありませんが，**完全否定でもない**ことに注意しましょう。また，比較構文を使って対比されている場合，**〈no ＋比較級〉の構文に注意**が必要です。例えば，Tom is no taller than Bob. という文は，Tom は Bob より小さいのではなく，二人の背は同じくらいという意味です。**比較されているものに差がない**ことを表す構文であることを理解しておきましょう。

テクニック⑥ 固有名詞に注目しよう！

具体的なものの名前は筆者の**主張に大きく関係**している可能性が高いので要注意です。さらに，**研究者名**が出されている場合には，その人の**意見の引用が著者の主張の論拠**となっている可能性があります。例えば，iPS cells（iPS 細胞）という固有名詞があり，さらに Prof. Yamanaka（山中教授）の意見が引用されていれば，それは客観的事実として引用されており，著者の主張に強く影響していると考えられます。

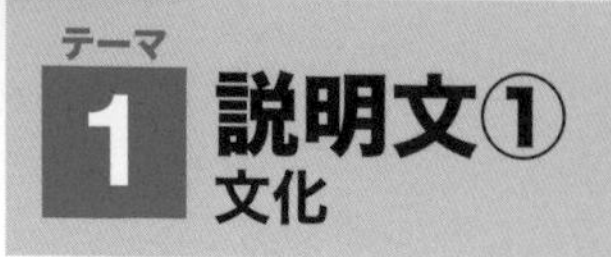

学習日
目標時間
1問
3 分
得点
/3
合格点 2 点

Read each passage and choose the best answer from among the four choices for each question.

Stone Medicine Wheel

The most famous historic site made of stones is Stonehenge in the U.K. Stone circles can be seen around the world. Medicine wheels which is one of them are also very interesting. They were built by Native Americans, and you can find them throughout northern America, especially in Canada. There are many hypotheses concerning how and why they were built. Some say it is the embodiment of our spiritual energy, and others say it is a means of recording the history of Native Americans.

According to the researcher's definition, a usual medicine wheel has one stone at the center, stone circles around it, and two or more stone lines radiating from the stone at the center. If you imagine the shape, you can understand why this is called "wheel." Although the number of stones radiating from center varies, it is usually 28, and it matches the number of phases of the moon. The length of these stones within each wheel are not same but commonly radiating from the center to the outer ring.

Some researchers suggest that the direction of the radiating stones represents the four cardinal directions, or the place of sunrise and sunset and that the spaces between the radiating stones represent the four seasons or the phases of life. It has similarities to traditional Chinese way of thought, which also suggests the specific meaning of the four cardinal directions or four seasons. And as this Chinese thought has been applied in a medical way, stone medicine wheels are still thought to have been used for healing people as traditional medicine. That is why it is called a "medicine" wheel. In fact, it has a philosophical meaning which allows many interpretations among archeologists.

The places where the wheels exist are generally sacred sites, but there is no unified rule among Native American tribes. There is each tribe's culture and each medicine wheel has particular features that have provided archaeologists with much food for thought concerning the origin of the stone medicine wheel.

Point!

Stone Medicine Wheelとは？　初めて見る言葉でも文中に意味が書かれていることが多い。イメージをつくりながら読み進めよう。

(1) According to this passage which is true about stone medicine wheels?

1. These stone structures are as old as Stonehenge in the U.K. and closely related to them.
2. These stone structures can be found in the northern United States and the Southern American continent.
3. A stone medicine wheel has a design of a circle made of stone, and also has a central stone in that circle.
4. One of these stone structures has documented the history of both Native Americans and immigrants from Europe.

(2) What is a feature of stone medicine wheels?

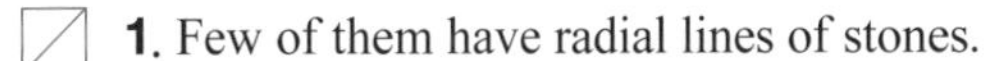

1. Few of them have radial lines of stones.
2. Every medicine wheel has only two radial lines of stones.
3. The radial lines of stones are usually evenly spaced with approximately the same length.
4. The usual number of radial lines of stones is related to the lunar phase.

(3) What can be inferred about stone medicine wheels?

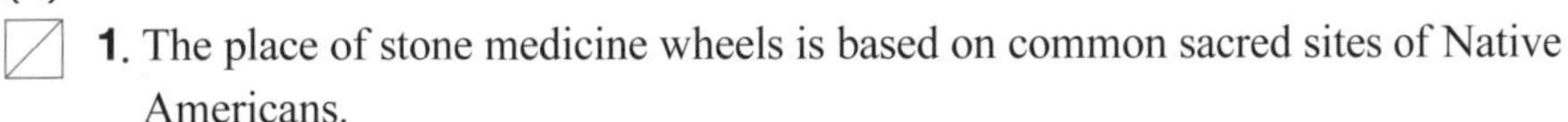

1. The place of stone medicine wheels is based on common sacred sites of Native Americans.
2. All stone medicine wheels are aligned with astronomical phenomena.
3. Researchers have already revealed the aim of stone medicine wheels.
4. Because of each one's uniqueness, the aim of the stone medicine wheels is still under research.

解答と解説

次の英文を読み，質問に対して最も適切な答えを選びなさい。

(1) 設問訳 **この文章によると，石製のメディシン・ホイールについて当てはまるものはどれですか。**

正解 **3**

選択肢訳 **1. この石の建造物はイギリスのストーンヘンジと同じくらい古く，それらと大いに関係がある。**
2. これらの石の建造物はアメリカ北部と南アメリカ大陸で見られる。
3. この石の建造物は石でできた輪と中心にある石でできている。
4. これらの石の建造物の一つはネイティブ・アメリカンとヨーロッパからの移民の双方の歴史を記録している。

解説 第 2 段落に石製のメディシン・ホイールの定義が述べられているため，そこから正解が分かる。ストーンヘンジとの関係は述べられていないので，選択肢 **1** は異なる。見られる場所は北アメリカ，おもにカナダなので選択肢 **2** も異なる。ヨーロッパ移民についてはメディシン・ホイールからは分からないので選択肢 **4** も異なる。

(2) 設問訳 **石製のメディシン・ホイールの特徴は何ですか。**

選択肢訳 **1. それらのうちで放射状の石の列を持つものはほとんどない。**
2. どのメディシン・ホイールでも，放射状の石の列は必ず 2 本である。
3. 放射状の石の列はほぼ同じ長さで，等間隔で配置されている。
4. 放射状の石の列の通常の数は月の満ち欠けに関係している。

解説 第 2 段落にある放射状の石の列についての説明から正解が分かる。放射状の石の列は通常の石製メディシン・ホイールにもあるため選択肢 **1** は異なる。放射状の石の列は第 2 段落 1 文より 2 本以上あるので選択肢 **2** も異なる。また，長さは異なるとあるので選択肢 **3** も異なる。

(3) 設問訳 **石製のメディシン・ホイールについて何が推測されますか。**

選択肢訳 **1. 石製のメディシン・ホイールの場所は，ネイティブ・アメリカンの共通の聖地に基づいている。**
2. すべての石製のメディシン・ホイールは天文学的な現象と一致している。
3. 研究者たちは，石製のメディシン・ホイールの目的についてすでに明らかにしている。
4. それぞれの独特さのために，石製のメディシン・ホイールの目的はいまだ研究途中である。

解説 第 1 段落の最後の 2 文や最終段落から，石製のメディシン・ホイールの研究は途上だと分かるため選択肢 **4** が正解。選択肢 **1** は「共通の」という記述はないので異なる。第 2 段落より，選択肢 **2** はいくつかの石製のメディシン･ホイールにのみ当てはまることであって，すべてではないことが分かる。

訳

石製のメディシン・ホイール

石でできた最も有名な史跡は，イギリスのストーンヘンジである。ストーンサークルは世界中で見ることができる。その一つであるメディシン・ホイールもとても興味深い。先住民によって作られ，北米のあちこち，特にカナダで見ることができる。どのようにして，なぜ作られたのかについて，たくさんの仮説がある。精神エネルギーの具現化であると言われたり，先住民の歴史の記録方法であると言われたりしている。

研究者の定義によると，一般的なメディシン・ホイールは，一つの石を中心にリング状に石が並べられており，そこから二つ以上の石の列が中心の石からのびている。この形状を想像すれば，なぜこれが「ホイール」と呼ばれているか分かるだろう。中心から放射状にのびる石の数は異なっているが，通常は 28 個であり，これは月の満ち欠けと一致している。ホイールの中のこれらの石の長さはメディシン・ホイールによって異なるが，通常は中心の石から外側のリングに向かって放射状にのびている。

放射状にのびる石の示す方向は，基本方位を意味しているとか，日の出と日没の位置を示している，などと述べる研究者もいる。また，放射状にのびる石の間の空間は，四季や人生の様々な局面を意味しているとも述べている。中国の伝統的な思想に似通った点があり，その思想も基本方位や四季の具体的な意味を示している。この中国の思想は医学に用いられたように，石製のメディシン･ホイールもまた，伝統的な医学として人々を癒すために用いられたと考えられている。そのため，「メディシン」ホイールと呼ばれているのである。事実，考古学者たちがいろいろな解釈ができるような哲学的な意味合いを持っている。

メディシン・ホイールの存在する場所は通常は聖域であるが，先住民の部族の間には統一されたルールがない。それぞれの部族の文化とメディシン・ホイールにはそれぞれの特徴があり，それは考古学者に石製のメディシン・ホイールの起源についての多大な思考の糧を提供している。

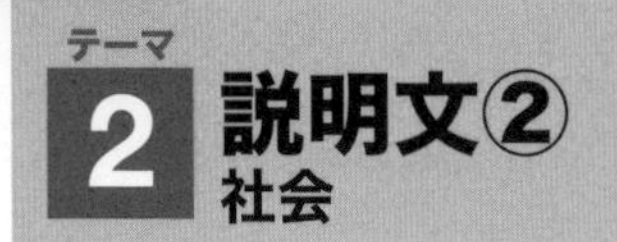

学習日
目標時間
1問
3分
得点
/3
合格点2点

Read each passage and choose the best answer from among the four choices for each question.

Critical Mass

When something is prevalent, can you explain how it started and spread? Interestingly, it does not go at the same pace. It starts from zero, and gradually becomes adopted, and when certain amount of adopters appear, those adopters increase suddenly and the prevalence comes to be self-sustained. This certain amount of adoptions is named "critical mass."

The concept of critical mass became popular by a researcher of atomic energy, who found the chain reaction of uranium and the huge power it can yield. In other areas, in 1920s, in epidemiology (an area of medicine which studies distribution, and control of disease in a population), this concept was used to explain how the infection spread among people. In sociology, it is used to interpret how a certain activity (or way of thought) spreads among people. Now, in the business world, sales managers try to get a certain amount of customers on purpose to surpass the threshold of critical mass.

Then, how can we explain the specific process of the prevalence, based on critical mass? In the business world, for example, it can be explained through the relationship between the resource and the degree of recognition. Suppose you are required to sell a product. However hard you work, if there is not a sufficient resource, such as a certain number of goods or production capacity, you cannot reach critical mass. And if that product is not well recognized by people, again, you cannot reach critical mass and the sales will die out. The same thing can happen to the prevalence of a certain way of thought or other things.

From the standpoint of people in a group, their joining the critical mass can be explained by calculating the costs and benefits of participation. When there are not enough people in the movement (or way of thinking), your joining the movement will make you stand out from the crowd. You might be ostracized and labeled as "odd." However, once a critical mass is reached and more and more people join the movement, your not participating will appear odd and you will risk your status of being a member of the majority.

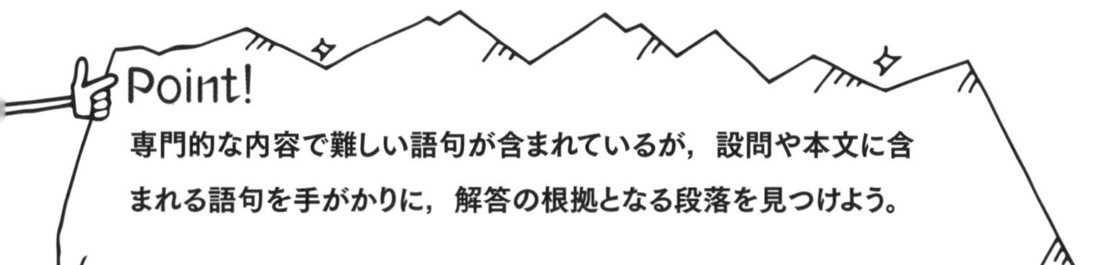

(1) What is true of the process of prevalence of thought or goods in human society?

1. Although the degree of prevalence fluctuates, it can be predicted by checking surrounding aspects.
2. The mechanism behind it cannot be applied to explain the prevalence of epidemics.
3. The process cannot be self-sustainable until a certain number of participants have joined.
4. Basically, the process begins spontaneously, but the result is still unpredictable.

(2) What is true of the concept of critical mass?

1. The concept was first developed in economics in the 1920s, and now applied only to explain human activities.
2. The origin of this concept has been unknown, although it is widely applied to many academic areas.
3. Sociologists were the first people to use this concept and they applied it in many studies.
4. It became popular in epidemiology in the 1920s and has been applied to other academic areas.

(3) What is one of the costs associated with not assuming a way of thinking after a critical mass is reached?

1. It is possible that you are blamed for the way of thinking when it turned out to be wrong.
2. It is possible that other ways of thinking become even more popular.
3. It is possible that you become a member of a minority in the society.
4. It is possible that a majority of people believe what you believe can be wrong.

解答と解説

次の英文を読み，質問に対して最も適切な答えを選びなさい。

(1) **設問訳** **人間社会における思想やものの流行の段階について当てはまるものはどれですか。**

選択肢訳 **1.** **流行の程度は変動するが，それを取り囲む諸側面を確認することにより予測可能である。**

2. **その背景にある仕組みは疫病の流行について説明するのに適用できない。**

3. **流行の段階は，ある程度の数が参加するまでは，自立したものにならない。**

4. **基本的に，流行の段階は自発的に始まるが，その結果は予測不可能である。**

解説 第1段落より，何かが人々の間で広まっていく様相について，最初にある程度の数に達する必要があり，この段階に達した後は自立的(しぜん)に伝播が進むことが分かる。予測可能かどうかについては述べられていない。

(2) **設問訳** **クリティカル・マスの概念について当てはまるものはどれですか。**

選択肢訳 **1.** **1920年代，その概念は経済学で開発され，今は人間の活動を説明するためにのみ応用されている。**

2. **それは多くの学術分野に広く応用されているが，その起源は分からないままである。**

3. **社会学者は，この概念を使用した最初の人々であり，彼らはそれを多くの研究に対して応用してきた。**

4. **それは1920年代に伝染病学において広まり，そしてほかの学問分野に応用されてきている。**

解説 第2段落の内容から，クリティカル・マスの概念は1920年代の伝染病学で使われており，その後でほかの学問分野でも使用されるようになったと分かる。

(3) **設問訳** **クリティカル・マスに達した後で，ある考え方を取り入れないことに関連する代償の一つは何ですか。**

選択肢訳 **1.** **間違っていると判明すると，その考え方のことで非難される可能性がある。**

2. **ほかの考え方がもっと一般的になる可能性がある。**

3. **社会の中で少数派になる可能性がある。**

4. **大多数の人々が，あなたが信じるものが間違っているかもしれないと信じる可能性がある。**

解説 クリティカル・マスの段階に達した後，つまり何かが流行した後でそれに加わらない場合は第4段落で述べられている。最終文に多数派から外れるとあり，これは一つの代償であると考えられる。

クリティカル・マス（臨界質量）

何かが流行したとき，それがどのように始まり広がったのか説明することができるだろうか。興味深いことに，それは同じペースでは進展しないのだ。それはゼロから始まり，だんだんと容認されていき，ある程度の受け入れる人たちが現れると，その数は突然膨らみ，その流行は自立していく。このある程度の容認は「クリティカル・マス（臨界質量）」と名づけられた。

このクリティカル・マスの概念は，ウランの連鎖反応とそれが産出できる巨大な力を発見した原子力の研究者によって広まった。そのほかの分野では，1920年代に伝染病学（集団における病気の分布と制御を研究する医療の分野）において，感染がどのように人々の間で広まるか説明する概念として用いられた。社会学においては，ある特定の活動（または考え方）がどのように人々の間で広まるかを，解釈するのに用いられた。今日ではビジネス界において，クリティカル・マスの境界値を超えるために，販売管理者はある程度の顧客を獲得しようとしている。

それでは，流行の特定のプロセスを，クリティカル・マスに基づいてどのように説明できるだろうか。例えばビジネス界では，資源と認知度の関係性で説明することができる。ある商品を売り込むことを要求されたと仮定しよう。どれほど努力しても，ある程度の商品数や商品の生産力といった十分な資源がなければ，クリティカル・マスに到達することはできない。また，その商品が人々に十分に認識されなくても，クリティカル・マスに達することができず，その販売は淘汰されるだろう。同じことが，ある特定の考え方やそのほかの物事の流行に起こりえる。

集団の中の人々の観点から見ると，参加の代償と利益を考えることによって，クリティカル・マスへの参加は説明できる。活動（または，ある考え方）に十分な人が参加していない場合，その活動に参加することによってあなたは集団から外れることになるだろう。仲間外れにされて，「変人」とレッテルを貼られるかもしれない。しかし，いったんクリティカル・マスに達して，もっとたくさんの人がその活動に加わると，参加しないことが奇妙に見え，多数派の一員であるという立場を危うくすることになるだろう。

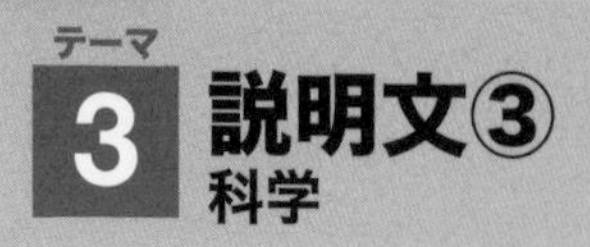

学習日
目標時間
1問
3 分
得点
/4
合格点3点

Read each passage and choose the best answer from among the four choices for each question.

Wireless Charging

When you drive an electric vehicle, maybe you won't need to stop at a charging station. Wireless chargers can make it possible. The mechanism of wireless charging is very simple. In a scientific experiment at school, you know that when you pass a magnet through a coil, it induces electricity. Now, suppose both the vehicle (receiver) and charger (sender) have coils (called an induction coil), and that the charger has a strong magnetic field (alternating magnetic field) around it. Then, if a vehicle comes close to that charger, the coil in the vehicle induces electricity and starts charging the battery.

There are some advantages and disadvantages of wireless charging. Without a cable or socket, it will not cause short circuits and the amount of deterioration is low. Also, risk of infection (of medical devices) is low. However, as wireless charging has low power, charging takes time, and it is more expensive than a usual charging device. Another problem is compatibility. Not all devices are compatible with every inductive charger.

Currently, scientists are doing tests with high power charging of electric vehicles by wireless charging. If high power wireless charging becomes possible, charging of moving electric vehicles will be feasible. In 2017, the University of Turin in Italy, developed a special expressway which has coils underneath the road to transfer power across the air. A prototype has already been made in Piemonte and vehicles are already on the road. If the result is promising, users will be able to go further in electric vehicles which can currently take them not so far because of the frequent necessity of charging.

However, the balance between the costs and benefits of this project is distorted. While the installation of this type of road costs the government a fortune, the number of people who benefit from the road is limited. Those who do not drive or those who drive non-electric cars will not benefit from this investment. Moreover, to make users pay for the running costs, it is necessary to track how much power each vehicle consumes from the lane. This is a time-consuming task that will involve not only

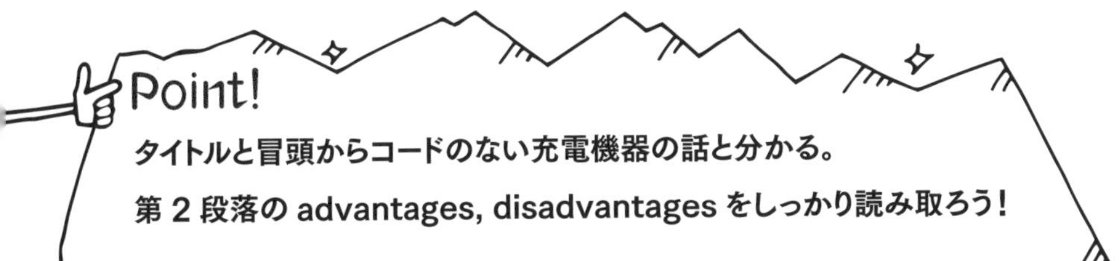

additional costs but also currently undeveloped technology. Because of these issues, many cities have already opted out of plans to build these lanes.

While charging roads are long way from realization, technologies are being advanced every day. The BMW and WiTricity (Massachusetts-based wireless charging company) developed a wireless mat that allows electric vehicles to be charged while parked. This would be the first step for wireless charging for moving cars.

---

(1) What is true of the basic mechanism of wireless charging?

☐ **1.** Each sender and receiver has an induction coil to form an alternating magnetic field.
2. Sender and receiver must not be close to each other for the smooth electric charging.
3. Just either the sender or receiver has an induction coil to form an alternating magnetic field.
4. There are many theories about the mechanism and there is no unified conclusion.

(2) What is true of the advantages and disadvantages of wireless charging?

☐ **1.** The battery lasts longer for use due to efficiency by wireless charging.
2. Compared to ordinary types of battery, costs of wireless charging can be lower.
3. For the use of medical devices, the possibility of infection is lowered by wireless charging.
4. Wireless charging can be applicable to many types of devices due to unified standard.

(3) What can we know about the technology of wireless charging for electric vehicles?

☐ **1.** Scientists' tests are focusing on how much power is demanded for wireless charging.
2. As the result of scientists' tests, for wireless charging, vehicles must be in motion.
3. Based on the scientists' tests, unique lanes are used for wireless charging.
4. It will take a long time to do experiments on real roads.

(4) What is true of the situation concerning wireless charging of electric vehicles?

☐ **1.** Since the infrastructure of wireless charging was installed, it benefits quite a few vehicles.
2. Currently, the way to track the amount of wireless charge is established.
3. Many cities are trying to introduce the technology of wireless charging.
4. The first step for a commercial aim is wireless mats where vehicles are parked.

解答と解説

次の英文を読み，質問に対して最も適切な答えを選びなさい。

(1) **設問訳** **ワイヤレス充電の基礎的な仕組みについて当てはまるものはどれですか。**

選択肢訳
1. **交流磁場を作るために，送り手と受け手のそれぞれが誘導コイルを持つ。**
2. **送り手と受け手はスムーズな充電のためには，お互いに近くにあってはならない。**
3. **交流磁場を作るために，送り手か受け手かどちらかだけが誘導コイルを持つ。**
4. **その充電の仕組みについて多くの理論が存在し，統一された結論がない。**

解説 第１段落５文より，ワイヤレスによる充電を行うためには送り手と受け手の双方にコイルが必要である。第１段落で説明されているようにワイヤレス充電は科学的な根拠があり，ある程度統一された理論があると考えられる。

(2) **設問訳** **ワイヤレス充電の長所と短所について当てはまるものはどれですか。**

選択肢訳
1. **効率的なワイヤレス充電によって，バッテリーは長くもつ。**
2. **通常タイプのバッテリーと比較すると，ワイヤレス充電にかかるコストは低くなり得る。**
3. **医療機器での使用においては，ワイヤレス充電のおかげで感染の可能性は低くなる。**
4. **ワイヤレス充電は，統一規格のため多くの種類の電気装置に適応され得る。**

解説 第２段落から分かる。選択肢 **1** は本文に述べられていない。選択肢 **2** は，ワイヤレス充電にかかるコストは高くなるので，逆。選択肢 **4** は，規格が異なるため，違う電気機器の間で共通して使用することはできない。

(3) **設問訳** **電気自動車に対するワイヤレス充電の技術について分かることは何ですか。**

選択肢訳
1. **科学者たちの実験は，ワイヤレス充電のためにどれくらいの電力が必要となるかという点を重視している。**
2. **科学者たちの実験の結果，ワイヤレス充電のために車は動いていなければならない。**
3. **科学者たちの実験に基づき，ワイヤレス充電のために特殊なレーンが使用されている。**
4. **実際の路上で実験を行うには長い時間が必要となるだろう。**

解説 第３段落の内容から，ワイヤレス充電の開発は移動中の車を対象にしており，実際の路上で特殊なレーンを使用して行うものであると分かる。この技術開発に焦点があてられているので，選択肢 **3** が正解。

(4) **設問訳** **電気自動車のワイヤレス充電について当てはまるものはどれですか。**

選択肢訳 **1. ワイヤレス充電の設備が導入されたので，それは非常に多くの自動車に利益を与える。**
2. 現在，ワイヤレス充電の分量を追跡調査する方法は確立されている。
3. 多くの都市はワイヤレス充電の技術を導入しようとしている。
4. 商業化に向けた第1段階は，車を駐車させるワイヤレスマットである。

解説 最終段落の内容から判断できる。選択肢**1**は利益を受ける車は少ないので，不適切。選択肢**2**の追跡調査は，時間がかかると述べられている。多くの都市は設備導入を断念しているので，選択肢**3**も不適切。最終文から選択肢**4**が適切。

訳

ワイヤレス充電

電気自動車を運転する際，おそらく充電スタンドに立ち寄る必要はないだろう。ワイヤレス充電器によってそういったことが可能になるのである。ワイヤレス充電の仕組みはとても単純だ。学校での科学実験で，磁石をコイルに通すと，それは電気を引き起こすということを知っているだろう。では，自動車（受電者）と充電器（送電者）の両方がコイル（誘導コイルと呼ばれる）を持っており，充電器の周囲には強い磁場（交流磁場）があると考えてもらいたい。それで，もし自動車が充電器の近くに来ると，自動車の中のコイルが電気を引き起こし，バッテリーを充電し始める。

ワイヤレス充電にはいくつかの利点と欠点がある。ケーブルやソケットがなければ，ショートを起こすことがなく，劣化の度合いが低くなるだろう。また，(医療機器の)感染症のリスクも低くなる。しかし，ワイヤレス充電は低電力のため，充電に時間がかかり，一般的な充電器よりもお金がかかる。規格に互換性がないというのも問題である。すべての機器があらゆる電磁誘導［ワイヤレス］充電器に使えるというわけではない。

現在，科学者たちはワイヤレス充電による電気自動車の高電力充電の研究をしている。高電力ワイヤレス充電が可能になれば，走行中の電気自動車の充電も可能になる。2017年，イタリアのトリノ大学が，空気中を通して電力を伝達するためのコイルを道路の下に設置した，特殊な高速道路を開発した。ピエモンテ州ではすでに試作品が作られており，自動車がもうその上を走っている。もしその結果がよければ，頻繁に充電しなければならないために現在ではそれほど遠くまで行くことができない電気自動車でも，もっと遠くまで行けるようになるだろう。

しかし，この計画の費用と効果のバランスは崩れている。政府がこの種の道路を導入するには多額の費用が必要だが，恩恵を受ける人の数は限られる。運転しない人，電気自動車でない自動車を運転する人は，この投資の恩恵を受けないだろう。さらに，維持費を利用者に支払わせるために，それぞれの自動車が車線からどのくらいの電力を消費しているのかを記録する必要がある。これは，追加の費用が必要なだけではなく，現在では未発達の技術をも含む，時間のかかる仕事だ。これらの問題のために，多くの都市がこういった車線を建設する計画からすでに手を引いている。

充電道路は実現には程遠いが，技術は日々進歩している。BMWとワイトリシティ（マサチューセッツ州を拠点とするワイヤレス充電会社）が，電気自動車が駐車中に充電されることを可能にするワイヤレスマットを開発した。これは走行中の自動車に対するワイヤレス充電に向けての第一歩となることだろう。

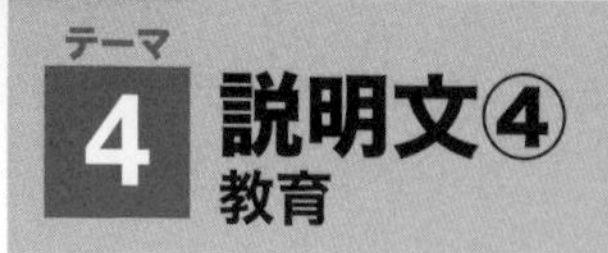

テーマ 4 説明文④ 教育

学習日	目標時間	得点
/	1問 3分	/4 合格点3点

Read each passage and choose the best answer from among the four choices for each question.

Short-sightedness

Every teacher hopes for their students' happiness and health, and for that reason, they insist that studying is the key for it. However, spending more time studying for a bright future would mean you could lose your eyesight. According to the research, almost 33% of the U.K. people are affected by short-sightedness and this symptom is becoming more common worldwide. One survey shows half of the world's population could be short-sighted by 2050.

Experts warn that short-sightedness is particularly affecting children, while their eyes are developing. It is said that especially in Singapore, South Korea and China, the number of short-sighted children is increasing. In China, about half of schoolchildren under the age of 15, are short-sighted and when looking at university students, that percentage rises to over 80%, according to health ministry statistics. In Singapore, over 80% of young Singaporean adults are also short-sighted. In Europe, this figure is much lower, but it is increasing.

What is the reason behind this? Some researchers say that it is the environment, and others say genes are the culprit. In China, experts have started a project to change the design of classrooms to increase children's exposure to outdoor light, and reported a positive result. However, most experts say the issue is caused by bookwork in the school or intensive education systems and conclude that the solution is to let children spend more time outside.

These experts warn of another issue. The education systems in East Asian countries have resulted in high educational achievement, with increasing myopia, which will drive other countries to follow the East Asian schooling system. They suggest that policymakers and teachers need to discuss the aim of education more deeply to promote children's health, although that sort of discussion will be difficult.

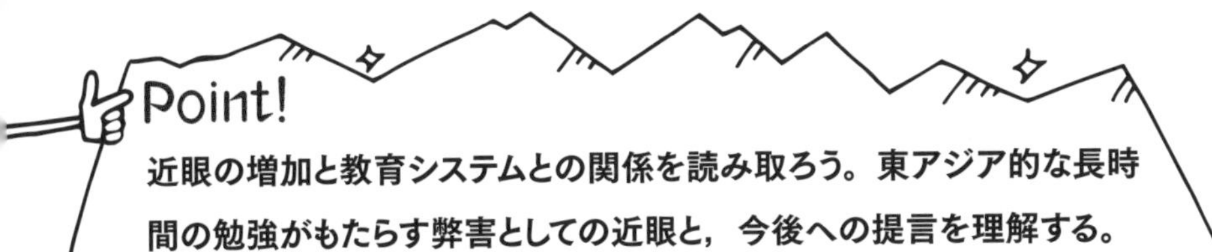

(1) What is true of the educational practice?

☐ **1.** The most important point to promote children's happiness and health is efficiency.
2. Making children happy and healthy takes a longer time.
3. The aim to promote children's happiness and health can have contradictory results.
4. The definition of children's happiness and health has changed sporadically.

(2) What is true of the number of people with short-sightedness?

☐ **1.** By 2050, the number of people with short-sightedness will be five times more than now.
2. The number of people with short-sightedness will increase in the future, but it has no relation with the economic situation in each area.
3. Currently, there is a big difference between the U.K. and Asian countries, concerning the number of people with short-sightedness.
4. Experts find it difficult to reveal the reason for the increase of the number of people with short-sightedness.

(3) What is true of the way to deal with myopia?

☐ **1.** To set the light in the classroom which has the similar effect of natural daylight has positive effect.
2. Changing school curricula to spend more time in outside activities is effective.
3. Doing the unique eyeball exercise will improve the short-sightedness.
4. To make it clear who is in charge of changing curriculum is the solution to this issue.

(4) What do the experts think about education systems in the future?

☐ **1.** The high educational achievement in East Asia will affect the educational systems in other countries in a harmful way.
2. There will be an active discussion about the meaning of high educational achievement.
3. East Asia will accept the educational systems of other countries to gain higher achievement of education.
4. The educational achievement will be proved in the longer term and in a more practical way.

解答と解説

次の英文を読み，質問に対して最も適切な答えを選びなさい。

(1) 設問訳 **教育の実践において当てはまるものはどれですか。**

選択肢訳 **1.** 子どもたちの幸せと健康を促進するための最も重要な点は，効率性である。

2. 子どもたちを幸せで健康にするには，さらに長い時間がかかる。

3. 子どもたちの幸せと健康を促進するという目的が，矛盾する結果を生むことがある。

4. 子どもたちの幸せと健康の定義は，時どき変化してきた。

解説 第１段落１～２文より，「子どもたちの幸せと健康を願って長時間勉強させたことで，近眼の子どもたちが増えた」ことが分かる。これは教育目的と結果が矛盾していることから，選択肢 **3** が適切。

(2) 設問訳 **近眼の人々の数について当てはまるものはどれですか。**

選択肢訳 **1.** 2050 年までに，近眼の人々の数は現在の５倍に増えるだろう。

2. 近眼の人々の数は将来増えるだろうが，それは各地域の経済状況とは関係ない。

3. 現在，近眼の人々の数に関してイギリスとアジアの国々との間で大きな違いがある。

4. 専門家たちは，近眼の人々の数の増加の要因を明らかにすることは困難であるとみている。

解説 近眼の人々の数については，第２段落で中国やシンガポールでは近眼の割合が多いが，ヨーロッパではずっと少ないと述べている。イギリスに関しては，第１段落３文に 33% とあり，大きな違いがあるので選択肢 **3** が適切。

(3) 設問訳 **近眼に対応する方法として当てはまるものはどれですか。**

選択肢訳 **1.** 自然の日光と似た光を教室に設置することは，よい効果を持つ。

2. 学校のカリキュラムを屋外でもっと過ごすために変えることが効果的だ。

3. 眼球のための特殊な運動をすることは，近眼を改善するだろう。

4. カリキュラムを変更するための責任者を明確にすることが，この問題の解決策だ。

解説 第３段落最終文より，「解決策は，もっと外で過ごすことである」と分かるので，選択肢 **2** が適切。カリキュラム変更の責任の所在については述べられていないので，選択肢 **4** は不適切。

(4) **設問訳** **将来の教育システムについて専門家が考えていることはどれですか。**

選択肢訳 **1. 東アジアでの高い教育成果は，ほかの国の教育システムに対して害のある形で影響を与えるだろう。**

2. 高い教育成果の定義について活発な議論が起きるだろう。

3. 東アジアは，さらに高い教育成果を得るために，ほかの国の教育システムを受け入れるだろう。

4. 教育成果は，より長い期間で，より実践的に証明されるようになるだろう。

解説 最終段落の内容から分かる。専門家は東アジアにおける集中的で長時間の勉強により高い成果を上げている教育システムが，ほかの国に導入されることに警鐘をならしている。近眼を増やす，つまり子どもの健康を害するシステムを見直すべきだという専門家の見解を読み取る。

訳

近眼

教師は皆，自分の生徒の幸せと健康を望んでいる。そしてこの理由から，彼らは勉強がそのカギであると主張する。しかしながら，明るい未来のためにもっと勉強に時間を費やすことは彼らの視力を奪うことを意味するかもしれない。調査によると，イギリス人のほぼ33%が近眼で，この症状は世界中で一般的になりつつある。ある調査で示されたところでは，世界の人口の半分が2050年までに近眼になる可能性がある。

専門家は，子どもの目は成長途中なので，近眼は特に子どもに影響があると警告している。特にシンガポール，韓国，中国では近眼の子どもが増えていると言われている。中国では，保健省の統計によれば15歳未満の学童のおよそ半数が近眼であり，大学生を見ると，その割合は80%を超える。シンガポールでは，シンガポールの若者の80%超が近眼である。ヨーロッパでは，その数値はずっと低いが，増えつつある。

この背景にある理由は何だろうか。環境が原因だという研究者もいれば，遺伝子が原因だという研究者もいる。中国では，子どもたちが外の光に当たる機会を増やすために，教室のデザインを変えるプロジェクトを専門家が始めていて，良い結果が報告されている。しかし，ほとんどの専門家は学校での本を使った学習や集中的な教育システムが問題を引き起こしていると述べ，解決法は子どもがもっと外で過ごせるようにすることだと結論づけている。

これらの専門家は別の問題を警告している。東アジア諸国の教育システムは，近眼を増やしながら，高い教育上の成果を上げている。その結果，ほかの国々は東アジアの教育システムに従おうとするだろう。専門家は，どれほど議論が難しくても，子どもたちの健康を促進するために，政策立案者と教師たちが教育の目的についてもっと深く議論する必要があると主張する。

攻略テクニック！

Part 4 ライティングテスト

※試験内容などは変わる場合があります

POINT 〈英文要約〉

形式	200語程度の与えられた英文を，60 ～ 70語で要約する。
問題数	1問
目標時間	15分程度。
傾向	賛成あるいは反対の，双方の意見が出やすいテーマが選ばれる。
評価	解答は4つの観点(内容，構成，語彙，文法)で採点される。 観点ごと0 ～ 4点の5段階で評価される。
対策	パラグラフごとの要点を理解する「パラグラフリーディング」が有効。自分の言葉で言い換えるパラフレーズの練習も！

テクニック❶ 英文の構成に注目！

小説などの物語文ではなく**説明文**が出題されます。客観的な事実を述べる文章で，賛成・反対の意見がはっきり出るテーマが設定されます。

200 語前後の英文で 3 パラグラフ構成
第 1 パラグラフ…テーマの提示
第 2 パラグラフ…テーマに対する賛成意見
第 3 パラグラフ…テーマに対する反対意見
が基本的な構成になることを知っておきましょう。

テクニック❷ パラグラフのトピックセンテンスを探す！

要約の際には，それぞれのパラグラフから**基本的な主張をとりあげる**よう心がけます。第 1 パラグラフからはテーマ，第 2 パラグラフで賛成，第 3 パラグラフで反対，をとりあげ 60 ～ 70 語にまとめます。

賛成，反対の意見には，場合によってそのパラグラフで述べられている理由や根拠も追加する必要があります。

- **トピックセンテンスに下線**
- **根拠や理由，追加情報には波線**

など，要約のポイントとなりそうな部分にマークをつけながら読み進めましょう。

テクニック③ 因果関係に着目！

元々の英文が 200 語程度と短いうえに，更に簡潔に書く必要があるので，着目すべきは**因果関係**です。それ以外の情報は思い切って書かないようにしましょう。
要約で省略してもよい情報は，
- **具体例**…説明を分かりやすくするための補足情報
- **繰り返しになっている情報**…強調したり印象付けたりするために繰り返される冗長表現。同じ情報は一度だけ言及すれば OK
- **結論に至る過程**…原因→結果の関係は重要だが，結論に至るまでの思考の過程や具体的なデータ・数値などの詳細
- **背景情報**…テーマの提示は必要だが，一般的な情報や主題から外れる内容

テクニック④ パラフレーズの練習を！

設問文に summarize it in your own words as far as possible「できるだけ自分の言葉で要約すること」とある通り，原文を抜き出して並べかえただけでは十分とはいえません。要約に必要な情報に下線を引いたら，それらをできる限りパラフレーズします。
パラフレーズの基本は，
- **同義表現，類義表現を使う**
- **文構造を変える**…「肯定文↔否定文」，「受動態↔能動態」，「複文↔重文↔単文」など
- **具体的な表現を一般化する**…（例）リンゴやバナナ→果物

テクニック⑤ 原文の論理構造は変えない！

要約はあくまでも，原文をまとめたもの。パラフレーズや省略によって，**元の文章の要点が失われていないか**，最後に必ず読み返して確認しましょう。

例題

- Read the article below and summarize it in your own words as far as possible in English.
- Suggested length: 60-70 words
- Write your summary in the space provided on Side A of your answer sheet. Any writing outside the space will not be graded.

①Foreigners who have visited Japan for the first time can be surprised to see school uniforms. It is usual to see students wearing uniforms in any Japanese junior or senior high school. Even in some elementary schools, official school uniforms are provided. For Japanese people, it is common. However, for foreigners, it can seem problematic.
②The first issue is that uniforms can standardize the individuality of the students. Some critics have insisted that they cannot see the individual differences of Japanese students because of the uniform. They also suggest that the difference of uniform, such as gender or school, will ②lead to the objectification of students. ③The second issue is the financial burden. According to a government survey, each school uniform can cost over 30,000 yen. This can be a considerable expense for some Japanese families.

Admitting these downsides of school uniforms in Japan, school uniforms have been accepted in some schools in the U.K. or the U.S.A. ④Some say that school uniforms can stop the bully because of the difference in outfits based on financial status and meaningless competition for expensive outfits among students. ⑤Also, wearing the uniform can deter kidnapping because school uniforms can show which school the student belongs to people around.

解答文の構成とパラフレーズ

①テーマ：制服　（日本人には普通だが）外国人は驚く
surprise, problematic →「見慣れない」→ look strange
②制服批判　理由１：個性を画一化する，生徒を客観化する
standardize → limit　　lead to the objectification → objectify
③制服批判　理由２：経済的な負担＝高価だ→ expensive
④制服支持　理由１：いじめが減る（主に経済格差による衣服の差から起こる）
bully → economic discrimination
⑤制服支持　理由２：誘拐を防ぐ
その他…in the U.K. or the U.S.A. → in some foreign countries

解答例

①While uniforms are familiar in Japan, they can look strange to foreigners. ②Critics say school uniforms limit students' individuality and objectify students who wear school uniforms. ③And they can be expensive. ④⑤However, in some foreign countries, school uniforms have been adopted to stop economic discrimination caused by outfits and to deter kidnapping by showing which school the student belongs to people around.（62 語）

解答例訳

制服は日本ではなじみがあるが，外国人にとっては奇妙に見えるかもしれない。批評家は，制服は生徒の個性を制限し，制服を着ている生徒を客観化していると言う。また高価なこともある。しかし，一部の外国では，服装による経済的差別をなくすため，また，周囲の人々にどこの学校の生徒かを知らせることで誘拐を抑止するために制服が採用されている。

本文訳

●以下の記事を読み，できる限り自分の言葉で英語で要約しなさい。
●推奨される長さ：60〜70語
●答案用紙のA面の解答欄に要約を記入すること。欄外に書いたものは採点されません。

初めて日本を訪れた外国人は，学校の制服を見て驚くことがある。日本の中学校や高校では生徒が制服を着ているのを見るのは普通だ。小学校でも制服があるところもある。日本人にとっては当たり前のことである。しかし，外国人にとっては問題があるように思える。

第一の問題は，制服が生徒の個性を画一化することもあることだ。制服のせいで，日本人の生徒の個性が見えないと主張する批評家もいる。また，性別や学校といった制服の違いは，**生徒の客観化につながる**という指摘もある。**第二の問題は経済的負担である。**政府の調査によると，制服は１着３万円以上することもある。これは日本の家庭によっては大きな出費となりえる。

日本の制服のこうした欠点を認めつつも，イギリスやアメリカの一部の学校では制服が受け入れられている。**生徒間の経済的地位による服装の違いや，高価な服装の無意味な競争によって引き起こされるいじめを，制服はなくすことができる**と言う人もいる。さらに，**制服を着ていることで，その生徒がどの学校に所属しているかが周囲の人々に分かるため，誘拐を抑止できる。**

ワンポイントアドバイス　**「対比」を表すディスコースマーカー：However**

・前文の内容と逆の考えや事実を導入する，つまり，「〜なのに，しかし〜」というように，対照的な情報を結びつけるときに用いる。
・意見や考えが変わる時や二つの情報が対立する場合などに使うと効果的。
・文頭，文末，文中のいずれにも置くことができる。

POINT 〈意見論述〉

形　式	指示されたTOPICについて，与えられたPOINTSのうち２つを使って，120 ～ 150語の小論文を書く
問題数	１問
目標時間	13分程度
傾　向	社会的な話題に対する考えや提示された主張について賛成か反対かをたずねるTOPICが出題される
評　価	解答は4つの観点(内容，構成，語彙，文法)で採点される。 観点ごと0 ～ 4点の5段階で評価される。
対　策	問題の形式は２級と異なる部分があるので要注意。要求されている内容をしっかりと理解しよう。そのうえでポイントを押さえて準備し，得点源にしよう

テクニック① 求められている単語数や書式に注意！

２級と比べて，使用単語数は **120 ～ 150 語**と増えるので，あまりに短い内容で収める必要はありません。なお，introduction, main body, conclusion という**英語エッセイの書式**で書くことが求められます。さらに，**与えられた POINTS の中から２つ**を選んで使用しなければなりません。これらのルールをふまえ，求められている単語数や書式から外れないよう注意しましょう。

テクニック② 問いのテーマに対する応答となるよう注意！

英検に限らず，エッセイを書く際には与えられたトピックに対する的確な解答となるよう注意しましょう。トピックは，ある主張について賛成･反対を問うものと，問いの形になっているものがあります。自分の考えが明確に伝わるよう，基本的には **Yes ／ No の２択で自分の意見を固めて**おき，そこから離れずに問いに答えるよう心がけるとよいでしょう。

テクニック❸ 論理展開の表現を押さえておこう！

introduction → main body → conclusion の展開で書きます。内容としては，**最初に自分の意見を述べ**，**次に具体例**を挙げ，**最後にもう一度自分の意見**を述べる流れになります。それぞれのパートの書き出しでは，**よく使われる表現**があるので押さえておきましょう。**main body では，具体例を2つほど挙げておく**とよいでしょう。一般的なエッセイでは，客観的に証明されているデータを示しますが，英検の試験内ではある程度の客観性が保証されている内容であれば差し支えありません。

なお，書き始める前に**全体の構想を練る**ようにしましょう。その際，日本語ではなく**英語で発想してメモする**よう心がけましょう。日本語と英語では論理展開の手法が異なりますから，日本語で考えた構想がそのまま英語として伝わる保証がないためです。語数制限があるので，文字数を把握するためにも，実際に書いてまとめておくとよいでしょう。

〈各パートの書き出しで使われる表現〉

introduction：in my opinion「私の意見では」
Personally, I think ～「個人的には～と考える」
main body：for example「例えば」
more specifically「より具体的には」
conclusion：as a conclusion「結論としては」
following the discussion above「以上の検討によって」

テクニック❹ 自信のない構文や単語の使用は避ける！

採点側は名論文を求めてはいません。与えられた条件が守られていて，論理の一貫性があれば得点できます。ただし，**構文上のミス**や単語の**綴りのミス**などは**減点対象**となってしまうため，基本的な構文に則り，ありふれた単語だとしても綴りに自信のない表現は避けましょう。

テクニック❺ 自分の意見にこだわらない！

英検のライティングはあくまでも英語の運用能力をみるためのものであり，自分の主義を主張する場ではありません。したがって，自分の意見にこだわって書く必要はありません。自分の持っている知識で間違いなく書けるか，意見や理由が制限語数に収まるか，POINTS をうまく使えるかなどの点を考え，自分がとる立場を考えましょう。

社会

学習日	目標時間 1問 13分	得点
/		/2

(1)

● Read the article below and summarize it in your own words as far as possible in English.

● Suggested length: 60-70 words.

In some Japanese companies, English has become the official language for business. The specifics of using English can be various. In some cases, English is required only for meetings or e-mail communication. So, it does not mean all employees speak English all the time in these companies. Still, the trend of making English the official language of a company will not be weakened.

People in favor of this trend suggest the declining birthrate of Japanese society and the shrinking national market. This issue cannot be solved in the short term. Then, the focus on Japanese companies will be on overseas markets. A proficient English speaker can be indispensable for this business strategy.

However, this strategy will provoke argument. In fact, acquiring enough English proficiency to do business takes a long time and is costly. Not only is that, communicating felicitous information and ideas correctly highly demanded in business. Using the mother tongue is much easier for this aim. It is possible that some good ideas or suggestions cannot be understood because of the low level of English proficiency. That will lead to a huge economic loss for the company.

(2)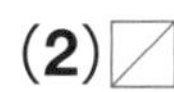

- Read the article below and summarize it in your own words as far as possible in English.
- Suggested length: 60-70 words.

In some public spaces, such as subway stations or airports, separating smoking areas has become common in Japan. Even in most restaurants or cafés, people are not allowed to smoke freely. Research says that the smoking rate among young people in Japan has decreased significantly. Now, social pressure to stop smoking has been increasing, and some even say cigarette smoking should be illegal.

The reason for the decreasing smoking rate can be its risk to human health, and people have now adopted it. Doctors keep warning that smoking has a high possibility of causing lung cancer, and the danger of secondhand smoking has also been widely accepted. It is publicly known that smoking should be avoided in front of children, in particular. Some surveys suggest that about 20% of deaths of Japanese men are caused by cigarette smoking. Therefore, critics even say that cigarette smoking should be banned as an illegal act.

In fact, things are not easy. Now, tobacco tax revenue is about two trillion yen in a year in Japan. That revenue can be utilized for public welfare or other things, which should not be abolished. In addition, if cigarettes were illegal substances, it would widen the market for street gangs.

(1)

解答例

テーマMany Japanese companies are making English their official business language. 賛成While this trend is driven by Japan's shrinking domestic market and the need to expand overseas, 反対critics argue that the time and cost involved in achieving business-level English proficiency can outweigh the benefits. Additionally, there is a risk of miscommunication and lost opportunities when using a language that is not one's native tongue.

(63 語)

解答例訳

多くの日本企業が英語をビジネス公用語にしつつある。この傾向は，日本の国内市場が縮小していることや海外進出の必要性から推進され，一方でビジネスレベルの英語力を身につけるために必要な時間とコストは，利益を上回ると批判家は主張している。さらに，母国語でない言語を使用する場合，ミスコミュニケーションや機会損失のリスクもある。

本文訳

テーマ日本企業の中には，英語がビジネスの公用語になっているところもある。英語を使う具体的な内容は様々である。会議やＥメールでのコミュニケーションにのみ英語が必要な場合もある。だから，そのような企業ですべての社員が常に英語を話しているわけではない。それでも，企業の公用語を英語にしようという流れが弱まることはないだろう。

賛成この流れに賛成する人々は，日本社会の少子化と国内市場の縮小を示唆している。この問題は短期的には解決できない。そうなると，日本企業が注目するのは海外市場である。英語堪能な話者はこのビジネス戦略では不可欠である。

しかし，この戦略は議論を呼ぶだろう。実際，反対ビジネスに必要な英語力を身につけるには長い時間とコストがかかる。それだけでなく，ビジネスでは正確な情報や考えを伝えることが強く求められる。そのためには母国語を使う方がはるかに簡単だ。英語力が低いために，良いアイデアや提案が理解されない可能性もある。それは企業にとって大きな経済的損失につながる。

(2)

解答例

テーマNowadays, social pressure to stop smoking has been stronger, and critics even insist that cigarette smoking should be an illegal act. 推進派Support for this view is based on health issues caused by cigarette smoking, such as lung cancer or secondhand smoke. 慎重派Still, if cigarettes became illegal substances, it would eradicate the tax revenue from cigarette consumption and would give the chance of illegal trade by street gangs.

(67 語)

解答例訳

現在では, 禁煙を求める社会的圧力はより強くなっており, タバコを吸うことは違法行為にするべきだという批判さえある。この意見を支持する根拠は, 肺がんや副流煙など, タバコの喫煙によって引き起こされる健康問題である。とはいえ, タバコが違法な物質になれば, タバコの消費による税収がなくなり, ストリートギャングによる違法取引の可能性も出てくる。

本文訳

日本では, 地下鉄の駅や空港などの公共スペースの一部で喫煙エリアが分けられることが一般的になった。ほとんどのレストランやカフェでも, 自由に喫煙することは許されない。研究によると, 日本での若者の喫煙率は大幅に減少している。現在, テーマ禁煙に対する社会的圧力が強まっており, 中にはタバコを違法にするべきだという声さえある。

推進派喫煙率の減少理由は, 健康へのリスクのためであり、人々は今それを取り入れている。医師たちは喫煙が肺がんを引き起こす可能性が高いと警告し続けており, 受動喫煙の危険性も広く認識されている。特に, 子どもの前での喫煙は避けるべきことは周知の事実だ。一部の調査によると, 日本人の男性の死亡約 20%は喫煙によるものだと言われている。こうしたことから, 推進派喫煙を違法行為として禁止すべきだとさえ批判家は言う。

しかし, 実際には簡単ではない。慎重派日本では現在, タバコ税収入は年間約 2 兆円に上る。この収入は公共福祉や他の分野に活用されており, 廃止すべきではない。さらに, タバコが違法な物質になってしまうと, 慎重派ストリートギャングの市場が拡大する恐れがある。

テーマ

1 文化・社会・スポーツ・環境

学習日	目標時間	得点
/	1問 13分	/4 合格点3点

(1)

● Write an essay on the given TOPIC.
● Use TWO of the POINTS below to support your answer.
● Structure: introduction, main body, and conclusion
● Suggested length: 120-150 words

TOPIC

Agree or disagree: Education in Japanese schools should have more classes for learning about cultures in other countries.

POINTS

● Accept other values
● Educational value
● Mutual understanding
● Nationalism

---

(2)

● Write an essay on the given TOPIC.
● Use TWO of the POINTS below to support your answer.
● Structure: introduction, main body, and conclusion
● Suggested length: 120-150 words

TOPIC

Agree or disagree: Japan should set up more surveillance cameras in the city to prevent crime.

POINTS

● Crime
● Psychological effects
● False charge
● Privacy

Point!

情報を多く入れすぎないように注意！

語数制限があるので，要点から外れる内容は思い切って削除しよう。

(3) ☐

- Write an essay on the given TOPIC.
- Use TWO of the POINTS below to support your answer.
- Structure: introduction, main body, and conclusion
- Suggested length: 120-150 words

TOPIC

Agree or disagree: In many Japanese schools, teachers should also be the director of sports clubs in their schools.

POINTS

- Extra labor
- Educational value
- Expertise
- Supervisor

---

(4) ☐

- Write an essay on the given TOPIC.
- Use TWO of the POINTS below to support your answer.
- Structure: introduction, main body, and conclusion
- Suggested length: 120-150 words

TOPIC

Agree or disagree: Not only experts, but also ordinary people should learn more about scientific research regarding the environment.

POINTS

- Change the world
- Invest time and money to study
- Indifference
- Pollution

(1)

TOPIC 訳

賛成か反対か：日本の学校教育は，他国の文化を学ぶための授業をもっとするべきだ。

POINTS 訳

●他の価値観を受け入れる　●教育的価値　●相互理解　●ナショナリズム

解答例

意見Personally, I agree with the idea of introducing more lessons for learning about cultures in other countries. In Japanese elementary schools, there are already lessons to understand foreign cultures. These lessons give children a better chance to know more about various aspects of cultures.

理由①First, compared to 10 years ago, we can see far more aspects of various cultures in schools. Children are required to accept other values, brought in by sons and daughters of immigrants.

理由②In addition, these lessons are not only for students, but also for teachers and parents because they can have the chance to know about the current variety of cultural phases children face. These grown-ups have the chance to join these kinds of classes in order to overcome nationalism.

Knowing different cultures has the possibility to improve our lives. I believe education about different cultures in Japanese schools is a good starting point for that. (150 語)

解答訳例

個人的には，他国の文化を学ぶための授業をもっと導入するという考えには賛成です。日本の小学校では，外国文化を理解する授業がすでにあります。これらの授業は子どもたちが文化の多様な側面についてもっと知るためのよりよい機会となっています。

まず，10 年前に比べて，学校では多様な文化の側面をはるかに多く見られます。子どもたちは，移民の息子や娘たちによって持ち込まれる他の価値観を受け入れることを求められているのです。

さらに，これらの授業は生徒たちのためだけでなく，教員や親たちのためでもあります。なぜなら彼らは，子どもたちが直面している現在の文化の多様性について知る機会が得られるからです。これらの大人たちは，ナショナリズムを乗り越えるために，これらの授業に参加する機会を持っているのです。

異なる文化を知ることは，私たちの生活を向上させる可能性を持っています。日本の学校における異文化に関する教育は，そのためのよいスタート地点であると思います。

(2)

TOPIC 訳

賛成か反対か：日本は犯罪を防止するために，街により多くの監視カメラを設置すべきだ。

POINTS 訳

●犯罪　●心理的効果　●冤罪　●プライバシー

解答例

意見I agree with the idea to set up more surveillance cameras. Japan has become a much richer country, compared to some decades ago, and this has led us to live alone, or live with many strangers, especially in urban areas.
理由①First, when a crime happens, police and prosecutors need concrete evidence. As already mentioned, living with people who don't know each other, it is more difficult than before to find witnesses to judge the crime. Under this situation, surveillance cameras must be required to avoid false charges.
理由②Second, setting up surveillance cameras can have the psychological effect of preventing the crime before it actually happens. It will help to curb crime rates, even though this effect would not be shown as concrete data.
In conclusion, setting up more surveillance cameras has some undeniable advantages. (134 語)

解答訳例

より多くの監視カメラを設置するという考えには賛成です。数十年前と比較して，日本はずっと豊かな国となり，それによって特に都市部では，一人暮らし，あるいは多くの他人と住む人々が増えてきました。
まず，犯罪が起きたとき，警察や検察は具体的な証拠を必要とします。すでに述べたように，互いに知らない人々と住んでいるため，犯罪を判断するための目撃者を見つけるのが以前よりも困難です。この状況下では，監視カメラは冤罪を避けるためには必要であるに違いありません。
２つ目に，監視カメラの設置は，犯罪が実際に起きる前に防ぐ心理的な効果を持ち得ます。それは，たとえこの効果が具体的なデータとして示されないとしても，犯罪発生率を下げる助けとなるでしょう。
結論として，より多くの監視カメラを設置することには，否定できない利点があります。

(3)

TOPIC 訳

賛成か反対か：日本の多くの学校では，教員はその学校の運動部の顧問でもあるべきだ。

POINTS 訳

●超過勤務　●教育的価値　●専門知識　●監督者

解答例

意見I cannot agree with this idea. Sports clubs in schools give great opportunities for children to learn the value of making efforts, cooperation in a team, etc. Therefore, this valuable experience should be directed by experts, not by class teachers.
理由①First, class teachers should focus more on the management of each class, such as preparation for lessons. There have been many difficult issues concerning academic achievement in the classroom, and there is already much labor for class teachers. They should not bear any additional work.
理由②In addition, if we consider the educational value of sports clubs, they will demand a supervisor who has expertise as an instructor. Otherwise, there is a risk that they will not lead students in the correct direction.

Considering these aspects, class teachers should not be the director or instructor of sports clubs. Their main work should be directed to each lesson and each class. (149 語)

解答訳例

この考えには賛同できません。学校での部活は，子どもたちに努力することや，チームで協力することなどの価値を学ぶすばらしい機会を与えます。したがって，この価値ある経験は専門家によって指導されるべきで，クラス担任によって指導されるべきではありません。

まず，クラス担任は授業の準備などのクラス運営により集中すべきです。教室では，学業成績などに関する難しい問題がたくさんあるし，クラス担任にはすでに多くの仕事があります。彼らはこれ以上の追加業務を担うべきではありません。

さらに，部活の教育的価値を考えるならば，指導者として専門知識を持つ専門家を必要とするでしょう。さもなければ，生徒たちを正しい方向へ導けないリスクが存在してしまいます。

これらの側面を考慮すると，クラス担任は部活の監督や指導者であるべきではありません。彼らのおもな職務はそれぞれの授業とクラスに向けられるべきです。

(4)

TOPIC 訳

賛成か反対か：専門家だけでなく，一般の人々も環境に関する科学的調査についてもっと学ぶべきだ。

POINTS 訳

●世界を変革する　●研究のために時間とお金を投資する　●無関心　●汚染

解答例

Gathering data and analyzing the environmental change seems far beyond the ability of ordinary people. However, to protect the environment, we will need different types of effort. 意見Even non-experts should learn more about scientific research regarding the environment.

理由①First, environmental change is not so simple. Rather, it can be a complex phenomenon. Without correct information, we cannot take the appropriate actions on this issue.

理由②Furthermore, even with correct information, without the collective effort of many non-experts, and ordinary people, it will not lead to a solution of environmental problems. We should not be indifferent to this issue, thinking someone else will solve the environmental issue like global warming.

If we wish to preserve the environment and provide educational opportunities that benefit efforts to protect the environment, then ordinary people should learn more about scientific research regarding the environment and take collective action.（142 語）

解答訳例

データを集めて，環境の変化を分析することは一般の人々の能力をはるかに超えたことのように見えます。しかし，環境を守るために，我々には異なる形の努力が必要でしょう。非専門家であっても，環境に関する科学的調査についてもっと学ぶべきです。

まず，環境の変化はそんなに単純ではありません。むしろそれは，複雑な現象となり得ます。正しい情報がなくては，この問題に対して適切な行動をとることができません。

さらに，正しい情報があっても，多くの非専門家や一般の人々の集団的な努力がなくては，環境問題の解決は導けないでしょう。我々は，ほかの誰かが地球温暖化のような環境問題を解決するだろうと考えて，この問題に無関心であるべきではありません。

もし我々が環境を守り，環境保全のための努力がプラスになる教育的機会を提供したいと望むのであれば，一般の人々は環境に関する科学的調査についてもっと学ぶべきであり，集団的な行動を起こすべきです。

テーマ
2 科学・情報・労働・政治

学習日	目標時間	得点
／	1問 13分	／4 合格点3点

(1)

- Write an essay on the given TOPIC.
- Use TWO of the POINTS below to support your answer.
- Structure: introduction, main body, and conclusion
- Suggested length: 120-150 words

TOPIC
Will many humans emigrate to a space station someday?

POINTS
- Costs
- Dangers
- Situation on Earth
- Technology

---

(2)

- Write an essay on the given TOPIC.
- Use TWO of the POINTS below to support your answer.
- Structure: introduction, main body, and conclusion
- Suggested length: 120-150 words

TOPIC
Agree or disagree: Japan should set restraints Social Networking Services more.

POINTS
- Control what people post online
- Crime
- Freedom of speech
- Privacy

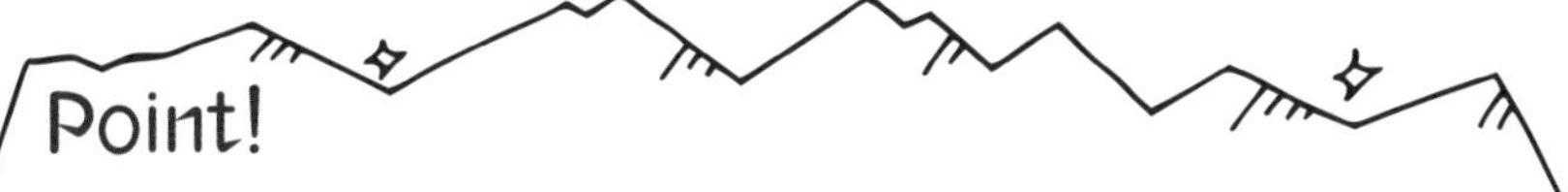

Point!

よく知らない話題でもあわてずに！　関連する単語や表現が多く浮かぶPOINTSを選び，内容をふくらませよう。

(3)

- Write an essay on the given TOPIC.
- Use TWO of the POINTS below to support your answer.
- Structure: introduction, main body, and conclusion
- Suggested length: 120-150 words

TOPIC

Agree or disagree: New employees should change jobs early if they want to.

POINTS

- Training
- Learning
- Ideal job
- Experience

---

(4)

- Write an essay on the given TOPIC.
- Use TWO of the POINTS below to support your answer.
- Structure: introduction, main body, and conclusion
- Suggested length: 120-150 words

TOPIC

Agree or disagree: The Japanese government should adopt a two-party system.

POINTS

- Decision making
- Public opinion
- Discussion
- Demand for policy maker

(1)

TOPIC 訳

多くの人類は将来は宇宙ステーションに移住するだろうか。

POINTS 訳

●費用　●危険　●地球の状況　●技術

解答例

Living on a space station seemed like science fiction before. However, 意見scientific advances and increased threats to mankind on Earth may be making it possible.
理由①First, incredible technological progress has been made to develop the necessary technology. Now, reusable rockets can facilitate the transport of the people and materials necessary to support living on a space station. Scientific advances are also reducing costs, making it more practical to live in space.
理由②Second, the combined threat of environmental change, natural disasters like earthquakes, and disease outbreaks has the possibility to eradicate human beings. Under these conditions, the will to devote resources to live in space will be growing.
To live on a space station will have obstacles. However, technological development will allow humans to live in space, and it will give us the opportunity to think about the environment on Earth more seriously. (142語)

解答訳例

宇宙ステーションに住むことは以前はSFのように思えました。しかし科学の発達と，地球上の人類に対して増大する脅威は，それを可能にするかもしれません。

まず，必要となる技術の開発のため，信じられないほどの技術的発展が成し遂げられました。今や再利用可能なロケットは，人や宇宙ステーションでの居住に必要となる物資の輸送を容易にしています。科学の発展はコストをも削減しつつあり，宇宙での生活をさらに現実味のあるものにしています。

次に，環境の変化や，地震のような自然災害，病気の大流行などが組み合わさった脅威は，人類絶滅の可能性を秘めています。これらの状況下において，宇宙で生活するために資源を使おうという意志は大きくなるでしょう。

宇宙ステーションに住むことは障害を抱えるでしょう。しかし，技術の発展は，人類が宇宙に住むことを可能にし，地球の環境についてもっと真剣に考える機会を我々に与えるでしょう。

(2)

TOPIC 訳

賛成か反対か：日本はソーシャルネットワーキングサービスをもっと規制すべきだ。

POINTS 訳

●投稿を制御する　●犯罪　●言論の自由　●プライバシー

解答例

Sometimes, Social Networking Services (SNS) can be one of the causes of crime, or bullying. Some restraint is effective to some extent. However, 意見I cannot agree with the idea to set stricter restraints than now.
理由①First, restraints to SNS would cause arguments concerning the freedom of speech. Through SNS, we can see many opinions towards various topics, from reviews of TV programs to criticism of the government. It is undeniable to insist that these opinions are suggestive at least.
理由②Furthermore, it seems many young people are now beginning to understand the limits of communication through SNS and try to communicate face to face especially for important topics.

If we can find out the limits of SNS, that is a better choice than setting more strict restraints. (125 語)

解答訳例

ときに，SNSは犯罪やいじめの原因の一つとなる可能性があります。何らかの規制はある程度は有効です。しかし，現在よりもさらなる規制を設定するという考えについては同意できません。

まず，SNSへの規制は言論の自由に関する議論を引き起こすでしょう。SNSを通じて，我々はテレビ番組の感想から政府への批判まで，多様な話題に対する多くの意見を見られます。これらの意見が少なくとも示唆的であると主張することは否定できません。

さらに，多くの若者たちは，今やSNSを通じたコミュニケーションの限界を理解し始めており，特に重要な話題については対面で意思疎通を行おうとしているように見えます。

もし我々がSNSの限界を知ることができるならば，それはさらなる規制を設定するよりもよりよい選択です。

(3)

TOPIC 訳

賛成か反対か：望んでいるのなら，新入社員は早くに仕事を変えるべきだ。

POINTS 訳

●訓練　●学習　●理想の仕事　●経験

解答例

Current workplaces can be very competitive, it is no wonder new employees tend to think they want to leave. However, although it depends on the situation, 意見I disagree with the new employee's decision to change jobs early.

理由①First, the meaning of a specific workplace is not easy to grasp. It usually takes more than a year to understand various aspects of the job.

理由②Second, if employees try to change jobs, they must remember that they cannot ignore the training and what they have learned at the previous job. Due to this, leaving the workplace in the first year is not always a good choice, because they cannot explain sufficiently the job in the previous workplace.

To find an ideal job is not an easy task. Even if the workplace is not the one they want, there can be a meaning in it for the next step. (146 語)

解答訳例

現在の職場はとても競争的になる可能性があり，新入社員が離職したいと思う傾向にあることは不思議ではありません。しかし，状況にもよりますが，私は早くに職を変えるという新入社員の決断には同意しません。

まず，特定の職場が持つ意味を把握することは簡単ではありません。仕事の様々な面を理解するには，たいてい１年以上かかります。

次に，もし社員が仕事を変えようとするなら，前職で訓練したことや学んだことを無視できないということを心に留めておかなければなりません。このため，１年以内に職場を去ることは，よい選択とは限りません。なぜなら，彼らは以前の職場での仕事を十分に説明できないからです。

理想の仕事を見つけることは簡単ではありません。職場が自分の望むようなものではないとしても，次の段階のための意味は存在するでしょう。

(4)

TOPIC 訳

賛成か反対か：日本政府は2大政党制を取り入れるべきだ。

POINTS 訳

●意思決定　●世論　●議論　●政治家への要望

解答例

We often hear that a two-party system is the ideal political system. However, 意見Japan should not adopt it.

理由①First, a two-party system is a good way to pick up different views and stimulate dynamic discussion. However, considering the decision making process of Japanese politicians, it will take too much time.

理由②Second, it seems the success of a two-party system depends on the ability of the opposition party to gain support from the public. If one party has been the government party for a long time, the system may fail. The effort of the opposition party to submit a superb platform would be the key to change that situation.

Japan does not adopt the two-party system, but I think the possibility to change the situation will depend on the ability of the opposition party, not on the political system itself.（139 語）

解答訳例

2大政党制が理想的な政治システムであるとしばしば耳にします。しかし，日本はそれを採用すべきではありません。

まず，2大政党制は異なる視点を拾い上げ，活発な議論を刺激する良い方法です。しかし，日本の政治家の意思決定の過程を考慮すると，そのシステムはあまりにも時間がかかります。

次に，2大政党制の成功は，国民から支持を得るための野党の能力にかかっているように見えます。もし1つの政党が長い間与党であるならば，そのシステムは失敗するかもしれません。すばらしい公約を提出する野党の努力が，その状況を変えるカギとなるでしょう。

日本は2大政党制を取っていませんが，その状況を変える可能性は政治システムそのものではなく，野党の能力にかかっていると考えます。

Part 5 リスニング

※試験内容などは変わる場合があります

POINT 〈会話の内容一致選択〉

形式	対話を聞き，その内容に関する質問の答えを４つの選択肢の中から選ぶ
問題数	12問。1つの会話につき，質問は1つ
解答時間	1問につき10秒
傾向	２人による３～４往復の対話。放送文はそれぞれ一度だけ読まれる
対策	ふだんから英語の日常会話を聞き，英語の音声に慣れておこう

テクニック① 先に選択肢を読む！

問題用紙に書かれている**選択肢は先に目を通す**ようにしましょう。選択肢に出てくる内容は, 対話の中心となる話題です。先に選択肢を読んでおけば, ある程度のイメージを持つことができます。

テクニック② 冒頭で状況を押さえる！

対話は３往復，長くても４往復で終了するため，**対話の冒頭で中心となる話題が出てくる**傾向にあります。How was ～?，What's up?，What's the matter?，What's the problem? などのような定型表現に注意して，状況を押さえましょう。

テクニック③ 最後の質問に注意！

最後の質問は What や Why などの疑問詞を用いた疑問文です。誰のどのような行動について質問されているのかを聞き取るようにしましょう。対話を聞くときも，発言者，行動の内容や理由について，整理しながら聞きましょう。

POINT 〈文の内容一致選択〉

形　式	英文を聞き，その内容に関する質問の答えを4つの選択肢の中から選ぶ
問題数	12問。英文は6つ。1つの英文につき，質問は2つ
解答時間	1問につき10秒
傾　向	8文程度の英文。放送文はそれぞれ一度だけ読まれる
対　策	基本的には学術的な説明文。リーディングセクションほど長くはないが，対策の内容は似ている部分がある

テクニック④ 選択肢で重複している単語に注目！

このセクションでも選択肢に先に目を通し，何を質問されるのか予想してから聞くようにしましょう。その際，**選択肢の間で重複して用いられている単語に注目**しましょう。それがテーマである可能性が非常に高いので，内容を予想する助けとなります。

テクニック⑤ タイトルの聞き取りに集中しよう！

このセクションでは，リスニングの**最初にタイトルが読み上げられます**。タイトルは英文のテーマなので，知っている内容であれば大きな手がかりになります。聞き逃してしまった！とならないよう，集中して臨みましょう。知らない単語が登場する場合もありますが，あわてることはありません。受験者の多くにとって未知の単語が用いられていることがある，ということを念頭に置いておきましょう。

テクニック⑥ 1文目または冒頭部分に注意！

タイトルが抽象的であるとき，**1文目または冒頭部分が具体的な内容**になる傾向にあります。ここで，**ほぼテーマがつかめる**うえに，場合によっては後の**展開も予想**しやすくなります。タイトルの読み上げ後，続けて1文目も注意して聞き取りましょう。

テクニック⑦ 論理展開を表す語に注意！

多くの場合，論理の展開は必ずしも単線的に進まず，反論なども加えながら進みます。理由，結論，反論などが述べられるときには，since，therefore，however などの**論理展開を表す語**が使われますので，**その後の文の内容に注意**して聞き取るようにしましょう。

〈列挙〉 first of all「最初に」，eventually「結局」，at last「ついに」，then「それから」
〈例示〉 for example / for instance「例えば」
〈逆接〉 however「しかしながら」，though ～「～だけれども」，still「それでも」
〈追加〉 also「また」，in addition「さらに」
〈引用〉 according to ～「～によると」，in *one's* opinion「～の意見では」，in the study「この研究では」
〈理由〉 because ～ / since ～「～なので」，for ～「なぜなら～」
〈結果〉 therefore「それゆえに」，as a result「結果として」，this is why ～「こういうわけで～」

テクニック⑧ 聞き取れなかった部分にこだわらない！

学術的な内容が含まれるため，知らない単語や表現に出合いますが，質問に答えられないわけではありません。聞き取れずに雑音のようにしか聞こえなかった部分があっても，**聞き取れた単語で内容が見えてくる**ことがあります。**全体の流れを把握する**ように心がけましょう。

テクニック⑨ 普段から学術的な英文を聞こう！

このセクションは，**日常会話ではあまり出てくることのない内容**も含まれます。ふだんからインターネットなどを利用して，**専門的な英語**を聞く機会を増やしましょう。National Geographic や TED Talks などを活用してみてもよいでしょう。

POINT 〈Real-Life形式の内容一致選択〉

形　式	与えられた状況（Situation）を読んだうえで，英文を聞き，その内容に関する質問の答えを4つの選択肢の中から選ぶ
問題数	5問。1つの英文につき，質問は1つ
解答時間	Situationを読む時間が10秒。英文を聞いた後の解答時間が10秒
傾　向	8文程度の英文。放送文はそれぞれ1回だけ読まれる
対　策	日常生活の場面に即した説明文。留守番電話，館内放送，ラジオなどからの広告などになる。様々なパターンに慣れておこう

テクニック⑩ Situation と Question を最大限に利用する！

このセクションでは，**英文が読まれる前に 10 秒の時間が与えられている**ので，この間に **Situation と Question を読み，テーマを予想**しておくことができます。Situation も Question も主語は you なので，**自分がその状況に置かれた場合をイメージして**読みましょう。Situation では要望が含まれていることが多いので，その点に注目して必要な情報を聞き取りましょう。

テクニック⑪ 状況に応じた英語に注目！

放送される英文は，留守番電話，連絡，説明，館内放送，音声ガイド，ラジオなどの公共放送を含む6パターンです。**それぞれの場面では，決まった表現が使われやすい**ので，事前に表現などを押さえておくとよいでしょう。

テクニック⑫ 訛りのある英語に注意！

実生活を取り入れたセクションであるため，必ずしも**聞き取りやすい発音とは限りません。**訛りを含んだ英語だったり，早口だったり，話し癖が含まれている場合もあります。映画やドラマなどを活用して，このような発話にも慣れておくようにしましょう。

Part 5 リスニング・会話の内容一致選択

テーマ

1 理由を問う問題

Each dialogue will be followed by one question. Choose the best answer for each question.

No.1

1. His mother will not clean his room.

2. His mother will not buy him a new file.

3. His old file was thrown away.

4. His new file is missing.

No.2

1. He broke the speed limit.

2. He did not follow the prohibition sign.

3. He turned onto a one-way street.

4. He did not notice the school sign.

No.3

1. She has not given a speech before.

2. She does not have enough knowledge on the topic.

3. Her practice sessions went poorly.

4. Public speaking makes her nervous.

Point!

登場人物の声のトーンが変わったときや，sorry など感情を表す言葉の前後は，理由を伝えていることが多い。

解答と解説

それぞれの問いに対して最も適切なものを選びなさい。

No.1 

正解 **3**

放送文

A: Mom, have you seen my file with a brown cover?

B: Uh, I think I threw it away when I cleaned out your room last month.

A: Aw, mom! I can't believe it. My notes for the next exam were in it. Don't do that without asking me.

B: Sorry, John, but it was pretty dirty and filled with paper scraps. You'd better keep things sorted.

Question : Why is John upset?

放送文 訳

A: お母さん，茶色のカバーがついたぼくのファイルを知らない？

B: あら，先月あなたの部屋を掃除したときに，捨ててしまったわ。

A: なんてこと！　信じられないよ。次の試験のためのメモが中にあったのに。ぼくに聞かずに，そんなことをしないでよ。

B: ジョン，ごめんね。でも，ファイルはとても汚くて紙くずでいっぱいだったわよ。物を整理したほうがいいわ。

質問：ジョンはなぜ動揺しているのですか。

選択肢訳
1. 彼の母は彼の部屋を掃除しない。
2. 彼の母は彼に新しいファイルを買うつもりがない。
3. 彼の古いファイルは捨てられた。
4. 彼の新しいファイルがない。

解説 ジョンの２番目の発言の Aw, mom! I can't believe it. から，ジョンが動揺していることが分かる。直前の母親の発言に対して発した言葉であり，それが動揺の理由である。throw away ～は「～を捨てる」の意味。

No.2 TR-5

放送文

A: Sir, may I see your driver's license, please?

B: Yes, here it is. I was only going 45 miles an hour, that's not over the speed limit on this road, right?

A: No, but you made a U-turn at the last intersection. Actually, U-turns are prohibited there. I'll have to write you a ticket.

B: But I just turned onto this road. I didn't see any prohibition signs.

A: Actually there are, and you also didn't see the high school student that you almost hit when you made the U-turn.

B: Oh. Well, I'm sorry. I'll pay more attention next time.

A: Please do. Here you are.

Question : Why was the man stopped by the police officer?

放送文 訳

A: 運転免許証を見せてもらえますか？

B: はい，これです。たった時速45マイルでしたし，この道路の速度制限を超えていませんよね？

A: 超えていないです。ただ，先ほどの交差点でUターンをしましたね。じつは，あそこでのUターンは禁止されています。キップを切らないといけないです。

B: でも，私は単にこの道へと曲がっただけですよ。禁止の標識は見えなかったですが。

A: 標識はありますよ。しかも，Uターンをしたときに，あなたは高校生を見ず，危うく高校生にあたるところでしたよ。

B: ああ，すみません。次回からは気をつけます。

A: そうしてください。どうぞ。

質問：なぜ男性は警察官に止められたのですか。

選択肢訳
1. 速度超過をした。
2. 禁止の標識に従わなかった。
3. 一方通行の道に入っていった。
4. 学校があることを示す標識に気づかなかった。

解説 警察官が男性の車を止めて話しかけている場面。over the speed limit「速度超過」という言葉が登場するが，男性が止められた原因ではないので注意する。警察官の2番目の発言のprohibited「禁止されている」が大きなヒントになる。

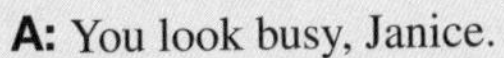

正解 4

放送文

A: You look busy, Janice.
B: Yes, I'm preparing to give a speech at my company for our 50th anniversary on Friday.
A: You have enough knowledge of the company, so, that shouldn't be a problem.
B: Thanks, but you know how I feel in front of large audiences.
A: You've done quite a few speeches already, though, right?
B: Yes, but I still get stage fright before an audience.
A: Well, if it helps, you can practice with me.
B: That'd be great. Thanks.

Question : Why is Janice concerned about giving the speech?

放送文 訳

A: ジャニス，忙しそうだね。
B: そうなの。金曜日の会社の50周年記念でスピーチをする準備をしているのよ。
A: 君は会社の知識は十分持っているのだし，それほどの問題じゃないはずだけど。
B: ありがとう。でも，私が大勢の聴衆の前でどんな気持ちになるか分かるでしょ。
A: それでも，君はたくさんスピーチをしてきたじゃないか，そうだよね？
B: ええ，でも，今でも聴衆の前ではあがってしまうのよ。
A: もし助けになるなら，ぼくを相手に練習してみてはどうかな。
B: それはいいね。ありがとう。

質問：なぜジャニスはスピーチすることを心配しているのですか。

選択肢訳
1. 彼女はこれまでにスピーチをしたことがない。
2. 彼女は話題について十分な知識を持っていない。
3. 彼女の練習はひどい出来だった。
4. 人前で話すことは彼女を緊張させる。

解説 ジャニスが心配している内容は後半で分かるが，ジャニスの発言には，多くの聴衆の前での気持ちについても触れられているのでそれもヒントになる。ここでは stage fright「舞台上での緊張，人前であがること」という表現を押さえておきたい。

テーマ

2 話題を問う問題

Each dialogue will be followed by one question. Choose the best answer for each question.

No.1

1. The man's car no longer makes strange noises.

2. The man has not done an engineer's check yet.

3. The man may need more tests for his car.

4. The man is still at the repair company.

No.2

1. He was making a claim to change his card.

2. He was talking about compliments.

3. He was making a complaint about his purchase.

4. He was talking about his purchase last month.

No.3

1. Its citizens are unfriendly.

2. He will live there for a long time.

3. Job opportunities are limited there.

4. The cost of living is too high.

Point!

冒頭のやりとりから状況をイメージしよう。
特に名詞に注意して聞き取り，全体像を把握しよう。

解答と解説

それぞれの問いに対して最も適切なものを選びなさい。

No.1 TR-7

正解 **3**

放送文

A: Hey, Seiji. What did the engineer say about your car yesterday?
B: Not much. They did a thorough check-up but didn't find anything serious.
A: Well, I guess that's good. But that strange sound from the engine has bothered you for two weeks now.
B: I know. If that noise continues, they may have to do more tests.
A: That's too bad. I hope it gets fixed soon.
B: So do I. It's quite inconvenient to move around without a car.

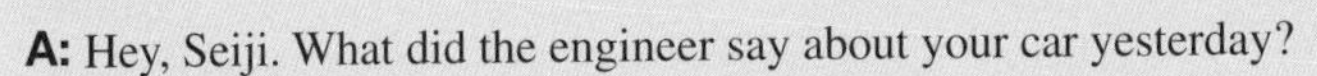
Question : What do we learn from the conversation?

放送文 訳

A: セイジ，昨日，エンジニアは君の車のことを何て言っていたの？
B: 別に何も。精密検査をしたけど，深刻なものは見つからなかったよ。
A: それはよかったね。でも，エンジンからの異音は２週間も君を困らせているね。
B: そうなんだよ。あの音が続くなら，彼らにもっと検査をしてもらわなければならないな。
A: それはよくないね。すぐに直るといいけど。
B: そう願うね。車なしで移動して回るのはとても不便だよ。

質問：会話から何が分かりますか。

選択肢訳
1. 男性の車はもう異音がしない。
2. 男性はエンジニアたちによる検査をまだしていない。
3. 男性は彼の車にもっと検査が必要となるかもしれない。
4. 男性はまだ修理会社にいる。

解説 女性の２番目の発言の ... has bothered you は現在完了形を用いていることから，エンジンの問題は解決しておらず，今も継続中であると分かる。続くセイジの発言の they（= engineers）may have to do more tests から選択肢 **3** が正解。

Part 5 リスニング・会話の内容一致選択

No.2 TR-8

放送文

正解 **3**

A: This is Premier Card Company, Emma White speaking.

B: Hello. My name is Philip Chambers, and my account number is 4192. I have a question about my bill for October.

A: Certainly. How can I help you?

B: I've been charged for a purchase that I had cancelled on the Internet.

A: OK. Let me look at your account... I see that no item was cancelled on your record of purchase. I'm afraid it seems it will take more time to check. We'll tell you the result as soon as possible.

B: Thank you. When can I get the result?

A: It will take a few hours, at least, sir.

Question : What was Philip talking about to the card company?

放送文 訳

A: プレミアカード会社，エマ・ホワイトです。

B: もしもし。フィリップ・チェンバースと言います，アカウントナンバーは4192です。10月の請求について質問があるのですが。

A: 分かりました。どうなさいました？

B: インターネットでキャンセルした購入が請求されているんです。

A: なるほど。あなたのアカウントを確認させてください…。あなたのカード購入記録では，何もキャンセルされていないですね。申し訳ないですが，確認にもう少し時間がかかります。できるだけ早く結果を知らせますので。

B: ありがとう。いつごろ結果を聞けますか？

A: 少なくとも数時間はかかりますね。

質問：フィリップはカード会社に何について話していましたか。

選択肢訳 **1**. **カードを変えるようにと主張していた。**
2. **賛辞を述べていた。**
3. **購入について苦情を述べていた。**
4. **先月の購入について話をしていた。**

解説 フィリップの2番目の発言から，キャンセルしたものが請求されていることへの苦情だと分かる。なお，選択肢**4**は先月の購入であるかどうかは，会話から判断できないので，ひっかからないように注意する。

No.3 TR-9

正解 **4**

放送文

A: Robin, how have you been?　I haven't seen you for a long time.

B: I just got back yesterday from an overseas business trip. I'd been working in Singapore.

A: Really?　Well, I think you have noticed many changes around here.

B: Yeah, I don't know why my hometown has changed so quickly while I had been abroad.

A: I know how you feel. So, how did you like it there?

B: To be honest, I enjoyed my job, and the people are very friendly, the food is a little unfamiliar, but delicious. Still, the prices are outrageous.

A: Well, welcome home, anyway. Let's get together for a cup of coffee after you've settled back in. I want to know more about how you have been.

Question : What does Robin say about Singapore?

放送文 訳

A: ロビン，元気だった？　久しぶりだね。

B: 海外出張から昨日，戻ったんだよ。シンガポールで働いていたんだ。

A: 本当？　この辺りが大きく変わってしまったことに気づいたと思うけど。

B: まったくさ，海外に行っている間に，どうしてこんなあっという間に故郷が変わってしまったのか分からないよ。

A: 気持ちはよく分かるよ。ところで，シンガポールはどうだったの？

B: そうだね，仕事を楽しんだし，それに皆とても優しくて，食べ物も少し珍しいけど，おいしかったよ。ただ，物価はとびぬけているね。

A: とにかくお帰り。落ち着いたらコーヒーでも飲みに行こうよ。君がどうしていたのか，もっと知りたいな。

質問：ロビンはシンガポールについて何と言っていますか。

選択肢訳 **1**. 人々は不愛想である。
2. 彼はそこに長く住むだろう。
3. そこでは仕事の機会が限られている。
4. 物価が高すぎる。

解説 途中に故郷の話が入るが，重要なのは後半部分。ロビンの３番目の発言で物価について outrageous「とんでもない」と述べている。これは物価について不満があったことを示しており，選択肢 **4** が正解。逆接の意味を示す Still にも注意して発言の意図を押さえる。

Part 5 リスニング・会話の内容一致選択

テーマ 3 人物の行動を問う問題

Each dialogue will be followed by one question. Choose the best answer for each question.

No.1

1. Take a new course in film studies.
2. Purchase new lights.
3. Make their own video.
4. Discuss the meaning of promotion.

No.2

1. Find somewhere else to do some research and paper work.
2. Rent a laptop computer now.
3. Come back later today to rent a laptop computer.
4. Use the computer with the newest operating system today.

No.3

1. Take the man's advice.
2. Find a new roommate.
3. Look for a cheaper apartment.
4. Listen to music.

Point!

選択肢からテーマを予測しよう。そのうえで，人物の行動を問う問題では動詞に注意して聞き取り，行動の内容を押さえよう。

解答と解説

それぞれの問いに対して最も適切なものを選びなさい。

No.1  TR-10

正解 3

放送文

A: Jane, I'm thinking of the project for the class in film studies. How about shooting a video for the new faculty in our college?
B: That's a good idea!　Is it OK to join your project?
A: Yes, of course. I think I'll need an expert who knows about lighting and voice recording, or things like that.
B: Lighting?　You're so into this, aren't you?
A: Sure I am. It'll be a good experience, especially if we can make it as an official promotional video for our college.
B: Let's put up an ad on the student notice board. Maybe, we can get people who have expertise.
A: That'd be great. I'll do that tonight.

Question : What are these people going to do?

放送文 訳

A: ジェーン，映画研究の授業のプロジェクトのことを考えているんだ。ぼくらの大学の新学部について映像を撮影するのはどうだろう？
B: それはいいね！　参加させてもらってもいい？
A: もちろんさ。照明や音声録音やその他のことを知っている専門家が必要だと思っているんだ。
B: 照明？　ずいぶん身が入っているわね？
A: そうなんだ。特にもしぼくらが大学用の公的な宣伝映像を作ることができれば，いい経験になると思うんだ。
B: 学生用掲示板に広告を出そう。専門知識を持っている人たちを得られるかもしれない。
A: それはいいね。今夜やっておくよ。

質問：この人たちは何をする予定ですか。

選択肢訳　**1.** 映画研究の新しい授業を履修する。　**2.** 新しい電灯を買う。
3. 自分たちの映像を撮影する。　**4.** 宣伝の意味について話し合う。

解説　冒頭の発言の中の shooting the video より，映像制作を行うことが分かる。

No.2 TR-11

放送文

A: How can I help you?

B: I'd like to rent a laptop computer today. It's just for doing some research and paper work. If there is a model with the latest operating system, I'd like to use it.

A: OK. Ah, I'm afraid all computers with the latest operating system have gone out.

B: Oh dear. Do you have one with an older operating system?

A: Let me see. Yes, there is one available without the latest operating system.

B: OK. I'll make do with it for now, but I'd like to reserve the latest one for tomorrow.

Question : What does the man decide to do?

放送文 訳

A: いらっしゃいませ。

B: 今日，ノート型パソコンを借りたいのです。ちょっとした調べものと書類仕事をするだけなのですが。最新の OS が入っているものがあれば，それを使いたいです。

A: 分かりました。残念ですが，最新の OS が入っているコンピューターはすべて出てしまっていますね。

B: そうですか。古い OS のものはありますか？

A: お待ちください。はい，最新のものではないですが，一つありますね。

B: それでいいです。今はそれで間に合わせますが，明日のために最新のものを予約しておきたいです。

質問：男性は何をすることに決めますか。

選択肢訳 **1**. 調べものや書類仕事をするために別の場所を見つける。

2. ノート型パソコンを今借りる。

3. 今日，後でノート型パソコンを借りるために戻ってくる。

4. 今日，最新の OS のコンピューターを使う。

解説 男性の最後の発言の I'll make do with it for now の意味を正しく理解することがポイントになる。make do with ～は「～で間に合わせる」という意味，it は「最新の OS（operating system）ではないが，使用可能なパソコン」を指している。続く文の latest「最新の」や reserve「予約する」などの表現もヒントになっている。

No.3 TR-12

放送文

A: What's the matter, Peggy? You look down today.

B: It's my new roommate. She is a typical night owl. She was up until midnight doing an assignment, and also listening to music. It's not too loud, but enough to keep me awake.

A: Sounds terrible. Didn't you talk to her about it?

B: No. I'm afraid if I complain, she'll move out, and in that case, I definitely can't afford the rent alone.

A: I think I know how to deal with it. You should have earplugs. They work like magic. You can't hear a thing with them.

B: Oh, yeah? I'll give that a try.

Question : What will Peggy do?

放送文 訳

A: どうしたんだい，ペギー？ 今日は元気ないみたいね。

B: 私の新しいルームメイトなのよ。彼女は典型的な夜更かし型なの。課題を行いながら真夜中まで起きて，音楽も聴いていたの。大音量ではないけれど，私を眠らせないの。

A: それはひどいね。彼女に話してみたの？

B: いいえ。もし私が文句を言ったら，彼女が出て行ってしまうかと心配なの。そうなると，私一人では家賃が払えないわ。

A: それに対してはこうしてみたらどうかな。耳栓を持とうよ。魔法のように効果があるよ。それをつければ何も聞こえないんだ。

B: そうなの？ 試してみるわ。

質問：ペギーは何をするつもりですか。

選択肢訳
1. 男性の助言を受け入れる。
2. 新しいルームメイトを見つける。
3. もっと安いアパートを探す。
4. 音楽を聴く。

解説 最後まで聞かないと，ペギーがとるであろう行動は分からない。会話文中の can't afford the rent「家賃を支払う余裕がない」などの表現を聞き逃さず，ルームメイトに話を切り出しにくい状況を押さえておく。night owl は「夜更かし型」。

テーマ

4 正しい説明を選ぶ問題

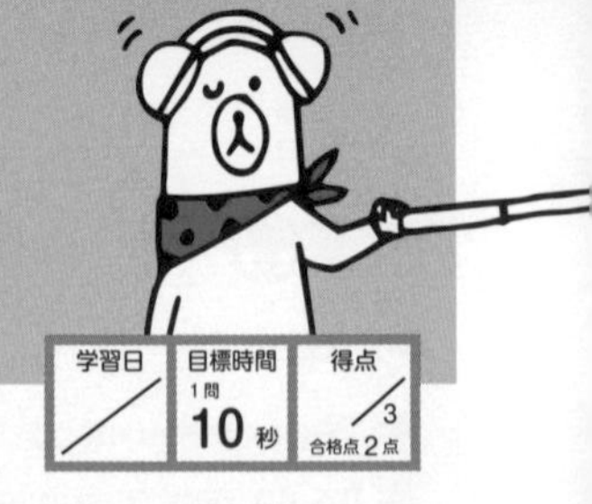

Each dialogue will be followed by one question. Choose the best answer for each question.

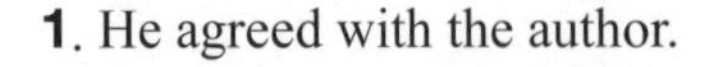

No.1

1. He agreed with the author.
2. It failed to meet his expectations.
3. He enjoyed the jokes most of all.
4. It was better than the first story.

No.2

1. She is worried about him working at home.
2. She thinks creating a piano school will be expensive.
3. She supports his plans to start his own piano school.
4. She will help him get regular clients.

No.3

1. Have her health checked again.
2. Take the written test again.
3. Improve her negotiation skills.
4. Practice with a professional.

Point!

正しい説明を選ぶ問題では，会話の終盤のやりとりが重要！
話の展開がどのように変わっていくかに注意して聞き取ろう。

解答と解説

それぞれの問いに対して最も適切なものを選びなさい。

放送文

A: What did you think of the new novel, Danny?　It was the sequel to the first one, wasn't it?

B: Considering how great the first story was, I wasn't that impressed.

A: Really?　I enjoyed it. It was a lot of fun.

B: Well, I suppose it had its moments.

A: What was the problem, then?

B: I guess I was hoping for too much. The first story was intriguing, but the second story just didn't live up to it.

A: Hmm, the first story often seems better than the second one.

Question : What did Danny think of the new novel?

放送文 訳

A: ダニー，新しい小説はどう？　１作目の続編だったんでしょう？

B: １作目のおもしろさと比べると，そこまでの感動はなかったな。

A: 本当？　私は楽しんだわよ。おもしろかったわ。

B: たしかに，それ自体に光るものはあったと思うね。

A: じゃあ，いったい何が問題なの？

B: ぼくが期待しすぎていたんだな。１作目はおもしろかったけど，続編はそこまでではなかった。

A: うーん，１作目が２作目よりもおもしろく思えるということはよくあるわね。

質問：ダニーは新しい小説をどのように考えていましたか。

選択肢訳
1. 著者に同意した。
2. 彼の期待に沿わなかった。
3. ジョークを最も楽しんだ。
4. １作目よりもよかった。

解説 ダニーの最後の発言から，２作目（＝新しい小説）は期待通りのおもしろさではなかったと分かる。live up to ～ は「～（期待など）に沿う」という意味。

No.2 TR-14

放送文

正解 1

A: Hey, Mike, have you made up your mind on starting your own piano school at your home?

B: I'd like to start it. I'm tired of the office where I have worked for ten years and the long commuting time, but my wife is not convinced.

A: She knows the risk of income certainly. It can take a while to get regular clients.

B: True, but I think my wife is worried about me getting in the way at home.

A: You know, I think you could convert your outbuilding into a school. It is big enough to start your own piano school.

B: That's a good idea. It's certainly big enough, and I'd be able to concentrate better there, too.

Question : What do we know about Mike's wife?

放送文 訳

A: マイク，自宅でピアノ教室を始める決心はついたの？

B: ぼくは始めたいんだ。10年働いた会社や長時間の通勤には飽きているんだけど，妻が納得しないんだ。

A: 彼女は当然収入のリスクについて考えているだろうね。固定客がつくまでしばらく時間がかかるし。

B: その通り。でも，ぼくが自宅で邪魔になってしまうことを彼女は心配していると思うね。

A: ほら，あなたの離れを教室にできるんじゃない。自分のピアノ教室を始めるには十分な大きさよ。

B: それはよい考えだね。たしかに十分大きいし，そこならもっと集中できるね。

質問：マイクの妻について何が分かりますか。

選択肢訳

1. **彼女は彼が自宅で働くことについて心配している。**
2. **彼女はピアノ教室を始めるには費用がかかると考えている。**
3. **彼女は彼自身のピアノ教室を始めることを支持している。**
4. **彼女は固定客がつくように彼を助けるだろう。**

解説 マイクの発言から，彼の妻はピアノ教室の経済的リスクだけではなく，彼が自宅で邪魔になる (get in the way) ことを心配していると分かる。一般的には経済的な問題を心配する場面なので，ひっかからないよう注意する。

No.3 TR-15

放送文

A: I'm sorry, Mrs. Renfield, but we can't accept your application for the job at this company.

B: Really?　Would you tell me what the problem is?

A: You passed the aptitude test, but we found a problem with your organs in the medical check.

B: What?　I've never had any big trouble with my health.

A: The results of the medical check indicate you should see the doctor as soon as possible.

B: That's ridiculous. I haven't had any trouble for years.

A: That may be the case, but I can't accept your application without proof that your health is satisfactory. You'll have to see a doctor with the results of this medical check.

Question : What does Renfield need to do?

放送文 訳

A: レンフィールドさん，すみませんが，この会社へのあなたの応募を受け取れません。

B: 本当ですか？　何が問題なのか教えていただけますか？

A: 適性テストは問題なかったのですが，健康診断であなたの内臓に問題があることが分かりました。

B: 何ですって？　自分の健康に大きな問題が起きたことはないですよ。

A: 健康診断の結果は，すぐに医者に診てもらった方がよいと示しています。

B: そんな馬鹿な。何年間も，何も問題はないのに。

A: そうかもしれませんが，あなたの健康は十分よいという証明なしでは，あなたの応募を受け取れません。この健康診断の結果と一緒に医者に診てもらってください。

質問：レンフィールドは何をする必要がありますか。

選択肢訳 **1.** 健康状態をもう一度診てもらう。　**2.** 筆記試験をもう一度受ける。
3. 交渉の技術を向上させる。　**4.** 専門家と一緒に練習する。

解説 質問の答えに対応しているのは，受付の男性の最後の発言。仕事への応募（application for the job）をしているレンフィールドに対して，You'll have to ～の表現を使って話していることがヒント。この後に続く内容から，選択肢 **1** が正解だと分かる。

Part 5 リスニング・文の内容一致選択

テーマ

1 説明文①

学習日
目標時間
1問
10 秒
得点
/8
合格点6点

Each passage will be followed by two questions. Choose the best answer for each question.

No.1
1. He was born at the doctor's home and was destined to become a doctor.
2. He joined the army as a regular soldier.
3. He started his career after World War Ⅰ.
4. He did very well during a training period.

No.2
1. It was found intentionally by Fleming.
2. It was found accidentally by Fleming.
3. It was found and developed as a drug by Fleming.
4. It was mass-produced by Fleming.

No.3
1. At first, 12 countries claimed sovereignty of Antarctica.
2. No countries claimed sovereignty of Antarctica in the first place.
3. During the International Geographical Year, 67 countries have reached an agreement about sovereignty of Antarctica.
4. No country has been granted sovereignty over Antarctica since 1959.

No.4
1. Carry passports to explore the Antarctic continent.
2. Sign consent forms to enter the Antarctic continent.
3. Stay in only predetermined areas.
4. Keep off places designated to scientific research.

Point!

タイトルを聞き逃さず，そこから内容を予想しよう！

また，選択肢からトピックについてのヒントを拾おう！

No.5
1. They stay in one place for a long time just like other kinds of ants.
2. They make huge nests of hardened mud on the ground.
3. Soldier ants have powerful bites and once they do, they will die.
4. Amazonian tribes use soldier ants to heal diseases.

No.6
1. They go hunting via a same route each day.
2. They go hunting in a small group every few days.
3. They communicate with each other by pheromones.
4. They use their eyes when they look for prey.

No.7
1. Some doctors succeeded in creating a set of identical twins by modifying genes.
2. There are no set of guinea pigs with different DNA compositions having the same physical features.
3. A set of twin ended up having the identical lives as well as physical features.
4. Their attempt to transform some physical features of a turtle ended in failure.

No.8
1. Some experiments are being banned due to ethical concerns.
2. The research is funded mainly by major pharmaceutical companies.
3. Opinions of researches from developing countries are not well reflected in practice.
4. Researchers have not agreed on whether DNA has a determinative influence on our lives.

解答と解説

それぞれの問いに対して最も適切なものを選びなさい。

No.1,2 TR-18

放送文

Discovery by Alexander Fleming

To fight against bacteria, antibiotics are commonly used. Alexander Fleming discovered the first antibiotics in the 20th century. But this story is not well known. Alexander Fleming was born in England at a farmer's home, and as he grew up, he went through training to become a doctor and finished the course with good grades. In 1906, his career as a researcher started at the University of London. In World War Ⅰ, he worked as a bacteriologist studying wound infections in a laboratory in the Army Medical Corps.

After the war, in 1928, he was studying bacteria, and he noticed they were contaminated by mold. Surprisingly, this mold prohibited the growth of the bacteria. This is the moment that penicillin, the first antibiotic, was found by accident. Ten years after that, Howard Florey and Ernst Chain made penicillin be able to be used as a drug. In the 1940s, Florey visited the United States and the American drug industry began to manufacture penicillin on a large scale.

Questions
No.1 What is true of Alexander Fleming's life as a doctor?
No.2 What can we learn about penicillin?

放送文 訳

アレクサンダー・フレミングによる発見

細菌と闘うには，一般に抗生物質が使われる。アレクサンダー・フレミングが，20世紀に最初の抗生物質を発見した。しかし，この話はあまりよく知られていない。アレクサンダー・フレミングはイングランドの農家に生まれ，成長するにしたがい医者になる訓練を受け，優秀な成績でその課程を修了した。1906年，彼の研究者としての生涯がロンドンの大学で始まった。第一次世界大戦では，陸軍医療部隊の研究所に細菌学者として勤め，創傷感染の研究をした。

戦後の1928年，彼は細菌の研究をしていて，それがカビに汚染されていることに気づいた。驚いたことに，このカビは細菌の成長を妨げていた。これが最初の抗生物質であるペニシリンが，偶然に発見された瞬間である。その10年後，ハワード・フローリーとエルンスト・チェーンがペニシリンを薬として使えるようにした。1940 年代に，フローリーは米国を訪れ，アメリカの医薬品業界がペニシリンを大規模に製造し始めた。

No.1

質問訳 **アレクサンダー・フレミングの医者としての人生に当てはまるものはどれですか。**

選択肢訳 **1**. 彼は医者の家に生まれ，医者となるべく運命づけられていた。
2. 彼は一般兵として陸軍に参加した。
3. 彼は第一次世界大戦後にキャリアをスタートした。
4. 彼は訓練期間に好成績を収めた。

解説 アレクサンダー・フレミングの人生については，おもに第 1 段落で述べられている。元々は農家に生まれたが，医者としての訓練を受けたことが分かるので，選択肢 **1** は不正解。第 1 段落最終文に in the Army Medical Corps とあるので，兵士ではなく医療部隊として戦争に参加しているため選択肢 **2** も不正解と分かる。第 1 段落 5 文より，第一次世界大戦より前にキャリアをスタートさせているので選択肢 **3** も不正解。

No.2

質問訳 **ペニシリンについて分かることはどれですか。**

選択肢訳 **1**. それはフレミングによって意図的に発見された。
2. それはフレミングによって偶然発見された。
3. それはフレミングによって発見され，薬として開発された。
4. それはフレミングによって大量生産された。

解説 第 2 段落 3 文に by accident「偶然に」とあり，ペニシリンは偶然に発見されたと分かるので，選択肢 **1** は不正解。第 2 段落後半から，医薬品として開発した人や大量生産を可能にした人はフレミングではないと分かるので, 選択肢 **3** と **4** も不正解。

解答と解説

それぞれの問いに対して最も適切なものを選びなさい。

No.3,4 TR-19

放送文

The Exceptional Place : Antarctica

It is common sense to think that every piece of land on Earth belongs to a particular country. However, Antarctica is an exceptional place, not owned by any country. The reason is in its history. After discovered, Antarctica was thought to be a useless continent with no natural resources for a long time. At the beginning of 20th century, the U.K. and other countries started occupying Antarctica. During the 1957-58 International Geophysical Year, 67 countries joined an international research project. Then, the 12 participating countries concluded the Antarctic Treaty in 1959 and denied sovereignty by any country.

Based on the rules of the treaty, tourists to Antarctica don't need passports or visas to enter the continent. They cannot enter some sites scientists are researching or specially protected areas, but other than those areas, people are free to walk around or take pictures.

Questions
No.3 What is true about sovereignty of Antarctica?
No.4 What is one restriction applied to tourists visiting Antarctica?

放送文 訳

例外の地：南極大陸

地球上のすべての地域はそれぞれ，特定の国に属していると考えるのは常識である。しかしながら，南極大陸は例外の地であり，どの国にも所有されていない。その理由は歴史にある。発見された後，長い間，南極大陸は何の天然資源も持たない不毛の地だと思われていた。20 世紀初頭，イギリスとそのほかの国々が南極大陸を占有し始めた。1957 ～ 58 年の国際地球観測年の間に，67 か国が国際的な調査プロジェクトに参加した。その後，1959 年に 12 の参加国が南極条約を締結し，どの国にも領有権はなくなった。

この条約の規則に基づいて，南極大陸への旅行者は，大陸に入るためにパスポートもビザも必要としない。科学者が調査している場所や特に保護されている場所に立ち入ることはできないが，それ以外の場所であれば，人々は自由に歩き回ったり，写真を撮ったりできる。

No.3

正解 **4**

質問訳 **南極の領有権について当てはまるものはどれですか。**

選択肢訳 **1**. 最初，12 か国が南極の領有権を主張した。

2. 最初は，どの国も南極の領有権を主張しなかった。

3. 国際地球観測年の間，67 か国が南極の領有権について合意した。

4. 1959 年から，南極大陸の領有権はどの国にも与えられていない。

解説 第 1 段落 5 文に，20 世紀初頭にイギリスとそのほかの何か国かが南極大陸を占有したと述べられているが，最初はどうであったか，またそれが 12 か国であったかについては本文では述べられていない。よって，選択肢 **1**，**2** は不正解。領有権に関する合意がなされたのは，国際地球観測年の後なので，選択肢 **3** も不正解。第 1 段落最終文より，選択肢 **4** が正解だと判断できる。

No.4

正解 **4**

質問訳 **南極を訪れる旅行者に課されている制限はどれですか。**

選択肢訳 **1**. 南極大陸を探検するためにパスポートを携行する。

2. 南極大陸に入るために同意書にサインする。

3. 決められた場所にだけ滞在する。

4. 科学的調査のために指定されている場所に立ち入らない。

解説 南極を訪れる旅行者に関しては，第 2 段落で述べられている。条約により南極はどの国にも属していないため，パスポートは不要なので選択肢 **1** は不正解。同意書や滞在する場所については述べられていないので，選択肢 **2**, **3** も不正解。最終文より，制限されているのは調査中の場所への立ち入りなので，選択肢 **4** が正解と分かる。

解答と解説

それぞれの問いに対して最も適切なものを選びなさい。

放送文

The Life of Army Ants

Normally, army ants are thought of as horrifying creatures. But their life has quite interesting aspects. Different from usual ants, they do not have one fixed nest. They live in different places making temporary nests as they move. At the nest site, using their bodies and legs, they form bivouacs, which are enormous nests. They are said to be blind, so they use 10 to 20 different pheromones to communicate. When army ants hunt, they move in a huge group and dismember prey to transport easily. Army ants take a different course for fresh ground every day. By leaving pheromones, they can discern if the path they are taking is the same or different.

Army ants have different roles, which are queen, worker ants, and soldier ants. Especially, soldier ants are unique with their enormous jaws, which enable them to cut larger insects. In fact, once they bite, soldier ants cannot pull their jaws out by themselves and die. Interestingly, solider ants were used by tribes in the Amazon to close their wounds by letting soldier ants bite them and leaving their heads in that place.

Questions
No.5 What is true about army ants?
No.6 What is the specific aspect of army ants' hunting?

放送文 訳

軍隊アリの生態

普通，軍隊アリは恐ろしい生き物だと思われている。しかし彼らの生態には非常に興味深い側面がある。普通のアリとは異なり，彼らは固定した１つの巣を持たない。彼らは移動しながら一時的な巣を作り，様々な場所で暮らす。巣を作る場所に来ると，自分たちの体や脚を使って，巨大な巣であるビバークを作る。彼らは目が見えないと言われており，意思伝達には 10 から 20 種類のフェロモンを用いる。軍隊アリが狩りをするときは，巨大な集団で動き，運びやすいように獲物をばらばらにする。軍隊アリは新しい地面を求めて毎日違うルートを通る。フェロモンを残して，通っている道が同じか違うかを識別する。

軍隊アリは，女王，働きアリ，そして兵隊アリのような異なる役割を持っている。特に兵隊アリは，巨大な顎が特徴的で，それによって自分より大きな昆虫を傷つけることもできる。じつは，兵隊アリはいったん噛みつくと自分で顎を抜くことができず，死んでしまう。興味深いことに，兵隊アリはアマゾンの部族に傷をふさぐために使われていた。兵隊アリに自分を噛ませてアリの頭をその場に残していたのだ。

No.5

質問訳 **軍隊アリに関して当てはまるものはどれですか。**

選択肢訳 **1**. 彼らは，ほかの種類のアリと同様に長い間 1 つの場所にとどまる。
2. 彼らは地面に硬くなった土で大きな巣を作る。
3. 兵隊アリは力強い噛みつきを行い，いったん噛みつくと彼らは死ぬ。
4. アマゾンの部族は，病気を治すために兵隊アリを使う。

解説 軍隊アリの特徴は全体のテーマなので，聞き取れた順に正誤を判断していく。選択肢 **1** は第 1 段落 3，4 文に，定住せず固定した巣を持たないとあるので不正解。選択肢 **2** も第 1 段落 5 文に体で巣を作るとあるので不正解。アマゾンの部族は傷の治療に兵隊アリを使うので選択肢 **4** も不正解。第 2 段落 3 文の記述より，選択肢 **3** が正解。

No.6

質問訳 **軍隊アリの狩りに特有の側面は何ですか。**

選択肢訳 **1**. 彼らは毎日同じルートで狩りに向かう。
2. 彼らは数日ごとに小さな集団で狩りを行う。
3. 彼らはお互いにフェロモンを使って意思伝達をする。
4. 彼らは獲物を探すとき，目を使う。

解説 第 1 段落 7，8 文に，狩りの特徴として，大きな集団で行う，毎回異なるルートを通ると述べられているので，選択肢 **1**，**2** は不正解。選択肢 **4** は，軍隊アリの特徴として「目が見えない」と言われているという第 1 段落 6 文から，不正解であると判断できる。第 1 段落の 6 文や最終文にフェロモンで意思伝達を行うとあるので，選択肢 **3** が正解。

解答と解説

それぞれの問いに対して最も適切なものを選びなさい。

No.7,8 TR-21

放送文

Nature or Nurture

Some people often say their physical features or mindset is genetically inherited. On the other hand, other people say they are influenced by their environment. So, which one is more influential in our lives? In a case of a set of identical twins adopted and raised by different couples, they had not only the same physical features, but also they both had the same job, same hobbies, even suffered from the same disease. Considering this result, some researchers concluded genes are the only thing that decides our lives rather than the environment.

However, other researchers insist genes aren't everything. One researcher found children's experiences in the womb and in their first year after birth can affect how the DNA behaves. Another researcher says the effect of genes varies and it is undeniably influenced by the environment. We should not miss the argument and new findings by these researchers.

Questions

No.7 Why some researchers believe that genes explain everything about our lives?

No.8 What can be inferred about the research of DNA?

放送文 訳

生まれか育ちか

よく身体的な特徴や考え方は遺伝的に受け継がれると言う人がいる。その一方で，周りの環境の影響を受けると言う人もいる。では，どちらの方が私たちの人生において影響が大きいのだろうか。別々の夫婦によって養子に引き取られ育てられた一卵性双生児の場合，同じ身体的な特徴があっただけでなく，二人とも同じ職業に就き，同じ趣味を持ち，同じ病気を患ってさえいた。この結果を踏まえ，一部の研究者たちは環境ではなく遺伝子こそが私たちの人生を決定する唯一のものであると結論づけた。

ところが，別の研究者たちは遺伝子がすべてではないと主張する。ある研究者は，胎内や生後１年目に子どもが経験したことが，DNA がどのように働くかに影響を及ぼす可能性があるということを発見した。別の研究者は，遺伝子の影響は様々であり，環境に影響を受けるのは間違いないと述べている。私たちは，こうした研究者たちの主張や新たな発見を見逃してはならない。

No.7

質問訳 **遺伝子が私たちの人生に関するあらゆることを説明すると信じる科学者がいるのはなぜですか。**

選択肢訳 **1.** 何人かの医者が遺伝子を組み換えて一卵性双生児を生み出すことに成功した。

2. 異なった DNA 構成を持つモルモットで，同じ身体的な特徴を持つものはいない。

3. ある双生児は，結局身体的な特徴と同様に，まったく同じ人生をおくった。

4. カメのいくつかの身体的特徴を変えようとする試みが失敗に終わった。

解説 遺伝子がすべてを説明するという立場に関する部分に注目して聞き取る。第1段落に双生児の話題はあるが，医者が生み出したとは述べられていないので選択肢 **1** は不正解。モルモットやカメへの言及はないので選択肢 **2**，**4** も不正解。第1段落4文に，離れて育った双生児が似た人生を送ったという事実が述べられている。その後の最終文に，その事実から結論づけたとあるので，選択肢 **3** が正解。

No.8

質問訳 **DNA の研究に関して何が分かりますか。**

選択肢訳 **1.** 倫理的な観点から，いくつかの研究が禁止されている。

2. 研究は，主に大手の製薬会社によって資金を提供されている。

3. 発展途上国の研究者たちの意見は，実際にはあまり反映されていない。

4. DNA が私たちの人生に決定的な影響を及ぼすという点について，科学者たちは意見が一致してはいない。

解説 第1段落では，DNA の影響が大きいと考える研究者について述べられているが，第2段落は，However という逆接から始まっていることに注意する。いくつかの研究者の意見が述べられた後，最終文で新しい発見を見逃してはならないと言っているので，DNA に関する研究は途上であり，意見の一致を見ていないことが分かる。よって選択肢 **4** が正解。選択肢 **1** ～ **3** は本文では触れられていないので不正解。

Part 5 リスニング・文の内容一致選択

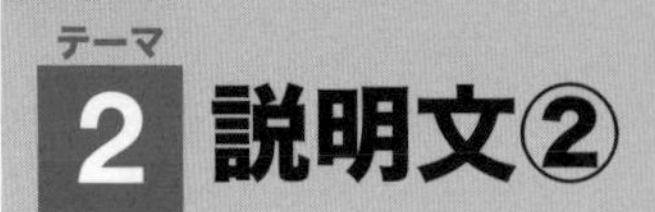

学習日
目標時間
1問
10 秒
得点
8
合格点 6 点

Each passage will be followed by two questions. Choose the best answer for each question.

No.1

1. It demands farmers to learn more about growing various crops.
2. It enables farmers to adjust their plan for growing crops following economies.
3. It is an economically efficient system.
4. It is an environmentally stable and sustainable system.

No.2

1. It has the tendency to distract parasites at any moment.
2. It gives crops more sustainability in difficult situations.
3. It demands less chance of dependence on pesticides or artificial fertilizers.
4. It has the tendency to make crops vulnerable.

No.3

1. The balance between the cost and the benefit.
2. The presentation of the item at a store.
3. Whether it is made solely of natural ingredients.
4. The material of the container that it is sold in.

No.4

1. Humans has better sense of smell than other mammals.
2. It can be lost under an extreme weather.
3. It can be improved by taking some supplements.
4. It has closely related to other sensors.

専門用語などの分からない言葉が出てきても気を取られすぎず，まずは全体の論理を押さえよう！

No.5
1. It is a kind of insect which can resist pesticides.
2. It is a kind of bacteria which can resist some drugs but cannot adapt to other drugs.
3. It is a kind of bacteria which is similar to antibiotics and resist any disease.
4. It is a kind of bacteria which can resist antibiotics.

No.6
1. To take antibiotics as prescribed.
2. To compare the antibiotics with those of other patients.
3. To try to cure the disease following your own knowledge and experience.
4. To avoid washing your hands too much to avoid other types of disease.

No.7
1. It keeps growing until end of the life.
2. It grows to its full size by 25, but the contents of the brain stop growing by 6.
3. It grows to its full size by 6, and the growth of the contents of the brain also stops at the same age.
4. It grows to its full size by 6, and the contents of the brain grow until 25.

No.8
1. It is the process to find the balance between impulses and following rules eventually.
2. It happens to cause unpredictable behavior, but that is not related to adult life.
3. It happens to only teenagers because they don't need to learn from their mistakes.
4. It happens to some adolescents, but does not happen to other adolescents.

解答と解説

それぞれの問いに対して最も適切なものを選びなさい。

放送文

Monocropping

Single crop farming, called monocropping, is one of the most widespread agricultural practices because of its efficiency. To feed more than 7 billion people, more farmers tend to grow a single crop which is able to grow prolifically. By using this monocropping technique, farmers can repetitively grow the same crop, by using the same pesticide and agricultural machines. This kind of farming almost guarantees farmers a large profit, because it does not cost so much. Also, a lot of farmers are free from the need to innovate their techniques.

Be warned though that monocropping is not the be-all, end-all. By growing the same crop on the same land, the soil is increasingly damaged. And by using the same pesticides or fertilizers, the crop becomes more vulnerable to unexpected pests. Not only that, it leads to a more fragile ecosystem, and with the spread of new disease, the whole crop can die and cause a shortage in the food supply on a large scale.

Questions
No.1 What is true for the advantage of monocropping?
No.2 What is true for the disadvantage of monocropping?

放送文 訳

単一栽培

単一の作物を育てること，つまり単一栽培は，効率が良いために最も広まっている農業方式の一つである。70 億以上の人々に食糧を供給するために，ますます多くの農業従事者が実りの多い単一の作物を育てる傾向がある。単一栽培の技術を用いれば，農業従事者は同じ殺虫剤，農耕用機械を使って，同じ作物を繰り返し育てることができる。この種の農業は，コストがそれほどかからないので，農業従事者には大きな利益がほぼ保証されている。加えて，多くの農業従事者は，技術を改良する必要もない。

しかし，単一栽培は究極の方法ではないことに注意しなければならない。同じ作物を同じ土地で育てることで，土壌はだんだんと疲弊する。そして，同じ殺虫剤や肥料を使うことで，作物は未知の病気に対してより弱くなる。それだけではなく，生態系をもろくし，新しい病気が広がれば作物が全滅して大規模な食糧不足を引き起こす可能性があるのだ。

No.1

正解 **3**

質問訳 **単一栽培の長所として当てはまるものはどれですか。**

選択肢訳 1. それは，農業従事者たちに様々な作物の育成について学ぶことを要求する。
2. それは農業従事者たちに，作物を育てる彼らの計画を経済に従って調整することを可能にする。
3. それは経済的に効率のよいシステムである。
4. それは環境的に安定しており持続可能なシステムである。

解説 第1段落4文に，単一栽培ではコストが少なく経済的効率がよいと述べられているので選択肢**3**が正解。

No.2

正解 **4**

質問訳 **単一栽培の短所として当てはまるものはどれですか。**

選択肢訳 1. それはどんなときでも寄生虫を追い払う傾向がある。
2. それは難しい状況の中で，作物にさらなる持続可能性を与える。
3. それは，殺虫剤や人工肥料に依存する機会を減らすことを要求する。
4. それは作物を脆弱にする傾向がある。

解説 though を聞き取り，第2段落では単一栽培の短所について述べられると予測して聞く。同じ環境下で同じ作物を育て続けることは環境的な側面では悪影響が多く，特に作物が害虫や病気に対して脆弱になってしまうことが問題とされているので，選択肢**4**が正解。

解答と解説

それぞれの問いに対して最も適切なものを選びなさい。

放送文

The Power of Scent

Many new perfumes appear in the market every year. The perfume industry is risky but a profitable business. Actually, development of a new fragrance costs a large amount of money due to the adjustment of essences and marketing to promising customers. In addition, the way it is displayed is also important. The image caused by TV commercials or clothes of a salesperson also influences the sale of perfume.

Why are people attracted to perfume? Psychologists have revealed the close relationship between a particular scent and emotion or memory, such as the scent of Jasmine which aids sleep, or the scent of lavender which is generally relaxing. Perfume makers have knowledge of these, and scientifically design aromas that affect us.

Questions
No.3 Which of the following can influence the sales of a perfume?
No.4 What can be said about the sense of smell?

放送文 訳

香りの力

毎年，市場には多くの新しい香水が登場する。香水産業はリスクがあるが，利益の多い事業である。実際，新しい香りの開発には，エッセンスの調整や購入しそうな顧客へのマーケティングがあるため，巨額の金がかかる。さらに，香水が陳列される方法も重要である。テレビコマーシャルや販売員の服装により作られるイメージも香水の販売に影響を与える。

なぜ人々は香水に魅了されるのか。心理学者は，ある特定の香りと感情や記憶とには深い関係があることを明らかにしている。例えば，眠りを助けるジャスミンの香りや，一般的にはリラックスさせるラベンダーの香りなどである。香水製造者はこれらの知識を持ち，私たちに影響を与える香りを科学的にデザインする。

No.3

正解 **2**

質問訳 **香水の売れ行きに影響しうるのは次のうちどれですか。**

選択肢訳 1. コストと利益のバランス。

2. 店での商品の見せ方。

3. 天然成分だけで作られているかどうか。

4. 香水が入っている入れ物の素材。

解説 ビジネスとしての香水産業については，第 1 段落で説明されている。4，5 文に陳列方法や販売員のイメージなどが影響を及ぼすとあるので，選択肢 **2** が正解。3 文でコストがかかることは述べられているが，利益とのバランスについては言及されていないので，選択肢 **1** は不正解。香水の成分や容器に関する言及はないので，選択 **3**, **4** も不正解。

No.4

質問訳 **嗅覚について何が言えますか。**

選択肢訳 1. 人間はほかの哺乳類より嗅覚が優れている。

2. 極端な天候下では失われる。

3. サプリメントを摂取することで改善しうる。

4. ほかの感覚と深く結びついている。

解説 第 2 段落 2 文に香りと感情や記憶との間に関連があると述べられている。よって, 選択肢 **4** が正解。選択肢 **1** ～ **3** については, 本文中に言及がないので不正解。ジャスミンの香りやラベンダーの香りの効果が例として示されている。自分の知識から選択することも可能だが，必ず本文の中から根拠を聞き取るようにする。

それぞれの問いに対して最も適切なものを選びなさい。

No.5,6 TR-24

放送文

Superbug

What do you do when you get ill? If you say you take antibiotics, maybe you should change your mind. The emergence of superbugs is threatening the effect of antibiotics. Superbugs are bacteria, resistant to the wide variety of common antibiotics, and cause diseases that are quite difficult to be treated. The terrifying aspect of superbugs is that they can change themselves to survive by adapting to the antibiotics.

Some researchers say the emergence of superbugs is caused by humans who rely on antibiotics, although they don't have to take them. Some diseases, such as colds, can be cured naturally, but some people take antibiotics unnecessarily, sometimes without a prescription. That can lead to the emergence of superbugs. To prevent illness and to stop the spread of superbugs, we should use antibiotics as prescribed, avoid sharing antibiotics with others, and wash our hands with soap. Living well is the best way.

Questions
No.5 What is the definition of a superbug?
No.6 What is true to avoid the emergence and spread of superbugs?

放送文 訳

スーパーバグ

病気になると，あなたはどうするか。もし抗生剤を飲むと言うなら，考えを変えるべきかもしれない。スーパーバグの出現が抗生剤の効果をおびやかしている。スーパーバグは，何種類もの一般的な抗生剤に耐性あるバクテリアで，治療が非常に難しい病気の原因となる。スーパーバグの恐ろしい側面は，抗生剤に適応して生き残るために，変化できる点である。

必要がないのに抗生剤に頼る人間がスーパーバグの出現の原因だと言う研究者もいる。病気の中には，風邪のように自然と治るものがあるが，不必要に抗生剤を，場合によっては処方箋なしで摂取する人がいるのだ。これがスーパーバグの出現につながっている可能性がある。病気を避け，スーパーバグの広がりを食い止めるためには，処方された通りに抗生剤を使い，他人と共有することを避け，石けんで手を洗うべきだ。健康に生きることが，最良の道である。

No.5

正解 **4**

質問訳 **スーパーバグの定義は何ですか。**

選択肢訳
1. それは殺虫剤に抵抗できる虫の一種である。
2. それはいくつかの薬には抵抗できるが，ほかの薬には順応できないバクテリアの一種である。
3. それは抗生剤に似ているバクテリアの一種で，あらゆる病気に抵抗する。
4. それは抗生剤に抵抗できるバクテリアの一種である。

解説 抗生剤 (antibiotics) とは基本的にバクテリア（細菌）を破壊するための薬であるが，スーパーバグとは抗生剤が効かない薬剤耐性菌を意味することを押さえる。第1段落4文の resistant to the wide variety of common antibiotics に注目。大部分の抗生剤に抵抗できるとあるので，選択肢 **4** が正解。

No.6

質問訳 **スーパーバグの誕生と広まりを避けるために当てはまるものはどれですか。**

選択肢訳
1. 処方された通りに抗生剤を摂取する。
2. ほかの患者の抗生剤と比較する。
3. 自身の知識と経験に従って病気を治そうと試みる。
4. ほかの種類の病気を防ぐため，手を洗いすぎないようにする。

解説 第2段落4文ではスーパーバグへの対処法が紹介されている。注意点が続けて説明されているので，聞き逃さないよう注意する。ただ，免疫力を下げないための一般的な方法でもあるため，選択肢からある程度正解を推測できる。

解答と解説

それぞれの問いに対して最も適切なものを選びなさい。

放送文

Folly of Youth

Folly of youth means stupid acts by teenagers. In teenage years or early adolescence, children sometimes do dangerous or even insane things. However, scientists have found the meaning of these acts by using brain-imaging technology. Physically, by the age of six, brains are fully grown, but researchers have found that the content of brains continue to change, like a computer being updated. It is said that our brains continue to grow until 25 years old.

This change directs people to this two ways. One is the desire to have more relationships with new people. This is necessary when teenagers grow and live their own lives. Another is the requirement to keep the balance between impulse and rules in society. By doing acts of folly, teenagers learn from their mistakes, which will lead them to being sensible adults. Folly of youth is a part of the process of growing.

Questions
No.7 What can we know about the growth of the human brain?
No.8 What is true of folly of youth?

放送文 訳

若気の至り

若気の至りとは，10 代の若者による愚かな行為を指す。10 代，つまり思春期に，子どもたちは時に危険で，常識外れでありさえするようなことをする。しかしながら，科学者たちは脳画像技術を使って，これらの行動の意味を見つけ出してきた。身体的には，6 歳までに脳は十分に成長するが，研究者たちは脳の中身はまるでコンピューターがアップデートするように，変化し続けることを発見してきた。私たちの脳は 25 歳まで成長し続けると言われている。

この変化は次の 2 つの方向へ人々を向かわせる。一つは新しい人たちともっと関係を持ちたいという欲求だ。これは 10 代の若者が成長し自分の人生を生きるときに必要なことだ。もう一つは，衝動と社会のルールの間のバランスを保つことへの欲求だ。愚かなふるまいをすることで，10 代の若者は過ちから学び，分別ある大人になることができる。若気の至りは成長の過程なのである。

No.7

質問訳 **人間の脳の成長について何が分かりますか。**

選択肢訳 **1.** それは人生が終わるまで成長し続ける。

2. それは 25 歳までに完全な大きさに成長するが，その中身の成長は 6 歳までで止まる。

3. それは 6 歳までに完全な大きさに成長し，その中身の成長も 6 歳までで止まる。

4. それは6歳までに完全な大きさに成長し, その中身は25歳まで成長する。

解説 第 1 段落 4，5 文より，脳の成長は大きさだけであれば 6 歳で止まるが中身は 25 歳まで成長を続けていくことが分かる。よって，選択肢 **4** が正解と判断できる。

No.8

質問訳 **若気の至りについて当てはまるものはどれですか。**

選択肢訳 **1.** それは最終的に，衝動とルールの順守の間のバランスを見出す過程である。

2. それは予測できない行動を引き起こすが，大人の生活とは関係ない。

3. それは過ちから学ぶ必要がないので，10 代の若者にだけ起きる。

4. それは何人かの若者に起きるが，ほかの若者には起きない。

解説 第 2 段落から，脳の変化が若者の愚かなふるまいの一因であることが理解できる。4 文に衝動と社会のルールの間のバランスを取ろうとする, とある。最後の 2 文で, 若者は愚かなふるまいから学んでいるのであり，これは成長の過程であると述べられている。よって，選択肢 **1** が正解と分かる。

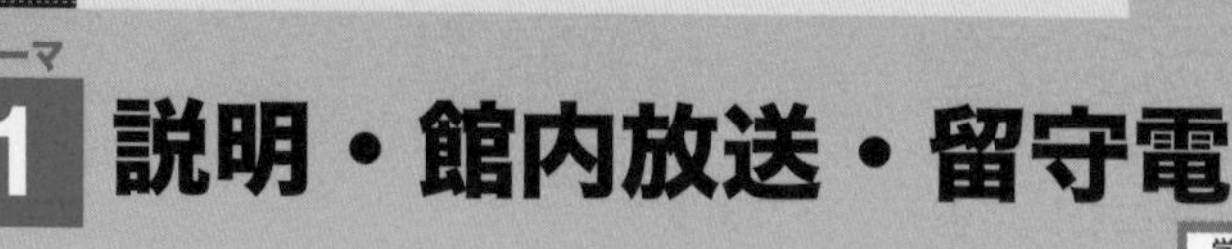

テーマ 1 説明・館内放送・留守電

学習日
目標時間
1問
10秒
得点
4
合格点3点

Each passage will have one question. Choose the best answer for each question.

No.1

Situation : You noticed a strange smell from the air conditioner in your apartment and you want to solve the problem. An air conditioner cleaning company representative tells you the following.

Question : What should you do first?

1. Find where the smell is strong.
2. Buy the goods to deal with the smell from the company.
3. Hire an expert for a thorough cleaning.
4. Ask the representative to explain once more.

No.2

Situation : You are at a clothing store and cannot find the jacket you want. You speak to a clerk and tell her you do not want to pay delivery costs.

Question : What should you do first?

1. Call the central warehouse.
2. Go to the Customer Service Desk.
3. Order the jacket from the clothing store's website.
4. Tell the staff your phone number.

Point!

Situation に書かれている，条件や要望をしっかり読み取ろう。
それに合わせて音声が流れるので，ポイントをしぼって聞き取ろう！

Situation : You go to the art museum with your daughter to see the Vincent van Gogh's masterpieces in the special exhibition. However, when you arrive at the art museum, you find that rooms of the exhibition have been changed because of trouble. You listen to the following public announcement.

Question : Where should you go first in the art museum?

1. The second floor.
2. The reception on the first floor.
3. Great Hall on the third floor.
4. Room A on the first floor.

No.4

Situation : You have asked your former boss to write a recommendation letter for a job you are applying for. You receive the following voice mail from her.

Question : What should you do now to get the letter?

1. E-mail the boss with more job details.
2. Call the boss back now.
3. Take a visit to the previous workplace.
4. Write a draft of the letter yourself.

解答と解説

それぞれの問いに対して最も適切なものを選びなさい。

No.1 TR-28

放送文　　正解 3

A strange smell coming from an air conditioner not only makes people uncomfortable, but also suggests it contains harmful mold, which can cause allergic reactions. So, it's good you're dealing with this immediately. We sell goods you can use yourself, but you said you'd rather have us deal directly with the problem. Our experts are available for simple or thorough cleaning, depending on the severity of the problem. Simple cleaning is not expensive but the effect may not last so long. Thorough cleaning is appropriate if you want to use the air conditioner safely for a long time. Once the problem is taken care of, we offer annual cleaning plans starting at $200 a year. It's well worth it to protect the value of your home.

放送文 訳

エアコンからの異臭は人々を不愉快にさせるだけでなく，アレルギー反応を引き起こす可能性のある有害なカビを含んでいることが分かっています。ですので，早急に対処するのがよいです。弊社は，ご自身で使用できる道具を販売しておりますが，お客様におかれましては，私どもで問題に直接対応してほしいとのお話でした。問題の深刻さに応じて，専門の者が簡易版か丁寧版の清掃を行います。簡易版の清掃は高くはありませんが，効果が長く続かないかもしれません。お客様が長い間安全にエアコンを使用したいのであれば，丁寧版の清掃が望ましいです。問題が解決されましたら，1 年あたり 200 ドルで通年清掃サービスを提供します。お客様の家の価値を守るのに十分に価値のあるものですよ。

状況訳 **あなたは自分のアパートのエアコンからの異臭に気づき，解決したいと思っている。エアコン清掃会社の代表が，次のように話している。**

質問訳 **あなたは最初に何をすべきですか。**

選択肢訳
1. においの強いところを発見する。
2. 会社からにおいに対処する道具を買う。
3. 丁寧版の清掃のために専門の人を雇う。
4. 代表にもう一度説明するように頼む。

解説 3 文目の you said you'd rather have us deal directly with the problem から，自分で対処するのではなく，清掃会社に対処を頼んでいることが分かる。

正解 2

放送文

You can order the jacket you want from our website and have it delivered to your home directly. However, in case you don't want to pay delivery costs, you can ask our staff at the Customer Service Desk to order one by yourself. Then, instead of you, they will fill out a request form for you to the warehouse and let you know when the jacket arrives. Therefore, they will need your phone number so you can easily be reached. If the jacket is already in our central warehouse, you will be able to pick it up in a day or two. Unless there is one, it can take a week at least, I guess.

放送文 訳

あなたはお好きなジャケットを弊社のウェブサイトから注文し，家まで配送させることができます。ですが，配送料を支払いたくない場合は，お客様サービスデスクにて弊社のスタッフにご自身で依頼できます。その後，あなたに代わり，彼らが倉庫まで依頼書を書き，いつごろジャケットが到着するのかお知らせいたします。ですので，連絡がつくあなたの電話番号が必要です。中央倉庫にジャケットがある場合は，1日か2日で受け取れます。1着もない場合は，少なくとも1週間はかかると思います。

状況訳 **あなたは服の店にいて，ほしいジャケットを見つけられない。店員と話して，彼女に配送料は支払いたくないと伝えている。**

質問訳 **あなたは最初に何をすべきですか。**

選択肢訳
1. 中央倉庫に電話する。
2. お客様サービスデスクに行く。
3. その店のウェブサイトからジャケットを注文する。
4. スタッフに電話番号を伝える。

解説 状況より「配送料を払いたくない」ということを理解しておくことが重要。2文目の in case you don't want to pay delivery costs 以下の内容に十分注意する。you can ask our staff at the Customer Service Desk という表現があるため，選択肢 **2** が正解だと分かる。

No.3 TR-30

放送文 　　**正解 2**

Welcome to the special exhibition of our art museum. Due to mechanical trouble, works are exhibited in different rooms based on artist. Works of Paul Gauguin are exhibited in Room A on the first floor. Pictures of Pierre-Auguste Renoir are exhibited in Great Hall on the third floor. Works of Vincent van Gogh are exhibited in Room B on the second floor which is the biggest room in this museum and special exhibition room. So, you must purchase the ticket at the reception on the first floor. We are truly sorry for the inconvenience. If you have questions, please ask a staff member nearby. We hope you have a wonderful time.

放送文 訳

当美術館の特別展にようこそ。機材上のトラブルのため，作品は作者ごとに異なる部屋にて展示されております。ポール・ゴーギャンの作品は１階のＡルームにて展示されております。ピエール＝オーギュスト・ルノワールの作品は３階の大広間で展示されております。ビンセント・ヴァン・ゴッホの作品は，当館で最大の部屋である２階のＢルームにて展示されており，特別展示の部屋となります。ですので，１階受付でチケットをご購入ください。ご迷惑をおかけして申し訳ございません。質問がございましたら，お近くのスタッフにおたずねください。すばらしい時間をお過ごしください。

状況訳 **あなたは娘と一緒に特別展示でビンセント・ヴァン・ゴッホの名作を見ようと美術館に向かう。しかし，美術館に到着すると，トラブルのために展示ルームが変更されていることを知る。次の館内放送を聞く。**

質問訳 **美術館のどこへ最初に行くべきですか。**

選択肢訳
1. ２階。
2. １階の受付。
3. ３階の大広間。
4. １階のＡルーム。

解説 状況より「ゴッホの作品を見ること」が目的であることを理解しておく。５〜６文目から，ゴッホの特別展示は２階のＢルームであるが，受付でチケットを購入する必要があると分かる。最初に行く場所としては，選択肢**2**が正解。放送文では，ゴッホ以外の人名も出てくるので注意。

No.4 TR-31

正解 1

放送文

This is Rebecca Green, returning your call. I still remember many positive things I could say, but I'm not sure which points relate best to the job you're going to apply for. I'm at a conference now, so, contacting me by phone might be difficult. So, if it is OK for you, give me a call tonight and let me know what you want for recommendation. Or if you e-mail me more details regarding the new job, such as what your duties would be, I'll then write up the letter accordingly and send it to you as an attachment.

放送文 訳

レベッカ・グリーンです，あなたからの電話の返事です。たくさんの長所についてお話しできますが，あなたが応募しようとしている仕事に対してどの点が最も関係しているのか分かりません。私はこれから会議なので，私に電話で連絡を取るのは難しいかもしれません。なので，もしよければ今夜電話で推薦に何を求めているのか聞かせてください。あるいは，例えばあなたの仕事がどのようなものなのか，というような新しい仕事に関するさらなる詳細をメールで送ってくれれば，それに従って推薦文を書き，添付であなたに送りましょう。

状況訳 **あなたは元上司に，自分が応募しようとしている仕事への推薦文を書いてもらうように頼んである。あなたは次の留守番電話メッセージを受け取る。**

質問訳 **推薦文を受け取るために，今すぐあなたは何をすべきですか。**

選択肢訳
1. 仕事のさらなる詳細について E メールで送る。
2. 今すぐ上司に電話をかけ直す。
3. かつての職場を訪れる。
4. 推薦文の下書きを自分で書く。

解説 元上司は電話で話を聞く方法も提案しているが，これから会議のため，電話は夜にならないとできないということに注意する。現実的には自分で下書きを書くケースも多いが，ここでは元上司の要望にならないので，その選択肢に引っかからないようにする。職場を訪れても，会議のため会えないので，今すぐすべきなのは選択肢 **1** と分かる。

テーマ

2 音声ガイド・ラジオ

学習日	目標時間 1問 10秒	得点 /2 合格点1点

Each passage will have one question. Choose the best answer for each question.

No.1

Situation : You have been charged too much for a concert ticket you bought through the website. You still want to use this ticket. You call the reservation company and hear the following message.

Question : What should you do?

1. Press 1.
2. Press 2.
3. Press 3.
4. Hold the line.

No.2

Situation : You are commuting to the company along 57th street as usual. As you were checking an e-mail from your client, you are a little late and in a hurry. Listening to the car radio, you get the following news from the radio broadcast.

Question : What should you act?

1. Going by way of 58th street.
2. Going by way of 57th street.
3. Going by way of 56th street.
4. Going by way of 55th street.

Point!

質問は，あなたが「すべきこと」か「避けるべきこと」に分かれる。
you should ～や you can ～など，要望を表す表現に注意して聞き取ろう！

解答と解説

それぞれの問いに対して最も適切なものを選びなさい。

No.1  TR-32

放送文　　**正解 3**

Thank you for calling. Please note that new reservations can be made quickly and efficiently on our website. If you would like to make a reservation by phone, press 1 to speak to our staff member. For cancellations, press 2 and an automated system will process your request. Be sure to have your reservation number available. For issues concerning charges and billing, press 3. And to sign up to become a Premium Member, press 4. For other issues, hold the line to speak to a representative, but if the lines are busy, you may need to wait up to 15 minutes.

放送文 訳

お電話ありがとうございます。新しいご予約は我々のウェブサイトにて迅速に効率よく行えますことをご了承ください。お電話でのご予約は，スタッフが対応いたしますので 1 を押してください。キャンセルされる場合は 2 を押してください，自動音声システムがあなたのご要望にお応えします。予約番号をご用意ください。料金とご請求に関しては 3 を押してください。プレミアムメンバーへのご登録については 4 を押してください。ほかのご用件については，担当の者がお話しいたしますので，そのまま電話を切らずにお待ちください。ただし，回線が混み合っている場合は，15 分ほどお待ちいただきます。

状況訳 **ウェブサイト上であなたが購入したコンサートチケットに対して，多すぎる額が請求されている。あなたはこのチケットを使用したいと思っている。あなたは予約会社に電話して，次のメッセージを聞く。**

質問訳 **あなたは何をすべきですか。**

選択肢訳 **1**. 1 を押す。　**2**. 2 を押す。
3. 3 を押す。　**4**. 電話を切らずに待つ。

解説 状況から，チケットの返却や全額払い戻しを求めているわけではなく，請求額について問い合わせたいと分かるので，選択肢 **3** が正解。

No.2 TR-33

放送文

正解 4

Hello, this is traffic information. There is a traffic accident at the intersection of 57th and 65th street, caused by a truck and commuter bus. Some passengers are injured but there are no fatalities. Accident handling is still going on, and it seems that it will take more time. Due to the accident, traffic regulations are going on. Currently, only one lane is available on 57th street, so a traffic jam has occurred. In addition, 58th street, which connects 57th street and downtown, is temporarily closed due to road construction, so, many cars are trying to go by way of 56th street, the traffic is also getting heavy there. On 55th street, we cannot see any traffic congestion yet.

放送文 訳

こんにちは，交通情報です。57 番通りと 65 番通りの交差点でトラックと通勤用バスとの交通事故が起きています。乗客数名に負傷者がいますが，死亡者はいません。事故処理はまだ続いており，さらに時間がかかる模様です。事故のため，交通規制が行われています。現在，57 番通りでは 1 車線のみ通行可能で，そのために渋滞となっています。さらに，57 番通りと都心部をつなぐ 58 番通りは道路工事のために一時的に通行止めとなっており，多くの乗用車が 56 番通りを通ろうとしているため，そちらの交通量も増えつつあります。55 番通りでは，まだ渋滞とはなっていないようです。

状況訳 **あなたはいつものように 57 番通りを通って会社へ通勤している。顧客からのメールをチェックしていたので，少し遅れており，急いでいる。車のラジオを聞いていると，放送局から次のニュースを得る。**

質問訳 **あなたはどう行動すべきですか。**

選択肢訳 **1**. 58 番通りを通る。 **2**. 57 番通りを通る。

3. 56 番通りを通る。 **4**. 55 番通りを通る。

解説 状況から,「通勤中であること」「いつも 57 番通りを通ること」「急いでいること」が分かる。放送文では，通りを表す数字がいくつか出てくるので惑わされないように注意する。車の流れがスムーズな通りを選ぶべき状況なので，選択肢 **4** が正解。

第２章

模擬試験

準1級模擬試験 筆記問題

※問題形式などは変わる場合があります。

1 *To complete each item, choose the best word or phrase from among the four choices.*

(1) Seeing the difficult situation refugees faced, Jessica decided to ( ) 10,000 dollars to them.

1 drain **2** donate **3** propel **4** reconstruct

(2) Because of the sudden rain, pedestrians on the street got ( ).

1 drenched **2** congested **3** relieved **4** splintered

(3) Michael is a promising candidate to study abroad in Europe and he will ( ) his goal.

1 attain **2** empower **3** defy **4** expand

(4) Territorial dispute over that area can become a ( ) crisis between two countries.

1 entrusting **2** scrapping **3** paving **4** simmering

(5) When you see children grow, you must be both strict and ( ) to them, depending on the situation.

1 tolerant **2** classified **3** fictional **4** biased

(6) This course is an (　　) part of our curriculum. You must take it in the first year.

1 integral　**2** ominous　**3** improper　**4** inefficient

(7) **A**: Lea always pays too much attention to the details.

B: Sometimes, it is good. But she is often (　　) and delays the process of the plan.

1 fussy　**2** villainous　**3** scarce　**4** adolescent

(8) The board of directors had considered Bob's idea to be (　　) and revolutionary, and that has now proved to be correct.

1 indefinite　**2** mandatory　**3** graphic　**4** daring

(9) If you want to find a new job, you can ask for advice from Benjamin. He has experience with (　　).

1 adhesion　**2** outburst

3 domestication　**4** recruitment

(10) **A**: I feel (　　), because I am wearing a casual shirt when I see your big client. Is it really OK?

B: Just relax. He is interested in your proposal, and not in what you wear.

1 stubborn　**2** witty　**3** awkward　**4** generic

(11) John used to say he wanted to ( ) to the warm coastal area after retirement and enjoy his own life.

1 detect **2** imply **3** preserve **4** retreat

(12) Fred is good to look back on his own mistakes, but I think he needs to be more ( ), and not think about failure too much.

1 pathetic **2** aggressive **3** quarterly **4** illiterate

(13) **A**: You must check our products carefully. If you find any ( ) on them, please let us know.

B: I do, Lynn. But I haven't found any so far.

1 heaps **2** flaws **3** nuance **4** sequels

(14) Rebecca was worried about how many customers would come to see the new product, but she was surprised to see the ( ) crowd in the shop.

1 liable **2** dense **3** honorary **4** obstinate

(15) Through the 2000s and 2010s, as smartphones became widely used thanks to their simplicity of operation, domestic telephones were ( ).

1 picked on **2** phased out
3 pulled through **4** burned out

(16) Johnny, I think you had better take some rest. Be careful not to be exhausted and (　　).

1 crack up　**2** spring up　**3** fall through　**4** even out

(17) The teacher tried to (　　) his enthusiasm to hear his team won the game, because he had not heard it from his own team members.

1 refrain from　**2** lift off
3 hold off　**4** clean out

(18) **A**: I'm afraid some parts of the materials are missing for the presentation. What should we do?
B: Don't worry. We can (　　) them. Missing parts are not so important.

1 grow on　**2** give away　**3** fall for　**4** dispense with

Read each passage and choose the best word or phrase from among the four choices for each blank.

2 [A]

Drones and Weather

Predicting the way a hurricane moves is a demanded theme for researchers and drones will be the key. In 2015, to survey the tropical storm "Erika", drones were used to gather data. The drones successfully (**19**) the movement of the storm precisely and sent more concise data which enabled the prediction.

Before the use of drones, surprisingly, actual pilots flied close to hurricanes to gather data. You can understand how dangerous it could be. Weather balloons have also been used to gather data of weather. Currently, in one experiment, researchers are using fiber-optic cables with drones to better monitor temperature closer to where people live than before. The data group achieved has a resolution that is 10,000 times denser than before. (**20**) air temperature recordings can catch the very subtle degree of difference which is roughly 10 cm and 0.01 °C.

Now, many private companies combine drones and weather satellites or weather radar to predict the weather. Especially, in local areas, this method is useful. To private companies which are trialling a delivery service by drone, this is great news. Now, thanks for drones and data collected by them, scientists can assess storm features such as intensity and send much more precise warning signals which make for a much improved evacuation plan. It will be (**21**) for our risk management.

(19) **1** mitigated **2** monitored **3** mellowed **4** magnified

(20) **1** Lest **2** Unless **3** Therefore **4** In case

(21) **1** a waste of time and money **2** a meaningless try
3 an important intervention **4** an out-of-date approach

2 [B]

Sandstorms and Spread of Virus

If you are in Senegal, Nigeria, Sudan, or in the "Sahel" area, you will experience sandstorms. Actually sandstorms are not rare in this area, but you must be careful of "meningitis" especially in May. Meningitis is an infectious disease of an organ (called meninges) which covers the brain and spinal cord. Researchers are now finding (22) a high rate of infection of meningitis around this area and sandstorms.

Some researchers suggest it is likely to be due to strong winds. They say strong winds bring the bacteria of meningitis deeply into the throat or lungs. Experts say we don't have to worry about bacteria in our mouth or nose and that it is (23). But if you are under windy conditions, you have to be careful.

The debris is another factor. More precisely, debris causes irritation which is a problem, making it easier for bacteria to enter the rest of the body. In addition, the hot climate of Africa also makes bacteria more active. These factors weaken the body's natural immune system to fight against bacteria. You can cure meningitis using antibiotic drugs and vaccines. Be careful that you cannot get the vaccine in Japan. If you must go out in sandstorms, and if you try (24), that would reduce the risk of infection.

(22) **1** the difference between **2** the solution to
3 the relationship between **4** the way of

(23) **1** usually safe **2** already dangerous
3 sometimes unsafe **4** basically ambiguous

(24) **1** covering your faces with scarves or gauze materials
2 wearing your hats tightly on their heads
3 covering your eyes with big sunglasses or special goggles
4 wearing earplugs in your ears tightly

Read each passage and choose the best answer from among the four choices for each question.

3 [A]

Arthur Conan Doyle and Spiritualism

Everyone knows one of the most famous detectives, Sherlock Holmes and the author of it, Arthur Conan Doyle. Holmes's logical way of thinking to solve complicated mysteries has attracted many fans from all over the world. One of his famous lines, "when you have eliminated the impossible, whatever remains, however improbable, must be the truth," represents his rational way of thought well.

While being rational, he was intrigued by spiritual or mysterious things. As early as 1887, influenced by a friend, he joined a circle of spiritualism. At that time, even scientists were conducting research on the world of the spirit after death. In the same year, he declared he was a spiritualist in an academic journal.

During 1916, in the years of the World War I, it is said that war-related deaths of people close to him, such as his son, brother, brothers in law, and nephews, strengthened Doyle's belief in life after death and spiritual communication. In addition, in the same year, the Case of the Cottingley Fairies (in this incident, two young sisters cut pictures of fairies and made fake pictures with them) became popular, and many people, including Conan Doyle, believed in the existence of fairies. Much later, these two sisters revealed that those pictures were fake.

Due to Doyle's spiritualist aspect, his reputation as a writer had declined. Still, he had shown no regret about his spirituality and supported the spiritualism. In particular, according to some, he favored Christian Spiritualism and encouraged people around him to follow the teachings of Jesus of Nazareth. He had left some short stories concerning ghosts or spirits. You can surely enjoy another aspect of Conan Doyle.

(25) How can we guess the general impression of Doyle's spiritualism?

1 It seems Doyle's spiritualism and Sherlock Holmes's logical way of thinking have a contradictory relationship.

2 It seems Doyle's spiritualism and Sherlock Holmes's logical way of thinking can co-exist.

3 It seems Doyle's spiritualism has something in common with Sherlock Holmes's logical way of thinking.

4 It seems Doyle's spiritualism and Sherlock Holmes's logical way of thinking are related to some extent.

(26) What is true of Doyle's first interest in spiritualism?

1 Doyle came to be interested in spiritualism through his friend's influence.

2 Doyle's childhood experience had led him to be interested in spiritual things.

3 Doyle was interested in spiritual things since he was very little.

4 Doyle lost some relatives and that is the reason which had led him to spiritualism.

(27) What is true of the relationship between Doyle's spiritualism and World War Ⅰ?

1 World War Ⅰ had a big influence on his spiritualism and he made public that he was a spiritualist.

2 The death of his son in World War Ⅰ was the main reason why Doyle turned to spiritualism.

3 It was before the period of World War Ⅰ, when Doyle declared he was a spiritualist in the magazine.

4 Doyle had lost many relatives in World War Ⅰ, but it did not have any influence on his spiritualism.

3 [B]

AI and Detection of Cancer

Unfortunately, cancer is not a rare disease in our society. Gradually, scientists have developed some ways to cure the disease. And now, AI (Artificial Intelligence) will open another door for patients.

Firstly, what is cancer? It is an abnormality of genes in a cell. We all know that cells in our body are born and die at every moment, and each time, correct DNA is designed and built up continuously. But, somehow abnormal genes are born and they grow in numbers. This abnormal gene is a cancer cell. It eventually becomes harmful to other normal cells, and turns into a tumor. The problem is that this DNA mutation is continuous and unpredictable, and that sometimes, cancer cells often evolve into a drug-resistant form. That is the reason why cancer is difficult to cure.

However, in other words, if researchers can read and understand the patterns of DNA mutations in cancer cells, that information will allow people to forecast any upcoming genetic changes. This means, if doctors can predict the future changes in cancer cells, they can find out ways to stop the cancer before it develops resistance to drugs. Certainly, this is quite a promising way to fight the cancer.

In reality, the amount of data that we need to read and understand to predict mutations of cancer cells is humongous. How can we calculate the many patterns of DNA mutation? This is where AI is required. In one experiment, using more than seven hundred tumor samples from about 180 patients of many types of cancer, AI analyzed the DNA of each cancer tumor and identified repetitive patterns. That information made it possible for scientists to predict the future changes in tumor development.

Now, AI is applied not only for the prediction of DNA patterns. It is also applied to the early detection of cancer, or confirmation of the proceeding of cancer. In Japan, the National Cancer Center are collaborating with private companies to utilize AI for cancer treatment. It is possible to say cancer will not be the scary disease any more in the future.

(28) What is true of the features of cancer?

1 Cancer can change itself by mutating the pattern of its DNA and it is unpredictable.

2 Cancer can change itself by mutating only the outlook and it is unpredictable.

3 Cancer can change itself by mutating the pattern of its DNA and it is easily predictable.

4 Cancer can change itself by mutating only the outlook and it is predictable.

(29) What is the possible cure of cancer?

1 It is to destroy cancer cells by heating.

2 It is to prevent the cancer from becoming resistant to drugs.

3 It is to stop designing and building up correct DNA continuously.

4 It is to attack cancer cells with Artificial Intelligence.

(30) What do researchers believe to be a role of AI in cancer research?

1 There are some patterns in tumor mutations and AI is useful in calculating the changes.

2 Each patient needs a different amount of chemicals for treatment and AI is useful when calculating it to some extent.

3 There are some patterns in tumor mutations, and AI is useful when the cancer develops resistance to drugs.

4 Patients can alleviate their mental stress by communicating with AI.

(31) What is the main point of this passage?

1 What makes cancer treatment difficult is that it is difficult to find a drug that is not rejected by a patient.

2 Cancer makes unpredictable changes in its DNA, but AI can calculate the pattern of the changes and enables doctors to find cancer early.

3 Although the use of AI in cancer treatment is promising, there has never been any experiment.

4 The mechanism that enables cancer cells to change its own DNA is still unknown, and therefore, doctors and researchers cannot find better treatment for patients.

4 English Summary

● Read the article below and summarize it in your own words as far as possible in English.
● Suggested length: 60-70 words.

As income inequality widens, more and more people are becoming interested in the idea of universal basic income (UBI). This is unlike other welfare programs in that it gives everyone the same amount of money without any conditions. This has recently gained attention in many countries, and several pilot programs have been implemented in various places.

Proponents of universal basic income argue that it helps reduce poverty and inequality. Since people can receive money regardless of their affiliations or backgrounds, it raises the income of the poorest individuals. This money is given regardless of their contributions, leaving nobody behind. Moreover, it can improve people's health. By receiving some level of income regularly, people who would not otherwise have been able to afford healthcare will be able to do so. Also, since people will be able to afford to take leave when they are physically or mentally unstable, they will be less likely to compromise their health.

However, critics argue that a world with universal basic income is not perfect. They argue that it will demotivate people from working. Since they can receive money without working, it will be difficult to persuade them to contribute economically. If more people are not willing to work, the whole economy will suffer, and the budget for universal basic income itself may disappear.

5

10

15

20

5 English Composition

- Write an essay on the given TOPIC.
- Use TWO of the POINTS below to support your answer.
- Structure: introduction, main body, and conclusion
- Suggested length: 120-150 words

TOPIC

Agree or disagree: The Japanese government should do more to help young people find hope for their future.

POINTS

- Definition of hope
- Education
- Adults around children
- Effects of media

5

10

15

20

準1級模擬試験 リスニング

TR 34 〜 TR 60

学習日	解答時間	正解数
/	約 30分	問 29問中

※問題形式などは変わる場合があります。

There are three parts to this listening test.

Part 1	Dialogues:	1 question each	Multiple-choice
Part 2	Passages:	2 questions each	Multiple-choice
Part 3	Real-Life:	1 question each	Multiple-choice

※ Listen carefully to the instructions.

Part 1

No.1 TR-36

1 The weather forecast says it will snow again today.
2 He just does not like cold weather.
3 The trails might be dangerous.
4 He slipped yesterday and his leg is still sore.

No.2 TR-37

1 Discuss the content of the game with children.
2 Take away their children's video games.
3 Take children to see the experts.
4 Make children play video games no matter what the content is.

No.3 TR-38

1 She has to go back to the hospital soon.
2 Recently, there are more reckless drivers.
3 She might have been more seriously injured without her seatbelt.
4 The other driver was injured worse than she was.

No.4 TR-39

1 Her husband may have difficulty without her.
2 Her husband has forgot to pay for the instruction fees.
3 Bob cannot behave himself while she is away.
4 Bob does not like her husband's cooking.

No.5 TR-40

1 Try to contact her Internet service provider again.
2 Purchase some software for an antivirus.
3 Ask a technician to fix her problem.
4 Research the solution of the problem online with Dan.

No.6 TR-41

1 Jeremy does not have to attend the meeting.
2 Jeremy should call back to talk about the meeting.
3 The time for the meeting has been changed.
4 The meeting place has been changed.

No.7 TR-42

1 The regional director visited unexpectedly.
2 Cindy missed the chance for a promotion.
3 Some customers took a rude attitude to the manager.
4 Some clerks acted unprofessionally.

No.8 TR-43

1 He has to go to his speech contest.
2 He has to go to his rehearsal.
3 He is helping Beth rehearse.
4 He is going to watch a play, not a movie.

No.9 TR-44

1 He has never enjoyed travel.
2 He wants his wife to retire sooner and have more free time.
3 He is sorry he will not attend the conference.
4 He might travel less often in the future than now.

No.10 TR-45

1 Marilyn thinks fortune telling is a waste of time.
2 The fortune telling has caused Josh financial trouble.
3 Marilyn wants Josh to check her fortune.
4 Josh does not believe in fortune telling at all.

No.11 TR-46

1 Invite their friends to the summerhouse.
2 Meet the husband's brother at the summerhouse.
3 Find a smaller summerhouse.
4 Take only their kids to the summerhouse.

No.12 TR-47

1 Visit another hospital for a second opinion.
2 Get another operation.
3 Get a medical checkup this month again.
4 Get medical checkups regularly.

Part 2 TR-48 ～ 54

(A)

No.13 TR-49

1 It is the name of the author, who wrote this novel.
2 It is the name of the monster, which was created by the scientist in this novel.
3 It is the name of the scientist, who created the creature in this novel.
4 It is the name of the lover of the scientist in this novel.

No.14 TR-49

1 It is the fear people have for a grotesque monster.
2 It is the fear people have for their own creation.
3 It is the happiness people feel when creating something new.
4 It is the happiness people feel when they have their own kids.

(B)

No.15 TR-50

1 They face an academic level which is much higher than they had expected in high school.
2 They face many problems other than the academic level but there is no support.
3 They face discrimination concerning traditional or non-traditional students.
4 They receive support from university but they are not eligible for it.

No.16 TR-50

1 The majority of them have finished almost the entire curriculum.
2 20% of them have finished more than 70% of the curriculum.
3 Almost half of them drop out because of the difficulty of each course.
4 Most of dropouts have lost interest in their major.

(C)

No.17 TR-51

1 Along Florida's coast, the harm caused by algae is not so serious.
2 Red tide caused by algae has lasted more than a year.
3 Algae can be harmful both to fish and humans.
4 The effect of red tide is limited to a small area, not to the whole coast.

No.18 TR-51

1 Scientists are using an ozone-treatment system and it is successful.
2 The seawater purified by an ozone-treatment system is pumped back into the ocean.
3 An ozone-treatment system usually takes a long time to purify the water.
4 Other than an ozone-treatment system, scientists cannot find any ways to deal with this matter.

(D)

No.19 TR-52

1 There is severe pain and other ways of pain relief are harmful for her.
2 There is sporadic pain and other ways of pain relief are effective for her.
3 There is incessant pain but she is recovering from her disease.
4 There is a dull pain occasionally but she is trying to find hope.

No.20 TR-52

1 It works as it is related to a patient's mental state.
2 It directly stimulates the brain to make the patient relaxed.
3 It works but it depends on the content of virtual reality.
4 It makes the patient both relaxed and tense in turn.

(E)

No.21 TR-53

1 Recent news says the number of gun deaths is increasing, but it doesn't match the result of the new report.
2 The number of gun deaths is increasing around the world, but not in the USA.
3 According to the research, the number of gun deaths has been increasing for more than 30 years.
4 The number of gun deaths is increasing but the average rate of gun deaths is unchanging.

No.22 TR-53

1 It is possible to say that gun deaths are caused by accident, not on purpose.
2 In general, gun deaths mean killing others, and the reason for them is well analyzed by researchers and is publicized.
3 Generally speaking, gun deaths include more and more suicides in the U.S., but the reason is not sufficiently researched.
4 In most cases, gun deaths include more suicides than gun killings in the U.S. because of economic depression.

(F)

No.23 TR-54

1 There is a barrier to exclude germs or damaging substances on the skin.
2 There is a barrier to exclude germs or damaging substances in the blood.
3 There is a barrier to exclude germs and nutrients in the blood.
4 There is only a skull to exclude damaging substances in the blood.

1 They need to make a cut in the blood-brain barrier, and they only inject small bubbles into the bloodstream and don't do anything other than that.

2 They still discuss the possibility of using high frequency soundwaves into the bloodstream itself in order to enter the medicine into the brain.

3 It is not a big issue whether they open parts of the blood-brain barrier, but they need to inject small bubbles added with low frequency soundwaves.

4 They inject small bubbles into the bloodstream and add high frequency soundwaves to stretch the blood-brain barrier.

Part 3 TR-55 ～ 60

(G)

Situation : You are at King Ford State Park and want to go on a challenging hiking course. A park guide tells you the following.

Question : What should you do?

1 Hike to Sailors' Cove.

2 Climb from the beach to the main path.

3 Take Hardy Trail to get to Crystal Hill.

4 Go up the main path starting from Sailors' Cove.

(H)

No.26 TR-57

Situation : You are a college student. You are talking to a career adviser about doing an internship. You have not decided which field you would like to work in.

Question : What should you do first?

1 Fill in your résumé and send it to some companies.

2 Decide the type of company you want to apply for.

3 Take a personality test from the career adviser.

4 Try to join the interview skills workshop.

(I)

No.27 TR-58

Situation : You would like to buy a laptop computer but do not like shopping in a crowded store. You hear the following advertisement on the radio.

Question : What should you do?

1 Go to the store on Friday.

2 Make a phone call to the store on Friday.

3 Line up on Saturday morning.

4 Get the store's Customer Card.

(J)

Situation : You are a new visitor walking in a science museum just before the planetarium starts. You are going to the newly developed planetarium. You hear an announcement in the museum as follows.

Question : Where should you go next?

1 The third floor.
2 The Memorial Hall.
3 The second floor.
4 The environment and energy rooms.

(K)

Situation : You consult a contractor about remodeling your kitchen before you sell your house. You do not want to make any fundamental changes to the structure. The contractor says the following on the phone.

Question : What should you do to add the greatest value to your house?

1 Change the brown wooden floors to white ones.
2 Change all lights.
3 Install a new countertop by taking out the wall.
4 Change the wallpaper of the kitchen.

筆記

1

問題	(1)	(2)	(3)	(4)	(5)	(6)	(7)	(8)	(9)	(10)
解答	2	1	1	4	1	1	1	4	4	3

問題	(11)	(12)	(13)	(14)	(15)	(16)	(17)	(18)	小計
解答	4	2	2	2	2	1	1	4	/18

2

問題	(19)	(20)	(21)	(22)	(23)	(24)	小計
解答	2	3	3	3	1	1	/6

3

問題	(25)	(26)	(27)	(28)	(29)	(30)	(31)	小計
解答	1	1	3	1	2	1	2	/7

4 解答 182 ～ 183 ページ参照。

5 解答 184 ページ参照。

リスニング

Part 1

問題	1	2	3	4	5	6	7	8	9	10
解答	3	1	3	1	4	3	4	2	4	1

問題	11	12	小計
解答	4	4	/12

Part 2

問題	13	14	15	16	17	18	19	20	21	22
解答	3	2	2	2	3	1	1	1	4	3

問題	23	24	小計
解答	2	4	/12

Part 3

問題	25	26	27	28	29	小計
解答	3	3	1	3	1	/5

合計
/62

1 （問題編 p.150 ～ 153）

(1) 正解 2

訳 難民たちが直面する困難な状況を見て，ジェシカは1万ドルを彼らに**寄付する**ことを決めた。

解説 1文目の内容と，空所後に金額が続いていることから分かる。**1.** drain「**流れ出る**」 **2.** donate「**寄付する**」 **3.** propel「**促進する**」 **4.** reconstruct「**再構築する**」。

(2) 正解 1

訳 突然の雨のため，通りの歩行者たちは**びしょぬれに**なった。

解説 drench は他動詞なので，「～がぬれる」は受け身で表す。**1.** drench「**びしょぬれにする**」 **2.** congest「**混んでいる**」 **3.** relieve「**安心させる**」 **4.** splinter「**ばらばらにする**」。

(3) 正解 1

訳 マイケルはヨーロッパに留学する将来性の高い候補者で，彼は目的を**達成する**だろう。

解説 attain one's goal で「目的を達成する」の意味となる。**1.** attain「**達成する**」 **2.** empower「**強める**」 **3.** defy「**反抗する**」 **4.** expand「**広げる**」。

(4) 正解 4

訳 その地域をめぐる領土上の争いは2国間の**火種**となり得る。

解説 a simmering crisis は直訳すると「爆発寸前の危機」。**1.** entrust「**ゆだねる**」 **2.** scrap「**解体する**」 **3.** pave「**舗装する**」 **4.** simmer「**ことこと煮える，爆発寸前である**」。

(5) 正解 1

訳 子どもの成長を見るとき，状況に応じて，厳格であると同時に**寛容**でなくてはならない。

解説 strict「厳格な」と反対の意味の語を選ぶ。**1.** tolerant「**寛容な**」 **2.** classified「**分類された**」 **3.** fictional「**架空の**」 **4.** biased「**偏見のある**」。

(6) 正解 1

訳 このコースは我々のカリキュラムの**重要な**部分です。最初の年に履修しなければなりません。

解説 2文目の内容から空所に当てはまる語を判断する。**1.** integral「**不可欠な，重要な**」 **2.** ominous「**不吉な**」 **3.** improper「**不適切な**」 **4.** inefficient「**無能な**」。

(7) 正解 1

訳 A：リアはいつも細かい点に注意しすぎるね。
　B：ときにはいいんだけど。でも，彼女はたびたび**細部にこだわりすぎて**，計画の進行を遅らせてしまうのよ。

解説 A の発言から，細部にこだわる性質を示す形容詞が入ると分かる。**1.** fussy「**細かいことにこだわる**」 **2.** villainous「**悪党らしい**」 **3.** scarce「**わずかな**」 **4.** adolescent「**思春期の**」。

(8) 正解 4

訳 重役会議は，ボブのアイデアを**大胆**で，革新的であると考え，そして今ではそれは正しかったと証明されている。

解説 and の前後には類似の意味の語がくると考える。**1.** indefinite「**はっきりしない**」 **2.** mandatory「**強制の**」 **3.** graphic「**図形の**」 **4.** daring「**大胆な**」。

(9) 正解 4

訳 もし新しい仕事を見つけたいなら，ベンジャミンから助言を求められるよ。彼は**採用**の経験があるんだ。

解説 1 文目の前半から，就職に関する内容だと分かる。**1.** adhesion「**執着**」 **2.** outburst「**爆発**」 **3.** domestication「**家畜化**」 **4.** recruitment「**採用，求人**」。

(10) 正解 3

訳 A：君の大事な顧客に会うというのにカジュアルなシャツを着ているから**気まずい**よ。本当に大丈夫かい？
　B：リラックスしてよ。彼は君の提案に関心があるのであって，着ているものを気にはしていないよ。

解説 A の発言の because 以下に述べられている理由に着目して，大事な顧客に会う A の気持ちを推測する。**1.** stubborn「**頑固な**」 **2.** witty「**機知のある**」 **3.** awkward「**気まずい，落ち着かない**」 **4.** generic「**無印の**」。

(11) 正解 4

訳 ジョンはかつて，引退後は暖かい海岸地域に**引っ込んで**，自分の人生を楽しむとよく語っていた。

解説 after retirement「引退後」から，暖かい海岸地域へどうするのか考える。**1.** detect「**見つける**」 **2.** imply「**示唆する**」 **3.** preserve「**保護する**」 **4.** retreat「**退く**」。

(12) 正解 2

訳 フレッドは自分の間違いを振り返る点はよいが，もっと**積極的に**なるべきで，自分の過ちを考えすぎないようにすべきだと思う。

解説 逆接の but より，振り返るのではなく，前に進むイメージの語が入ると分かる。**1.** pathetic「**哀れな**」 **2.** aggressive「**積極的な**」 **3.** quarterly「**年 4 回の**」 **4.** illiterate「**読み書きのできない**」。

(13) 正解 2

訳 **A**：製品を注意深く確認しなければいけないよ。何か**傷**が見つかったら，知らせてほしい。

B：分かりました，リン。でも，今まで何も見つかっていないです。

解説 製品の確認に関する会話であることから考える。**1.** heap「**堆積**」 **2.** flaw「**傷，欠陥**」 **3.** nuance「**微妙な差異**」 **4.** sequel「**続編**」。

(14) 正解 2

訳 レベッカは新しい製品を見にどれくらいの顧客が来るのか心配していたが，店内の**込み合った**人々を見て驚いた。

解説 逆接の but に着目し，心配が驚きに変わった理由を考える。**1.** liable「**責任がある**」 **2.** dense「**密集した**」 **3.** honorary「**名誉の**」 **4.** obstinate「**頑固な**」。

(15) 正解 2

訳 2000 ～ 2010 年代，操作が簡単なおかげで，スマートフォンが普及したので，家庭用電話機は**次第に消えていった**。

解説 理由を表す as に注目し，スマートフォンの普及によって起こることを考える。**1.** pick on「**いじめる**」 **2.** phase out「**段階的に排除する**」 **3.** pull through「**切り抜ける**」 **4.** burn out「**体力を使い切る**」。

(16) 正解 1

訳 ジョニー，少し休憩した方がいい。疲れて**参って**しまわないよう注意して。

解説 1 文目の内容を前提に，be exhausted「疲れ切った」と似た意味の語句を選ぶ。**1.** crack up「**参る**」 **2.** spring up「**生じる**」 **3.** fall through「**失敗に終わる**」 **4.** even out「**均一にする**」。

(17) 正解 1

訳 先生は，自分のチームが試合に勝ったと聞いて，興奮を**抑え**ようとした。なぜならチームのメンバーから聞いたわけではなかったからだ。

解説 because 以下の内容から，enthusiasm「興奮」をどうしようとしたのかを考える。**1.** refrain from ～「**～を控える，つつしむ**」 **2.** lift off「**打ち上げられる**」 **3.** hold off ～「**～を撃退する**」 **4.** clean out ～「**～を一掃する**」。

(18) 正解 4

訳 A：残念だけど，プレゼンテーションのための資料の一部が抜けているんだ。どうしよう？

B：心配しないで。それ**なしでもできるわ**。抜けている部分は重要ではないよ。

解説 B の発言の 1 文目と 3 文目に着目して考える。**1.** grow on「**だんだん大きくなる**」 **2.** give away ～「**～を手放す**」 **3.** fall for ～「**～を好きになる**」 **4.** dispense with ～「**～なしで済ます**」。

2A （問題編 p.154）

ドローンと天気

ハリケーンの動きを予測することは，研究者にとって求められるテーマであり，ドローンがそのカギになるだろう。2015 年，熱帯暴風雨「エリカ」を調査するため，データ収集にドローンが使われた。ドローンは上手に暴風雨の動きを細かく監視し，予測を可能にする，より簡潔なデータを送った。

ドローンを使う前は，驚くべきことに，実際のパイロットがデータを収集するためにハリケーンの近くを飛行していたのである。それがどれほど危険なことであったか理解できるだろう。天気のデータを集めるために，気象観測気球も使われてきた。現在，ある実験で研究者たちは，以前よりも人々が住んでいる場所に近いところの気温をよりよく観測するために，ドローンと合わせて光ファイバーケーブルを使っている。得られたデータ群は以前より 1 万倍密度の高い解析度を誇っている。そのため，気温の記録は，およそ 10cm や 0.01℃程度のほんのわずかな差をとらえることができる。

現在，天気を予測するために，多くの民間企業がドローンと気象衛星や気象レーダーを組み合わせている。特に，地方では，この方法は有効である。これはドローンによる宅配サービスを試験的に行っている民間企業にとっては朗報である。現在では，ドローンとドローンが集めるデータのおかげで，研究者たちは強度といった暴風雨の特徴を評価し，大いに改善された避難計画を立てるのに役立つより詳細な警報を発することができる。それは私たちの危機管理への重要な介入となるだろう。

(19) **正解 2**

解説 第1段落2文に，ドローンは「エリカ」を調査したとあるので，**2.** monitor「**観察する**」がふさわしい。**1.** mitigate「**静める**」 **3.** mellow「**熟させる**」 **4.** magnify「**拡大する**」。

(20) **正解 3**

解説 第2段落の内容はドローンによる観測の能力についての話である。空所の前は光ファイバーを設置した場合のデータの詳しさについて述べており，空所の後はそれによって可能になったことの説明となるので選択肢**3.** Therefore「**それゆえに**」が入る。

(21) **正解 3**

解説 空所のある第3段落最終文は，ドローンによって嵐についての細かい情報(強さ)が分かることが的確な避難命令につながると述べられている。よって，これは危機管理にとって，選択肢**3.** an important intervention「**重要な介入**」となると分かる。

2B （問題編 p.155）

砂嵐とウイルスの蔓延

セネガル，ナイジェリア，スーダン，つまり「サヘル」地域にいるとすれば，あなたは砂嵐を体験するだろう。実際，この地域では砂嵐は珍しいものではないが，特に5月には「髄膜炎」に注意しなければならない。髄膜炎とは，脳と脊髄を覆う組織(髄膜と呼ばれる)の感染症のことである。研究者たちは現在，この地域周辺での髄膜炎の高い感染率と砂嵐との関連を見出そうとしている。

中には強風が原因である可能性が高いと示唆している研究者もいる。彼らは，強風が髄膜炎のバクテリアを喉や肺の奥深くに持ち込むと言う。専門家によると，口や鼻の中にいるバクテリアについては心配しなくともよく，たいてい安全だそうである。しかし，風の強い状況下にいる場合は，注意しなければならないのだ。

砂塵も一つの要因である。もっと厳密に言うと，砂塵が問題となる炎症を引き起こし，バクテリアが体のほかの部分に入り込みやすくするのである。加えて，アフリカの高温な気候はバクテリアをより活動的にする。これらの要因は体のバクテリアに抵抗するための自然免疫機構を弱らせる。髄膜炎は抗生物質とワクチンを使うことで治療することができる。日本ではワクチンを手に入れられないということに注意しなければならない。もし砂嵐の中で外出しなければならないのであれば，スカーフかガーゼ素材のもので顔を覆ってみれば，感染のリスクを減らせるだろう。

(22) 正解 3

解説 続く第2，3段落で，髄膜炎の原因として強風や砂塵を挙げている。つまり研究者たちは髄膜炎と砂嵐の関係を調べていると読み取れる。よって選択肢 **3.** the relationship between ～「**～の間の関連**」が正解と分かる。この文の後半に and があることにも注意する。

(23) 正解 1

解説 直前の文に強風で喉の奥や肺にバクテリアが入り込むとあり，最終文で強風下では注意が必要だと述べている。つまり，強風下でなければ，あまり危険がないと分かる。よって選択肢 **1.** usually safe「**たいてい安全**」がふさわしい。

(24) 正解 1

解説 ここまでの内容から，砂嵐が髄膜炎発症の原因と分かるため，それを防ぐのに最も適している内容は選択肢 **1.** covering your faces with scarves or gauze materials「**顔をスカーフやガーゼのようなもので覆って**」であると分かる。

3A (問題編 p.156 ～ 157)

アーサー・コナン・ドイルと心霊主義

最も有名な探偵の一人であるシャーロック・ホームズとその生みの親，アーサー・コナン・ドイルのことは誰もが知っている。難解な謎を解くホームズの論理的な考え方は世界中の多くのファンを惹き付けている。彼の有名なせりふの一つ，「不可能なものを取り除いて，最後に残ったものが何であれ，いかにありえなさそうであっても，それが真実であるに違いない」は彼の合理的な考え方をよく表している。

合理的である一方で，コナン・ドイルは心霊的・神秘的なものに興味をそそられていた。すでに1887年の時点で，彼は友人に影響され，心霊サークルに参加した。当時，科学者たちでさえも死後の精神の世界について真剣に研究していた。同年，彼はある学術雑誌で自身が心霊主義者であることを公表した。

第一次世界大戦中の1916年，息子，弟，義理の弟，甥といった身近な人々の戦争関連の死が，ドイルの持つ死後の世界と心霊的な交流への信念を強めたと言われている。さらに同年，コティングリー妖精事件(この事件では，二人の幼い姉妹が妖精の絵を切り，それを使って偽の写真を作った)が注目を集め，コナン・ドイルを含む多くの人々が妖精の存在を信じた。ずっと後になって，この二人の姉妹は写真がねつ造であることを明かした。

ドイルの心霊主義者的な一面により，彼の作家としての評判は下落した。それにもかかわらず，彼はそのことに後悔の念を示さず，心霊主義を支持した。何人かによれば，特にキリスト教的心霊主義を好み，周囲の人々にナザレのイエスの教えに従うよう促したそうである。彼は幽霊や霊に関する短い物語をいくつか残した。きっとコナン・ドイルの別の一面を楽しむことができるだろう。

---

(25) 正解 1

質問訳 ドイルの心霊主義の一般的な印象はどのように推測できますか。

選択肢訳
1 **ドイルの心霊主義はシャーロック・ホームズの論理的思考とは矛盾しているようだ。**
2 **ドイルの心霊主義とシャーロック・ホームズの論理的思考は共存し得るようだ。**
3 **ドイルの心霊主義はシャーロック・ホームズの論理的思考と共通点があるようだ。**
4 **ドイルの心霊主義とシャーロック・ホームズの論理的思考はある程度まで関係しているようだ。**

解説 ホームズのシリーズがあまりにも有名であるため，筆者のコナン・ドイルが心霊主義に強い関心を抱いていたことはあまり知られていない。第1段落で，ホームズの魅力は論理的な視点と述べており，それはドイルの心霊主義とは矛盾しているように見える。

(26) 正解 1

質問訳 ドイルの心霊主義に対する最初の関心として当てはまるものはどれですか。

選択肢訳
1 **ドイルは友人の影響により心霊主義に関心を抱くようになった。**
2 **ドイルは子どものころの経験から心霊的なものへの関心を持った。**
3 **ドイルは幼いときから心霊的なものに関心があった。**
4 **ドイルは何人かの近親者を亡くし，それが彼を心霊主義に向かわせた理由である。**

解説 第2段落より最初は友人から勧められたことがきっかけであったと分かる。

(27) 正解 3

質問訳 ドイルの心霊主義と第一次世界大戦との関係に当てはまるものはどれですか。

選択肢訳
1 **第一次世界大戦は彼の心霊主義に大きな影響を与え，彼は心霊主義者であることを公表した。**
2 **第一次世界大戦による息子の死はドイルを心霊主義に向かわせた主要な理由であった。**
3 **ドイルが雑誌の中で心霊主義者であることを公表した時期は第一次世界大戦前であった。**

4　ドイルは第一次世界大戦のために多くの近親者を亡くしたが，彼の心霊主義とは関係がない。

解説　第 2 段落から，雑誌の中で自分が心霊主義であることを語ったのは，第一次世界大戦よりも前の 1887 年と分かる。

3B（問題編 p.158 〜 159）

AI とがんの検知

あいにく，がんは私たちの社会では珍しい病気ではない。人々は徐々に，その病気を治療する方法をいくつか開発してきている。そして今，AI（人工知能）が患者にもう一つの道をもたらすことになるだろう。

そもそも，がんとは何か。それは細胞内にある遺伝子の異常である。私たちの体内にある細胞は絶えず生まれて死に，そしてその度に適切な DNA が絶え間なく設計・構築されるということは私たちみんなが知っている。しかし，どういうわけか異常な遺伝子が生まれて数が増えることがある。この異常な遺伝子ががん細胞である。それはいずれほかの正常な細胞に害を及ぼすものとなり，腫瘍へと変化する。問題は，DNA の突然変異が継続的かつ予測できないものであり，時にがん細胞が薬に耐性を持った状態に進化するということである。それが，がんが治療しにくい理由である。

しかし，言い換えれば，研究者たちががん細胞内の DNA の突然変異のパターンを読んで理解することができれば，その情報でこれから起こるどんな遺伝子の変化も予測することが可能になるだろう。つまり，医師が将来的ながん細胞の変化を予測できれば，薬に耐性を持つようになる前にがんを食い止める方法を見つけられる。確実に，これはがんと闘うのにかなり期待できる方法である。

実のところ，がん細胞の突然変異を予測するために読んだり，理解したりする必要があるデータの量は膨大だ。DNA の突然変異の多くのパターンを予測するにはどうすればよいのだろうか。ここで AI が必要とされるのである。ある実験では，様々な種類のがんの患者 180 人ほどから採取した 700 を超える腫瘍のサンプルを使って，AI はそれぞれのがん腫瘍の DNA を分析し，繰り返されているパターンを特定している。その情報が，科学者たちが腫瘍の発達における将来的な変化を予測することを可能にするのである。

現在，AI が利用されているのは DNA のパターンの予測のためだけではない。がんの早期発見や進行状況の確認のためにも利用されている。日本では，国立がん研究センターが AI をがん治療に利用するため，民間企業と協力体制をとっている。将来，がんはもはや恐ろしい病気ではなくなっていると言える可能性はある。

(28) 正解 1

質問訳 がんの特徴を正しく述べているものはどれですか。

選択肢訳 **1 がんはその DNA のパターンを変えることにより変化し，それは予想できない。**

2 がんはその外見のみを変えることができ，それは予想できない。

3 がんはその DNA のパターンを変えることにより変化し，それは簡単に予想し得る。

4 がんはその外見のみを変えることができ，それは簡単に予想できる。

解説 第 2 段落後半より，がん細胞自身の DNA の変化は予想できず，それが治療をする際の壁となっていることが分かる。

(29) 正解 2

質問訳 がんの有望な治療法な何ですか。

選択肢訳 **1 がん細胞を熱することで破壊すること。**

2 がんが薬に耐性を持つようになるのを食い止めること。

3 正しい DNA を絶えず設計し生み出すことを止めること。

4 人工知能を使ってがん細胞を攻撃すること。

解説 第 3 段落の最後の 2 文に，薬に耐性を持つようになる前にがんを食い止める方法を見つけられれば，がんと闘ううえでかなり期待できる，と述べられている。AI も活用されているが，がんの変化を予想するためであり，攻撃するためではない。

(30) 正解 1

質問訳 研究者はがん研究における AI の役割は何だと思っていますか。

選択肢訳 **1 腫瘍の変異にはいくつかのパターンがあり，AI はその変化を予測するのに役立つ。**

2 患者は治療のためにそれぞれ異なった量の化学物質が必要であり，AI はそれを計算するのにある程度役立つ。

3 腫瘍の変異にはいくつかのパターンがあり，AI はがんが薬に耐性を持つようになるときに役立つ。

4 AI とコミュニケーションをとることで患者の精神的なストレスが軽減できる。

解説 がんの研究と AI の関係については第 4 段落に記述がある。AI が膨大なデータの分析し，その情報を用いて腫瘍の変化を予想できると述べられている。がんが薬に耐性を持つようになる前に食い止めるために予想するので，選択肢 **3** は不正解。

(31) 正解 2

質問訳 この文章の主要な点は何ですか。

選択肢訳
1 **がんの治療を難しくしているのは，患者が拒絶反応を起こさない薬を見つけることが難しいことだ。**
2 **がんはその DNA において予想できない変化をするが，人工知能はその変化のパターンを計算し，医師ががんを早期に発見することを可能にする。**
3 **がん治療に AI を用いることは見込みがあるが，まだ実験はされていない。**
4 **がん細胞がそれ自身の DNA を変えてしまう仕組みはいまだ不明であり，ゆえに，医師と研究者たちは患者のよりよい治療法を見つけられていない。**

解説 第 4，5 段落で，がん治療に AI がどのように役立つかが述べられている。第 5 段落 2 文に現在 AI は早期発見にも使われているとある。AI の情報分析による早期発見が，がん治療に役立っている，という流れを読み取る。

4 (問題編 p.160)

解答例

Universal basic income (UBI) is a system that grants everyone a set amount of money regularly, regardless of employment status. Supporters believe it reduces poverty and inequality by providing a safety net for the poorest individuals. Additionally, it could improve public health by allowing people to prioritize healthcare and take leave when needed. However, critics fear UBI could be disincentive to work, potentially harming the economy and jeopardizing the program's funding. (70 words)

解答例訳

ユニバーサル・ベーシック・インカム(UBI)とは，雇用形態に関係なく，すべての人に一定額を定期的に支給する制度である。支持者は，最も貧しい人々にセーフティネットを提供することで，貧困と不平等を減らすと考えている。さらに，人々がヘルスケアを優先し，必要なときに休暇を取れるようにすることで，公衆衛生を向上させることができる。しかし，批評家たちは，UBI が労働意欲をそぎ，経済に悪影響を及ぼし，プログラムの資金繰りを危うくする可能性があると懸念している。

本文訳

所得格差が拡大するにつれ，ベーシック・インカムの考えに興味を持つ人が増えている。これは他の福祉プログラムとは異なり，条件なしにすべての人に同額のお金を給付するものである。最近, 多くの国で注目を集めており, 様々な場所でパイロットプログラムが実施されている。

ベーシック・インカムの支持者は，これが貧困と不平等の削減に役立つと主張している。所属や背景に関係なくお金を受け取ることができるため，最も貧しい個人の収入が上がる。このお金は彼らの貢献に関係なく給付されるため，誰も取り残されない。さらに，これにより，人々の健康を改善することができる。定期的に一定の収入を得ることで，そうでなければ医療費を払えなかった人々も医療を受けられるようになる。また，身体的または精神的に不安定な時に休みを取る余裕ができるため，健康を損なう可能性が低くなる。

しかし，批評家はベーシック・インカムのある世界が完璧ではないと主張する。彼らは，これが人々の労働意欲を低下させると論じている。働かなくてもお金を受け取れるため，経済的に貢献するよう説得するのが難しくなるだろう。より多くの人が働く意思がなくなれば，経済全体が苦しむことになり，ベーシック・インカム自体の予算が消滅する可能性がある。

解説

テーマ：普遍的基本所得の導入

支持側の主張：貧困と格差の削減（reduce poverty and inequality）
　　　　　　　健康状態の改善（improve people's health）

反対側の主張：労働意欲の低下（demotivate people from working）

〈類義語の例〉

income inequality（所得格差）: wealth gap（富裕格差）

pilot programs（パイロットプログラム）: trial programs（トライアルプログラム）

reduce poverty and inequality（貧困と格差を減らす）: alleviate poverty and narrow the gap（貧困を緩和し、格差を縮小する）

demotivate people from working（働く意欲を低下させる）: discourage people from working（仕事を妨げる）

5 (問題編 p.162)

TOPIC 訳

賛成か反対か：日本政府は，若者たちが未来に希望を見出すためにもっと多くのことをするべきだ。

POINTS 訳

●希望の定義　●教育　●子どもたちの周りにいる大人たち　●メディアの影響

解答例

It's a pity that Japanese young people do not find hope for their future, but 意見I don't think that the Japanese government should take all the responsibility for this.
理由①First, there is not a clear definition of hope. In other words, although one aspect seems hopeless, it can seem hopeful from another aspect. Successful people tend to say they experienced hopelessness at times, but they also say that that experience led to other possibilities.
理由②In addition, there are many hopeful young people in Japan. They have their own ideas to change the world, and have their own specific approach to realize them.

We can say changing viewpoints has the possibility of showing us a hopeful future. Hence, it is difficult to conclude that the Japanese government should take the responsibility for this matter. Adults around children can do more things as role models. (143 語)

解答例訳

日本の若者が将来に希望を見出せないのは残念ですが，日本政府がこの点について，何もかも責任を負うべきだとは思いません。

まず，希望についての明確な定義がありません。言い換えれば，ある側面では希望がないように見えていても，ほかの側面から見れば希望に満ちているように見えることもあります。成功している人々は，時どき希望のない時期を過ごしたと語る傾向にありますが，その経験がまた別の可能性を開いたとも語るのです。

さらに，希望のある若者は日本に多くいます。彼らは世界を変革するための自分なりのアイデアがあり，それを実現するための具体的な手段を持っています。

視点を変えることで希望のある未来を見せることができると言えます。したがって，この件について日本政府が責任を持つべきだと結論づけることは難しいです。子どもたちの周りにいる大人たちは，お手本としてもっとできることがあります。

MEMO

1 （問題編 p.163 ～ 165）

No.1 正解 3

TR-36

放送文

A: Do you want to go birdwatching in the mountains today?
B: It snowed so much yesterday. I don't think that's such a good idea.
A: Come on! You can see rare birds in the mountains in winter.
B: I'm worried about ice on the trails. One slip and you could break your leg.
A: Of course we'll be equipped well. And I know the route well.
B: OK. I can give it a try.
Question: Why is the man hesitant to go hiking?

放送文 訳

A：今日，山へバードウォッチングに行かない？
B：昨日大雪だったよ。行きたくないな。
A：何を言っているの。冬の山では珍しい鳥を見られるのよ。
B：道の氷が心配だよ。1回足を滑らせれば足を折ってしまうかもしれないよ。
A：もちろん十分準備していくわよ。それに私はルートをよく知っているわ。
B：わかった。挑戦してみるよ。
質問：男性はなぜハイキングに行くのをためらっているのですか。

選択肢訳 **1**. 天気予報は今日再び雪が降ると言っている。
2. 彼は単純に寒い天気が嫌いだ。　**3**. 小道が危険かもしれない。
4. 彼は昨日転んで彼の足はいまだに痛む。

解説 男性の2番目の発言から，男性がためらう理由は雪による危険性だと分かる。

No.2 正解 1

TR-37

放送文

A: Honey, have you read the article in today's paper? It's about video games.
B: Really?
A: Yeah. Experts say that well designed video games can promote children's cognitive skills, like logical thinking or space navigation.
B: Hmm... I suppose we have prohibited our children from playing video games, but we haven't thought of the content of the games at all.
A: Exactly. When our kids say they want to play video games, maybe we should have a talk with them about what kind of game it is.
B: You're right.
Question: What did the couple decide to do?

放送文 訳

A：今日の新聞記事を読んだ？　テレビゲームについてだよ。
B：本当？
A：ああ。専門家によると上手に製作されたゲームは子どもの論理思考や空間能力などの，認知能力を高めてくれるということだ。
B：ふーん，子どもたちにはテレビゲームをさせないできたけど，ゲーム内容を考えたことはなかったね。
A：そうだね。子どもたちがテレビゲームをしたいと言ったら，どんな種類のゲームか話し合うべきかもしれないね。
B：その通りだね。
質問：夫婦は何をしようと決めたのですか。

選択肢訳 **1**. ゲームの内容について子どもたちと話し合う。　**2**. 子どもたちのテレビゲームを取り上げる。　**3**. 子どもたちを専門家に診てもらう。　**4**. 内容に関わらず子どもたちにテレビゲームをさせる。

解説 後半のテレビゲームを一概に悪いと判断できないという論旨からも推測できる。

No.3 **正解 3** TR-38

放送文

A: I heard you had been hospitalized for a while. What happened?
B: I had a traffic accident about a week ago. A reckless driver rammed into the rear side of my car. I broke a rib and sprained my neck.
A: That's terrible! But maybe you were lucky you weren't more seriously injured. Were you wearing your seatbelt?
B: Of course. Otherwise I wouldn't even be around now to have this conversation with you.
Question: What does the woman imply?

放送文 訳

A：しばらく入院していたと聞いたよ。何があったの？
B：1週間ほど前に交通事故にあったの。無謀なドライバーが車の後ろに突っ込んできたのよ。肋骨を折って首を捻挫したよ。
A：それはひどいね！　でもそれ以上のけがでなくて幸運だったかもよ。シートベルトはしていたの？
B：もちろん。さもなければここにいて，あなたと話はできないでしょうね。
質問：女性は何を意味しているか。

選択肢訳 **1**. **彼女はすぐに病院に戻らねばならない。** **2**. **最近は無謀なドライバーが多い。** **3**. **シートベルトなしではもっと重傷だったかもしれない。** **4**. **相手の運転手は彼女よりもけがをした。**

解説 女性の最後の発言，Otherwise 以下の文からシートベルトが役立ったと分かる。

No.4 **正解 1** 

放送文

A: John, as I told you, I'll be away from Tuesday to Thursday. Are you sure you'll be OK without me?
B: Yeah, everything is under control. I need to pick up the cleaning on Tuesday and take Bob to baseball practice on Thursday night, right?
A: Right. His instruction fees for this month are on the table. Don't forget about it.
B: OK. Thanks.
A: I have made plenty of frozen dinners. They are in the refrigerator.
B: Honey, would you stop worrying? I'm sure we won't starve.
Question: Why is the woman anxious?

放送文 訳

A：ジョン，話しておいたように，火曜日から木曜日まで私は外出するわ。私がいなくても大丈夫？
B：すべて大丈夫だよ。火曜日にクリーニングを取りに行って，木曜日の夜はボブを野球の練習に連れて行くということだよね？
A：そう。彼の今月の月謝はテーブルの上にあるわ。忘れないで。
B：分かった。ありがとう。
A：夕飯をたくさん作って冷凍しておいたわ。冷凍室にあるから。
B：心配するのはやめてくれない？　飢えたりはしないさ。
質問：女性はなぜ不安なのですか。

選択肢訳 **1**. **彼女の夫は彼女なしでは困難を感じるかもしれない。** **2**. **彼女の夫は月謝を払い忘れたことがある。** **3**. **ボブは彼女がいない間は行儀よくできない。** **4**. **ボブは彼女の夫の料理が好きではない。**

解説 女性の冒頭の発言 Are you sure you'll be OK without me? から分かる。

No.5 正解 4

TR-40

放送文

A: Hi, Susan, have you found a good article for our report?
B: Sorry, Dan. It seems I've had trouble connecting to the Internet.
A: Have you contacted your Internet service provider?
B: I called, but there was always a recorded message and no one picked up the phone. My computer may have a virus. I think I'll ask a computer technician to come out.
A: It will cost a lot. Why don't you come over to my house and we can browse some technical support websites? Maybe we can sort this out ourselves.
B: Well, it's worth a try. Thanks.
Question: What did the woman decide to do?

放送文 訳

A：スーザン，レポート用のよい記事は見つかった？
B：ダン，ごめん。インターネットの接続に問題があるみたい。
A：インターネットのプロバイダーに連絡してみた？
B：電話したけど，毎回自動音声で誰も電話に出ないの。私のコンピューターはウイルスに感染しているかも。コンピューターの専門家に来てもらうように頼もうと思うの。
A：それは費用がかかるよ。ぼくの家に来て，いくつか技術用サポートのウェブサイトを見ようよ。自分たちで解決できるかもしれないし。
B：やってみる価値はあるわね。ありがとう。
質問：女性は何をしようと決めたのですか。

選択肢訳 **1.** もう一度インターネットのプロバイダーに連絡を取ろうとする。 **2.** ウイルス対策のソフトを購入する。 **3.** 技術者に彼女の問題を解決するよう依頼する。 **4.** ダンと一緒に問題解決策をインターネット上で調べる。

解説 問題の最終的な解決策は最後まで聞かないと分からない。最後はインターネットが使えるダンと一緒に解決策を探ることにしたので注意。

No.6 正解 3

TR-41

放送文

A: Hello, this is Steve. Can I talk to Jeremy there?
B: He's just stepped out. If it's OK, I'll take a message.
A: That's good. Will he go to the meeting of our volunteer group on Saturday?
B: Yes, I heard him saying he is looking forward to it.
A: Could you tell him we've pushed it back an hour? It's still at the same location though.
B: OK. And does he know where it is?
A: He does. It's at the city hall. We'll meet at 11: 30.
B: All right. I'll let him know.
Question: What does Steve want to tell Jeremy?

放送文 訳

A：もしもし，スティーブです。ジェレミーはいますか？
B：外出したところです。よろしければ伝言を承ります。
A：助かります。彼は土曜日の我々のボランティアグループのミーティングに来る予定ですか？
B：ええ，彼は楽しみにしていると言っているのを聞きましたよ。
A：時間が1時間くり下がったと彼に伝えてもらえますか？ 場所は同じです。
B：いいですよ。彼は場所を知っていますか。
A：はい。市役所です。11:30に会う予定です。
B：分かりました。伝えておきます。
質問：スティーブはジェレミーに何を伝えたいのですか。

選択肢訳 **1.** ミーティングに出席しなくてよい。 **2.** ミーティングについて話すため折り返し電話をする。 **3.** ミーティングの時間が変わった。 **4.** ミーティングの場所が変わった。

解説 Could you tell him ～？の後は大事な用件が続くことが多いので，聞き逃さないように。ミーティングの場所は変わっていないので注意。

No.7 正解 4

TR-42

放送文

A: Hey, Cindy. Did you hear the manager got angry today?
B: No. What happened?
A: It seems that some clerks made some mistakes when they tried to deliver the products to our customers.
B: Oh, no... But people make mistakes.
A: Unfortunately, they realized their mistakes but did not report them to the manager. However, he found they had hidden their mistakes.
B: Oh, I see. What did he say about it?
A: He said if they did it again, he'd report it to the regional director.
Question: What was the problem?

放送文 訳

A：やあ，シンディ。部長が今日怒っていたって聞いた？
B：いいえ。いったい何があったの？
A：何人かの店員が客に製品を届ける際にミスしたようなんだ。
B：あら, まあ。でも人はミスするものだわ。
A：不運なことに，彼らはミスに気づいたけれど部長に報告しなかったんだ。でもミスを隠したことが部長に分かってしまったんだ。
B：そうなのね。彼は何と言っていたの？
A：もう一度同じことをしたら，区域の局長まで報告するつもりと言っていたよ。
質問：何が問題だったのですか。

選択肢訳 **1**. 区域の局長が不意に訪れた。　**2**. シンディは昇進の機会を逃した。
3. 何人かの客たちが部長に対して失礼な態度をとった。
4. 何人かの店員がプロとしてふさわしくない行動をとった。

解説 冒頭の表現から何かの問題があったと分かるが，最大の問題は，その問題点を報告しなかったことにあると分かる。

No.8 正解 2

TR-43

放送文

A: Hey, Tom, do you want to go to see a movie tonight?
B: I'd love to, Beth, but I have my rehearsal for my speech contest.
A: Speech contest? I have no idea you like to make speeches!
B: Not that much. But I joined a contest in the community last month.
A: No kidding! You must be pretty good at it.
B: Well, I'm not so good, but I guess I am good enough to make the audience laugh a little.
A: I'd love to come and see it.
B: Why don't you come to the next contest? And bring your friends!
Question: Why can't Tom come to see the movie?

放送文 訳

A：ねぇ，トム。今夜映画を見に行かない？
B：ベス，そうしたいけど，スピーチコンテストのリハーサルがあるんだ。
A：スピーチコンテスト？　あなたがスピーチをするのが好きだとは知らなかったわ。
B：そうでもないよ。でも先月は地域のコンテストに参加したよ。
A：本当！　スピーチが上手でしょうね。
B：それほど上手ではないけど，聴衆を少し笑わせるくらいには上手だと思うよ。
A：ぜひ見てみたいな。
B：次のコンテストに来たらどう？　友人たちも連れてきてよ！
質問：トムはなぜ映画を見に行けないのですか。

選択肢訳 **1**. 彼はスピーチコンテストに行かなければならない。　**2**. 彼はリハーサルに行かなければならない。　**3**. 彼はベスのリハーサルを手伝っている。
4. 彼は映画ではなく演劇を観に行く。

解説 トムの最初の発言に映画に行けない理由がある。また，本番ではないので選択肢 **1** は当てはまらない。rehearsal を聞き逃さないように注意。

No.9 正解 4

TR-44

🔊 放送文

A: Will you be attending the monthly conference in July, Dave?
B: No, my wife and I are heading to Florida for some sun. I have reported it to my boss.
A: That sounds great! I think you do that every year. How can you travel so many times?
B: My wife works for an airport company, so we can get some flight tickets. However, she's retiring next year, so we'll not have such benefits.
A: Then you must make the best of them while you can.
B: Yes. We are both going to retire and we'll have more time to travel, but we won't be able to afford it!
Question: What does Dave imply?

🔊 放送文 訳

A：デイブ，7月の月例会議には出る？
B：いいや，妻と私で日光浴にフロリダに行くんだ。上司には報告済みさ。
A：それはいいね！　毎年行っているよね。どうやってそんなに何度も旅行できるの？
B：妻が航空会社で働いているので，何枚か航空券を得られるんだ。でも，来年は彼女も退職するので，そんな特典は得られなくなるな。
A：なら，できる間は最大限利用しないとね。
B：そう。我々両方とも退職すると旅行の時間はもっと持てるけど，金銭的余裕はなくなるからな。
質問：デイブは何をほのめかしていますか。

選択肢訳 **1.** 彼は旅行を楽しんだことがない。　**2.** 彼は妻にもっと早く退職して，もっと自由時間を持ってほしい。　**3.** 彼は会議に出席できなくて残念だ。　**4.** 彼はこの先，今よりも旅行しなくなるだろう。

解説 夫婦共に退職するので時間はできるが金銭的余裕がなくなることと，妻の職場での旅行の特典が受けられなくなることから，旅行は減ると思われる。

No.10 正解 1

🔊 放送文

A: Hey, Marilyn, have you checked the fortune telling on this website? People say it is accurate.
B: No, Josh. I don't like wasting my time with that kind of fortune telling.
A: But just giving it a try is OK, you know.
B: I'm not so sure. I try to spend my time more wisely. You have checked it, I'm guessing.
A: Yes, and it seems I am destined to be successful in my 40s.
B: I doubt that.
A: Come on, Marilyn. I feel a little bit happy, that's all.
Question: What do we learn from the conversation?

🔊 放送文 訳

A：やあ，マリリン，このウェブサイトの占いを見た？　皆，当たっていると言っているよ。
B：いいえ，ジョッシュ。そういう占いには時間を使いたくないわ。
A：まあ，ちょっと見るくらい，いいだろ？
B：分からないわ。私はもっと時間を賢く使いたいの。どうやら，あなたはそれを見たのね。
A：見たよ。僕は40代で成功する運命らしいよ。
B：そうかしら。
A：まあまあ，マリリン。少し気分がいいのさ。それだけのことだよ。
質問：会話から何が分かりますか。

選択肢訳 **1.** マリリンは，占いは時間の無駄だと思っている。　**2.** 占いはジョッシュに金銭上の問題を引き起こした。　**3.** マリリンはジョッシュに彼女の運命を確認してほしいと思っている。　**4.** ジョッシュは占いをまったく信じない。

解説 マリリンの最初の発言から，彼女が占いに時間を使う気がないことが分かる。

No.11 正解 4

TR-46

放送文

A: Guess what, honey? I had a phone call from the travel agency and I could rent a big summerhouse on the shore, which I had applied for a week ago!
B: Great! Hey, maybe your brother and his kids could come along. They love the ocean! It is spacious enough for everyone, right?
A: Actually, I am not going to invite anyone else, just you, me, and the kids.
B: It seems a shame to waste all that space, though.
A: Maybe, but it's been so long since we went away as a family.
B: Yeah, I see.
Question: What will the couple probably do?

放送文 訳

A：ちょっと聞いてくれない？　旅行会社から電話があって，1週間前に申し込んだ海辺の大きな別荘を借りられるって！
B：すごいわ！　そうだ，あなたの兄さんや兄さんの子どもたちも来られるかもしれないわ。彼らは海が好きだし！皆入るくらいには十分な大きさでしょう？
A：じつは，ほかに誰も招きたくないんだ。君とぼくと，子どもたちだけにしたいんだ。
B：でも，あのスペースを無駄に使ってしまうのは残念じゃない？
A：そうかもしれないね。でも家族で出かけるのは，ずいぶんと久しぶりだよ。
B：そうね，分かったわ。
質問：夫婦は何をする予定ですか。

選択肢訳 **1.** 友人たちを別荘に招く。　**2.** 別荘で夫の兄と会う。　**3.** もっと小さい別荘を見つける。　**4.** 子どもたちのみ別荘に連れていく。

解説 summerhouse は「別荘」。誰も招きたくないと言っているので，夫婦は子どもたちだけを連れていくと分かる。

No.12 正解 4

放送文

A: This is Dr. Joyce's assistant. I'm calling about the results of your daughter's medical checkup last month.
B: Thank you. She has been concerned about the results after her cancer operation.
A: There is nothing to worry about. It seems everything is under control.
B: Thank you so much. But she has to get the same checkup every two months, right?
A: Yes, at least for a year. The operation was successful and there are no problems so far, but just in case, you know.
B: I see. Well, let's schedule it in.
Question: What will the man have his daughter do?

放送文 訳

A：こちらはジョイス先生の助手です。先月のお嬢さんの健康診断結果について電話を差し上げております。
B：ありがとう。彼女は癌手術の後で結果について心配しているところです。
A：何も心配することはないです。どれも問題ない状態のようです。
B：本当にありがとうございます。でも，2か月ごとに検査を受けないといけないですよね？
A：そうです。少なくとも1年間はそうなります。手術は成功して，現在のところは問題ないですが，念のためにということですので。
B：分かりました。では，いつにしましょう。
質問：男性は娘に何をさせるつもりですか。

選択肢訳 **1.** セカンドオピニオンのために別の病院へ行かせる。　**2.** 別の手術を受けさせる。　**3.** 今月また検査を受けさせる。　**4.** 定期的に検査を受けさせる。

解説 男性の最後の発言 Well, let's schedule it in. から，検査日を設定していることが分かる。検査は先月行われ，2か月ごとに必要なことから，次の検査は来月だと分かり，選択肢 **3** は当てはまらない。

2A （問題編 p.166）

（問題編 p.166）

No.13, 14 TR-49

放送文

Frankenstein

Frankenstein is the story of a young scientist who creates a grotesque creature in a scientific experiment. Astonished by the ugliness of the creature, Frankenstein runs away, but the creature follows him and tries to get his love. So, Frankenstein is not the name of the monster, but the name of the scientist who created the creature.

The author, Mary Shelley, wrote the story when she was 18 in 1818. When she got the idea for *Frankenstein*, she had already lost her children, and she was expecting another baby. Her fear of having a child can be the theme of the novel. The theme that creators are horrified by the things they have created is called the Prometheus Complex, which is quite a modern topic that we can see in robot movies.

Questions
No.13 Who is Frankenstein?
No.14 What is the theme of this novel?

放送文 訳

フランケンシュタイン

『フランケンシュタイン』は，科学実験で奇怪な生物を作り出す若き科学者の物語である。その生物の醜さに驚いてフランケンシュタインは逃げ出すが，その生物は彼を追いかけ，彼の愛を得ようとする。つまり，フランケンシュタインはその怪物の名前ではなく，その怪物を作りだした科学者の名前である。

作者のメアリー・シェリーは，1818年彼女が18歳のときにこの物語を書いた。彼女が『フランケンシュタイン』のアイデアを思いついたとき，すでに自分の子どもを失っており，もう一人を妊娠中であった。子どもを持つことへの恐怖がこの小説のテーマである可能性がある。作り出したものに対してその創造者が恐怖を抱くというテーマはプロメテウスコンプレックスと呼ばれ，ロボット映画で見られるようにかなり現代的な主題である。

No.13

質問訳 **フランケンシュタインとは誰ですか。**

選択肢訳 1. この小説を書いた著者の名前。
2. この小説内で科学者によって作りだされた怪物の名前。
3. この小説内で怪物を作りだした科学者の名前。
4. この小説内の科学者の恋人の名前。

解説 第1段落3文の So, Frankenstein is not the name of the monster, ...より分かる。フランケンシュタインは怪物の名前や著者の名前だと思われていることも多い。あわてると誤りを選んでしまう可能性もある。自分の知識も活用するが，本文の内容を必ず聞いて答えるようにする。

No.14

質問訳 **この小説のテーマは何ですか。**

選択肢訳 1. 奇怪な怪物に対する人々の恐怖。
2. 自分の作りだしたものに対する人々の恐れ。
3. 何か新しいものを作りだすときの人々の幸福感。
4. 自分の子どもを持ったときの人々の幸福感。

解説 幸福感については述べられていないので，選択肢 **3** と **4** は当てはまらない。人々の恐怖についての記述もない。第2段落3～4文より選択肢 **2** が正解と分かる。フランケンシュタインという小説が持つ，自分が作りだしたものへの恐怖というテーマは，ロボットを扱うほかの小説や映画にも受け継がれているので知識として知っておくとよい。

No.15, 16 TR-50

放送文

The Reason to Drop out

Recently, attending college requires much more than academic skills. A lot of students are suffering from financial problems including tuition. In addition, they must consider various problems other than that, such as health issues, family commitments such as pregnancy or raising children, as well as the requirement to work by themselves. One researcher suggests the point is whether students get support from people around them and if they don't have support, that is a big reason to drop out.

As a proof of academic skills of the dropped-out students, another researcher revealed that 20% of dropouts from college in the United States succeeded in finishing more than 70% of their requirements of the curriculum. It means that even though some students have enough academic skills, they had no choice but to drop out. Just remember that finishing college means you must gain understanding from the people around you.

Questions
No.15 What is the reason why students leave university before graduating?
No.16 What can we learn about dropouts at U.S. universities?

放送文 訳

退学の理由

最近では，大学に通うには学力以上のものが必要である。多くの学生たちは授業料を含む経済的な問題に苦しんでいる。加えて，例えば自分で働く必要があるのと同様に，健康問題，妊娠や子育てのような家族に対する責任といった，経済的問題以外の様々な問題を考えなければならない。ある研究者によると，学生が周囲から支援を受けられるかどうかがポイントであり，支援がない場合，それは退学の大きな理由になる。

退学者の学力の証拠として，別の研究者は，アメリカの大学退学者の 20%が必要なカリキュラムの 70%以上を終えていたと明らかにした。これは，十分な学力があっても，退学する以外の選択肢がなかったことを意味する。大学を卒業するには，周囲の人の理解が必要だということを覚えておかなければならない。

No.15

質問訳 **卒業前に学生たちが大学を去る理由は何ですか。**

選択肢訳
1. 高校で予想していたよりもはるかに高い学業のレベルに直面する。
2. 学業レベル以外の多くの問題に直面しても，支援がない。
3. 伝統的，あるいは非伝統的な学生たちの間で差別に直面する。
4. 大学からの支援を取りつけても，それを受ける資格がない。

解説 第１段落から分かる。ここで述べられている退学の理由によると，学業にはついていけているにも関わらず，学業を続けるうえで学生たちが直面する生活面での問題が原因であることが分かる。差別に関する記述はなく，金銭面や環境によるものと述べているため，選択肢 **3** は不適切。

No.16

質問訳 **アメリカの大学の退学者について分かることは何ですか。**

選択肢訳
1. 彼らのほとんどはカリキュラムのほぼすべてを終えている。
2. 彼らの 20％はカリキュラムの 70％ 以上を終えている。
3. 彼らのほぼ半数がコースの難しさゆえに退学する。
4. 退学者のほとんどは専攻への関心を失ってしまった。

解説 第２段落１文の数字に注意する。「彼らのほとんど」「ほぼすべて」ではないので選択肢 **1** は不適切。選択肢 **3** はコースの難しさによる退学者の数は不明なので不適切。選択肢 **4** も同じく専攻への関心の有無と退学者の数との関連は不明のため不適切。

2C （問題編 p.167）

（問題編 p.167）

No.17, 18 TR-51

放送文

Issue of Algae

In 2018, the governor of Florida declared that Florida's seacoast was in crisis due to algae and red tide caused by them. Since October in 2017, the red tide has caused great harm to ocean life, including fish and sea animals. Actually, the health of residents is also at risk. A toxic outbreak pollutes the air and can cause breathing problems and if people touch algae, they may experience eye and skin irritation.

Scientists have tried to deal with this issue. One way is to purify red-algae seawater through an ozone-treatment system. Michael Crosby, one of the leading scientists dealing with this issue, reports this experiment is succeeding. Scientists are thinking that the use of seaweed and other organisms can be promising to solve this issue.

Questions
No.17 What is true of the algae?
No.18 How do scientists deal with algae?

放送文 訳

藻類の問題

2018年，フロリダ州知事は，藻類とそれによって引き起こされる赤潮によりフロリダの海岸が危機的状況にあると宣言した。2017年10月以来，魚類や海洋生物を含む海の生物に赤潮が多大な害を及ぼしている。そしてじつは，住民の健康もまた危険にさらされている。毒の発生は空気を汚染して呼吸障害を引き起こす可能性があり，人間が藻類に触れれば目や肌の炎症が起きるかもしれない。

科学者たちはこの問題を解決しようと努力してきた。1つの方法としては，紅藻類を含む海水をオゾン処理システムに通して浄化することだ。この問題を解決しようとしている科学者たちの中心的存在の一人であるマイケル・クロスビー氏は，この実験は成功しつつあると報告している。科学者たちは，海藻やほかの微生物を利用すればこの問題の解決につながる可能性があると考えている。

No.17

質問訳 **藻について当てはまるものは何ですか。**

選択肢訳
1. フロリダの海岸では，藻によって引き起こされる害はそれほど深刻ではない。
2. 藻によって引き起こされる赤潮は1年以上続いている。
3. 藻は魚にとっても人間にとっても害となり得る。
4. 赤潮の影響は狭い地域に限定されており，海岸全体ではない。

解説 第1段落2～4文から，藻は，それよって引き起こされる赤潮による魚や海洋生物に害を及ぼすだけでなく，直接触れることによって人間にも害があると分かる。赤潮は藻が原因であることに注意する。赤潮が発生している具体的な期間や地域は文章中からは分からないので，選択肢**2**，**4**は不適切。

No.18

質問訳 **科学者たちは藻に対してどのように対処していますか。**

選択肢訳
1. 科学者たちは，オゾン処理システムを使用しており，成功している。
2. オゾン処理システムによって浄化された海水は，海に戻される。
3. オゾン処理システムは，水を浄化するのに通常は長時間かかる。
4. オゾン処理システム以外に，科学者たちはこの問題に対する方法を見出せていない。

解説 第2段落からオゾン処理システムによる対策が効果的であると分かる。最終文で，海藻や微生物を利用する可能性も述べられており，ほかにも有効な方法がありそうだということが分かる。選択肢**2**，**3**については本文中で述べられていない。

2D （問題編 p.167）

（問題編 p.167）

No.19, 20 TR-52

放送文

Virtual Reality: Effective as a Painkiller

For patients who suffer from chronic pain, like lupus, or who want to reduce anxiety during an operation, virtual reality can be a solution. Specifically, to some patients who are allergic to morphine (a popular painkiller) or who tend to feel anxiety strongly, this is good news. Amanda Greene suffers from chronic pain, and she is allergic to some pain medicines. She wears a special 3D headset and experiences relaxing scenes and reports that virtual reality works as an effective distraction.

Actually other research has also proven that it is more effective than other methods to reduce pain. Some researchers say virtual reality tricks the brain somehow and influences a patient's mental state. But the reason is still a mystery. Anyway, virtual reality is non-addictive and noninvasive, and that is good news for doctors too.

Questions
No.19 What is the reason why virtual reality is important to Greene?
No.20 What can we learn about virtual reality?

放送文 訳

バーチャルリアリティー：鎮痛剤として効果的

狼瘡など慢性の痛みに苦しむ患者や手術中に不安を軽減したい患者にとって，バーチャルリアリティーが解決法となる可能性がある。特に，モルヒネ（よく知られる鎮痛剤）にアレルギーがある患者や強く不安を感じやすい患者にとって，これは朗報である。アマンダ・グリーンは慢性的な痛みに苦しんでおり，いくつかの鎮痛剤にアレルギーがある。彼女は特別な3Dヘッドセットを装着してリラックスさせるシーンを体験し，バーチャルリアリティーは効果的に気をそらしてくれると伝える。

実際別の研究も，痛みを軽減するための他の方法よりバーチャルリアリティーの方が効果的であることを証明している。中には，バーチャルリアリティーがどういうわけか脳をだまし，患者の心理状態に影響を与えると言う研究者もいる。しかし理由はまだ謎である。とにかく，バーチャルリアリティーは非中毒性で非侵襲性であり，このことは医師にとっても朗報である。

No.19

質問訳 **グリーンにとって仮想現実が重要である理由は何ですか。**

選択肢訳 **1.** 強い痛みがあり，ほかの鎮痛方法は彼女には害になる。
2. 時どきの痛みがあり，ほかの鎮痛方法が彼女には効果的だ。
3. 継続した痛みがあるが，彼女は病気から回復しつつある。
4. 時おりの鈍い痛みがあるが，彼女は希望を見出そうとしている。

解説 第1段落3文より分かる。慢性的な痛みに苦しんでいるので，選択肢**2**，**4**は当てはまらない。病気から回復しているという記述はないので選択肢**3**も当てはまらない。

No.20

質問訳 **仮想現実について分かることは何ですか。**

選択肢訳 **1.** それは患者の心理状態に関係しているため効果がある。
2. それは脳を直接刺激して患者をリラックスさせる。
3. それは効果があるが，仮想現実の内容次第である。
4. それは患者を交互にリラックスさせたり緊張させたりする。

解説 第2段落2文より，バーチャルリアリティーは患者の心理状態に影響を与えることが分かる。また，同じ文に脳をだますという記述があり，直接刺激しているわけではないことが分かるので，選択肢**2**は当てはまらない。選択肢**3**，**4**については本文中に記述がない。

2E （問題編 p.168）

（問題編 p.168）

No.21, 22 TR-53

放送文

Guns and Suicides

We often see many reports of mass shootings by gun on the media and we tend to think that gun violence is increasing around the world. However, researchers have revealed different aspects of gun violence from a statistical viewpoint.

Comparing yearly reports of 1990 to 2016, the number of deaths caused by guns has shown an increase by forty two thousand across the world. However, considering the population growth, the average rate of death by gun has not changed. Actually, deaths caused by guns include both homicide and suicide. Especially in the U.S., yearly reports of suicide by gun have shown an increase in the number every year from 1990, and in 2016, the number of gun suicides in the U.S. is the second highest ranking in the world. These results require more research about the causes of gun deaths and the blueprint to prevent them.

Questions

No.21 What can we know about the number of gun deaths?

No.22 What is the detailed analysis of gun deaths?

放送文 訳

銃と自殺

私たちはしばしば，メディアで銃乱射事件の報道を目にし，世界中で銃による暴力が増えていると思う傾向がある。しかしながら，研究者は統計的な観点から，銃による暴力の様々な側面を明らかにしてきた。

1990年から2016年の年次の報告書を比較すると，銃による死者数は世界中で4万2000人増えている。しかし，人口の増加を考慮すると，銃による死亡率は変わっていない。じつのところ，銃によって引き起こされる死には，殺人と自殺の両方が含まれる。特にアメリカでは，銃による自殺の年次の報告は1990年から毎年数が増えており，2016年にはアメリカにおける銃による自殺者数は世界で2番目に多くなった。これらの結果から，銃による死の原因についてさらなる調査とそれらを食い止める計画が求められる。

No.21

質問訳 **銃による死者の数について分かることは何ですか。**

選択肢訳
1. 最近のニュースは銃による死者の数は増加していると述べているが，新しい報告の結果とは一致していない。
2. 銃による死者の数は世界で増加しているが，アメリカでは増えていない。
3. 研究によれば，銃による死者の数は 30 年以上増え続けている。
4. 銃による死者の数は増えているが，死亡率は変わっていない。

解説 第 2 段落 2 文より銃による死者の数そのものは増えているが，人口あたりの死亡率で見れば変化していないと分かる。

No.22

質問訳 **銃による死についての細かい分析内容はどのようなものですか。**

選択肢訳
1. 銃による死は偶然によるものであり，意図的なものではないと言うことができる。
2. 一般的に，銃による死は他殺を意味しており，その理由は研究者によってよく分析され，公表されている。
3. 一般的に言って，アメリカでは銃による死は，増えつづける自殺を含んでいるが，その理由は十分に研究されていない。
4. ほとんどの場合，アメリカの銃による死は，経済不況のために，他殺よりも自殺を多く含む。

解説 第 2 段落 3 ～ 4 文でアメリカでは，銃による死の中には，自殺も他殺も含んでいて，自殺数が毎年増えていると述べられている。また最終文から，これらの銃による死の原因についてのさらなる研究が必要だという点も分かる。

2F (問題編 p.168 ～ 169)

No.23, 24 TR-54

放送文

Blood-Brain Barrier

For doctors who deal with the diseases of the nerves in the brain, such as Alzheimer's disease, natural barriers around the brain have been the most difficult issue. These amazing barriers are called blood-brain barriers and let nutrients go into the brain, but stop viruses or germs from entering the brain from the blood. We can see the skull is not the only protection for our brain. The point is, doctors cannot send medicine to the brain due to this barrier.

To solve this issue, high frequency sound waves are the keys to opening the barrier. According to an experiment, small bubbles are injected into the bloodstream first, next, soundwaves are added to make them vibrate. Thanks to these soundwaves, the wall of the barrier is stretched, so that drugs can go into the brain. The results of these experiments may lead to a new solution for this problem. As brain diseases increase around the world, every way possible is looked at to help patients.

Questions

No.23 How are our brains protected?

No.24 How can researchers solve the issue of getting drugs through the barrier?

放送文 訳

血液脳関門

アルツハイマー病のような脳の神経に関わる病気に対処する医者にとって，脳の周りにあるしぜんな防護膜が最も難しい問題である。これらの驚くべき防護膜は血液脳関門と呼ばれ，脳に栄養を取りこむが，ウィルスや細菌が血液から脳に入ることを食い止める。頭蓋骨が唯一脳を守るものではないことが分かる。問題は，この防護膜のために医者は脳に薬を送ることができないということだ。

この問題を解決するためには，高周波の音波がこの防護膜を開けるカギである。実験によると，最初に小さな気泡が血流に注入され，次にそれらを振動させるために音波が加えられる。これらの音波によって防護膜がのび，薬が脳に入っていくことができる。これらの実験の結果は，この問題の新しい解決策につながるかもしれない。世界中で脳の病気が増えているため，患者を助けるためにあらゆる方法が検討されている。

No.23

質問訳 **我々の脳はどのように守られていますか。**

選択肢訳
1. 皮膚の上にある細菌や有害物質を締め出すための防護膜がある。
2. 血液中にある細菌や有害物質を締め出すための防護膜がある。
3. 血液中の細菌と栄養を締め出すための防護膜がある。
4. 血液中の有害物質を締め出すための頭蓋骨しかない。

解説 防護膜は，あくまで血液中の細菌や有害物質を脳に入れないためのものであるので，選択肢 **1** は当てはまらない。また，防護膜は栄養は通すので，選択肢 **3** も不正解。頭蓋骨だけでなく，防護膜があるので，選択肢 **4** も不正解。

No.24

質問訳 **研究者たちは，どのようにして防護膜に薬を通す問題を解決できますか。**

選択肢訳
1. 彼らは防護膜に切れ目を入れる必要があり，そして小さな泡を血流に入れ，それ以外のことはしない。
2. 薬を脳に入れるために，高周波の音波を血流に対して使用する可能性について彼らはまだ議論している。
3. 防護膜の一部を開くかどうかは大きな問題ではないが，彼らは低周波の音波を伴った泡を入れる必要がある。
4. 彼らは血流に小さな泡を入れ，高周波の音波を加えて防護膜をのばす。

解説 第 2 段落より分かる。特に high frequency を聞き逃さないよう注意する。泡を血流内に入れて，その後で高周波の音波を加える手法にも注意する。実際に実験しているので選択肢 **2** は不正解。

模擬試験・解答と解説

3G （問題編 p.170）

No.25 TR-56

放送文

正解 3

We had quite a windy day yesterday, but it is great weather today! And about the course, I got a report that some trees have fallen down on the main path, so, that route is closed. If you are ready for a physically demanding course, you can try to go up Crystal Hill. It is accessible by taking Hardy Trail. You must go to the other side of the park to get to the starting point for that trail, so, it'll be a long hike. If you want something less demanding, you could hike along the beach to Sailors' Cove.

放送文 訳

昨日は風が強かったですけど，今日は晴天ですね！　そしてコースですが，メインの道には何本か木が倒れたようで，その道は閉鎖されています。もしもう少し険しい道への準備ができているなら，クリスタル・ヒルを上ることができます。ハーディ小道を通って行けます。その道の出発点にたどり着くには，公園の反対側に行かなければならないので，長いハイキングになりますね。より軽いコースに行きたい場合は，セーラーズ入り江に向かって浜辺を歩いてもよいでしょう。

No.25

状況訳 **あなたはキング・フォード州立公園にいて，険しいタイプのハイキングコースに行こうとしている。公園のガイドが次のようにあなたに話す。**

質問訳 **あなたは何をすべきですか。**

選択肢訳
1. セーラーズ入り江に向かって歩く。
2. 浜辺からメインの道へと登る。
3. クリスタル・ヒルへ向かうためハーディ小道に向かう。
4. セーラーズ入り江から始まるメインの道を上る。

解説 倒木によりメインの道は閉鎖されているので，選択肢**2**，**4**は不正解。険しい道を選んでいるので，ハーディ小道からクリスタル・ヒルの道筋がふさわしい。状況の challenging hiking course「挑戦しがいのあるハイキングコース」が放送文の physically demanding course「体力を必要とするコース」に一致すると気づけるかどうかがポイント。

3H （問題編 p.170）

No.26 TR-57

放送文

Actually, it's a little too late to start the internship application. We had a workshop to improve student's interview techniques, but that's just finished. Anyway, you should start sending your résumé out in the next few weeks. Before that, you have to decide the type of company you want to apply for. As a law major, you have several options. I can give you a personality test to find out which type of work suits you best. After looking at the results, we can get started on your résumé.

放送文 訳

実のところ，インターンシップの申し込みを始めるには少し遅すぎますね。学生の面接技術を磨くためのワークショップがありましたが，ちょうど終わってしまいました。とりあえず，今後数週間の間に履歴書を出し始めることですね。その前に，申し込むべき会社の業種を決めなければなりません。法律専攻なので，いくつか選択肢があります。どのタイプの仕事があなたに最も合っているのか見つけるために性格診断テストを行いましょう。その結果を見た後で，あなたの履歴書から始めましょう。

No.26

状況訳 **あなたは大学生である。あなたはキャリアアドバイザーとインターンシップについて話している。あなたはどの分野で働きたいか決めていない。**

質問訳 **あなたは最初に何をすべきですか。**

選択肢訳
1. 履歴書を書いていくつかの会社に送る。
2. 申し込むべき会社の業種を決める。
3. キャリアアドバイザーからの性格診断テストを受ける。
4. 面接技術のワークショップに参加しようとする。

解説 We had a workshop to improve student's interview techniques, but that's just finished. とあるので，ワークショップには参加できない。選択肢 **1**，**2**，**3** はどれも必要なことだが，質問の first に注意。まずは性格診断テストに答えるところから，申し込みの開始となる。途中まで聞いて判断しないようにしたい。

31 (問題編 p.170)

No.27 TR-58

放送文

This Saturday is Super Discount day—Jessy's Megastore has the biggest sales event. Every year, hundreds of customers wait in queue to get huge savings of between 40 and 50%! But if you want to avoid the weekend crowds, you can come on Friday between 10 a.m. and 4 p.m. for the presale event. But you must be careful. Unlike Saturday, 70% of payment on any items you purchase on the day is required. Also, when you come here, don't forget to register for the Customer Card. This will give you a 15% discount on any additional purchases. Remember, you can register after you make your first purchase.

放送文 訳

今週の土曜日は，スーパーディスカウントデーです—ジェシーのメガストアは最大級のセールスイベントを行います。毎年，40% から 50% の値引きを求めて，何百人ものお客さんが行列を作ります！　ただ，もし週末の混雑を避けたいなら，事前のセール販売に金曜日の10時から4時までの間に来ることができます。でも気をつけてください。土曜日と違って，購入したものは何でも 70% の支払いが求められます。また，ここに来たら，カスタマーカードに登録することを忘れずに。そうすれば，追加の買い物に対しては 15% の値引きになります。最初の買い物の後で登録できることをお忘れなく。

No.27

状況訳 **あなたはノート型パソコンを買おうとしているが，混み合う店内での買い物は好きではない。ラジオで次の宣伝を耳にする。**

質問訳 **あなたは何をすべきですか。**

選択肢訳 **1**. 金曜日に店に行く。
2. 金曜日に店に電話する。
3. 土曜日の朝，列に並ぶ。
4. 店のカスタマーカードを得る。

解説 値段についてのアナウンスが多いが，状況から，あなたが求めているのは安く買うことではなく，混雑を避けることなので注意する。そのためには，土曜日ではなく金曜日に行けばよいと分かる。その曜日でもある程度の値引きがあると分かる。

3 J （問題編 p.171）

No.28 TR-59

放送文

You'll find our science museum easy to get around. At the center of the first floor is the robot corner, where you can see many incredible robots. Memorial Hall is on the left, with the big stage. The environment and energy rooms are on the right, where you can see the latest technology about new forms of energy in the future. Go upstairs, and you will find the central theater in front of you, which is also a planetarium. There are 3 shows a day, from 10 a.m., 2 p.m., and 4 p.m. Each one lasts about one hour. Don't forget the starting time.

放送文 訳

あなたは我々の科学博物館は見学しやすいと気づくでしょう。1 階の中央はロボットコーナーで，たくさんのすばらしいロボットを見られます。大きなステージがある記念ホールは左手です。環境とエネルギーの部屋は右手で，未来の新しいエネルギーの形について最新の技術を見ることができます。階段を上ると，プラネタリウムでもある中央シアターが目の前に見えます。そのショーは 1 日 3 回で，午前 10 時，午後 2 時，午後 4 時からです。それぞれ，約 1 時間です。開始時間をお忘れなく。

No.28

状況訳 **あなたはプラネタリウムが始まる直前に，科学博物館の中を歩いている新規の客である。あなたは新しくできたプラネタリウムに行くつもりである。次の館内放送が聞こえる。**

質問訳 **あなたは次はどこへ行くべきですか。**

選択肢訳
1. 3 階。
2. 記念ホール。
3. 2 階。
4. 環境とエネルギーの部屋。

解説 which is also a planetarium とあるので，プラネタリウムは中央シアターであるということが分かる。また，1 階の説明から始まり，Go upstairs, and you will find the central theater とあるので，中央シアターは 2 階にあると分かる。

3K （問題編 p.171）

No.29 TR-60

放送文

正解 **1**

I would recommend some kind of big change, like taking out the wall between your kitchen and dining area, and putting in an island countertop. This would create a big space for entertaining your guests, which would hold a big appeal for potential buyers. Alternatively, you could make minor changes, which would not cause a fundamental change, such as replacing your brown wooden floors with white ones. This would make the kitchen look new and bright, raising the house's value. To change all the kitchen lighting to LED would lower the electricity costs. It would also be another advantage for the resale value.

放送文 訳

私は，例えばキッチンとダイニングの間の壁を取り払って独立型の調理台を入れるなどの，ある程度大きな改修をお勧めしますね。そうすると，ゲストたちを楽しませる大きなスペースを作れて，未来の買い手に大きなアピールになりますよ。あるいは，茶色の床を白に変えるような，根本的な変化ではなく小規模な変化もできます。そうすると，キッチンが新しく，明るく見えて，家の価値を上げてくれますよ。キッチンの電灯を全部LEDに変えれば電気代も下がるでしょう。売る際の価値としてまた一つの長所にもなるでしょう。

No.29

状況訳 **あなたは家を売る前に，キッチンのリフォームについて業者と相談している。構造の変化は求めていません。業者は電話で次のように話しています。**

質問訳 **あなたの家に最大の価値を加えるためには何をすべきですか。**

選択肢訳
1. **茶色の床を白に変える。**
2. **すべての電灯を変える。**
3. **壁を取り払って新しい調理台を入れる。**
4. **キッチンの壁紙を変える。**

解説 状況から，構造的な大がかりな変化は求めていないので，壁を取り払う選択肢**3**の提案は当てはまらない。床の色を変えるという点が適切。電灯の交換も価値はあるが，提案されているのはキッチンの電灯のみなので注意する。

第 3 章

二次試験
面接

攻略テクニック！

二次試験　面接

POINT

※試験内容などは変わる場合があります

形　式　受験者１名，面接委員１名の対面方式。「問題カード」を利用する

試験時間　約８分

傾　向　採点は４コマの絵を説明する「ナレーション」，面接官との「質疑応答」，態度を示す「アティチュード」の３項目

対　策　ふだんの準備が重要となる。日常生活を英語で表現できるようにしておく必要があり，様々な社会的な内容についても，ある程度自分の意見を英語で言えるように練習しておこう

試験の流れ

※面接試験はすべて英語で行われます

(1)入室

係員の指示に従い面接室に入ります。面接委員に「面接カード」を手渡し，指示されてから着席します。

(2)氏名・受験級の確認と簡単な質問

面接委員が受験者の氏名と受験級の確認，簡単な質問をするので，英語で答えます。

(3)「問題カード」の受け取りと黙読

面接委員から指示文と４コマのイラストが印刷された「問題カード」を受け取ります。「問題カード」の説明文を黙読し，イラストについてのナレーションの内容を考えます。考える時間は１分間です。

(4)ナレーション

面接委員の指示に従い，ナレーションを始めます。ナレーションの言い出し部分は「問題カード」に印刷されているので，必ずその言い出し部分を使って，ナレーションを始めます。時間は２分間で，それ以上続く場合は途中でも止められます。

(5)質疑応答

質問はNo.1からNo.4まで４つあります。No.1は「問題カード」のイラストに関連したもので，「問題カード」を見ることができます。No.2～No.4はイラストに関連する話題について，受験者の考えをたずねるものです。「問題カード」は裏返し，見ることはできません。

(6)問題カードの返却と退室

試験後は「問題カード」を面接委員に返却し，挨拶をして退室します。

ナレーション

テクニック❶ 自信のある単語と構文を使用する！

4コマのイラストについてのナレーションが最初の課題。緊張するところですが，難しい構文や単語を使うような冒険はせず，基礎的なレベルでいいので，**間違いのない単語や構文**を用いるようにしましょう。面接委員は1日に何人もの受験者を相手にしなければならないので，難解な解答は求めていません。各コマの順に明確な状況説明ができていれば，十分に評価されます。ふだんから**日常生活を英語で表現する練習**をするとよいでしょう。うまく表現できない場面については，単語や構文を確認後，記録しておくなど，次の機会につながるよう工夫して練習しましょう。

質疑応答

テクニック❷ リスニング力アップと質問形式の理解が重要！

No.1 の質問は「問題カード」のイラストに関連しており，受験者自身の考えを求める質問ではありません。一方，No.2 ～ No.4 の質問は，受験者自身の意見が問われるので，自分の考えを明確にして答える必要があります。基本的には**最初に自分の考えを決め**，**その後に根拠となる内容を2文程度**で述べます。必ずしも自分の本当の意見を答える必要はなく，質問の意図に対して論理的で間違いのない解答になっていれば，十分に評価されます。

また，同じ質問を何度も聞き返すのは，不自然なので減点の対象となります。質問を聞き返すのは自然な流れの中で最小限にしましょう。

アティチュード

テクニック❸ 黙り込むことは避けよう！

英検®では「質問に対して口ごもるなど，応答が滞る場合には次の質問に進むことがある」とされています。これは最も避けたい事態です。どうしても質問が分からない場合や答えられない場合は Sorry, I can't find the answer. など，答えられないことを伝えて**コミュニケーションが途切れないようにする**ことが大事です。また，入室してからの面接委員とのやりとりも採点の対象です。肩肘を張る必要はありませんが，入室の際に May I come in?「**入ってもよろしいですか？**」，カードを渡す際に Here you are.「**どうぞ**」，指示を受けたら Thank you.「**ありがとうございます**」など，自然な会話を心がけましょう。

例題

TR 61 ～ TR 67

学習日	試験時間
／	約 8分

※問題形式などは変わる場合があります。

You have **one minute** to prepare.

This is a story about a man who wanted to cut branches covering a traffic sign.
You have **two minutes** to narrate the story.
Your story should begin with the following sentence:
One day, a man was walking down the street.

質問と訳

All right, let's start. Here is your card. You have one minute to prepare for your narration.

〈1 minute〉 All right. Please begin your narration. You have two minutes.
〈2 minutes〉 Thank you. Now, I'm going to ask you four questions. Are you ready?

No. 1 Please look at the fourth picture. If you were in the position of this man, what would you be thinking?

Now, Mr. / Ms. ＿＿＿, please turn over the card and put it down.

No. 2 Some people think we should alert the public more, if we find problems in our community. What do you think about that?

No. 3 There are many traffic accidents every day. Do you think a more severe penalty should be required for illegal driving?

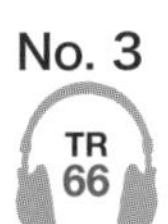

No. 4 Today, we can see many opinions on the Internet about what is good for the public. Do you think that discussion of action for the public on the Internet is good for us?

質問訳

それでは始めましょう。こちらがあなたのカードです。1分間，ナレーションを考える時間があります。
〈1分後〉では，始めてください。2分間あります。
〈2分後〉ありがとうございます。では，今から4つの質問をします。準備はいいですか。

No.1 4つ目の絵を見てください。もしあなたがこの男性の立場であれば，何を考えていますか。

では，～さん（受験者の氏名），カードを裏返して置いてください。

No.2 地域に問題を発見した場合，我々はもっと公に注意を促すべきだと考える人がいます。あなたはそのことについてどう思いますか。

No.3 毎日，多くの交通事故が起きています。違法運転に対してより厳しい罰が必要とされるべきだと思いますか。

No.4 今日，インターネット上で何が公的に正しいのかについて多くの議論があります。公衆のための行動についてのインターネット上での議論は，我々にとってよいと思いますか。

解答例と解説

ナレーション

解答例 **One day, a man was walking down the street,** where cars were not allowed to enter. This prohibition was shown via a traffic sign. However, the traffic sign was partly covered by leaves on branches of a big tree, and was difficult for drivers to see. So, some drivers happened to enter the street and passengers felt danger from these cars. Therefore, the next week, this man went to the police station and demanded that the branches be cut to make the sign easier to see, saying, “Branches and leaves cover the traffic sign. Would you cut them off?” Then, officers came and cut the branches. Now, the man and neighbors in his community are pleased to see that the traffic sign became clearer and more easily understood.

訳 ある日，ひとりの男性が，車の進入が禁止されている通りを歩いていました。この禁止は交通標識によって分かりました。しかし，交通標識は部分的に大きな木の枝の葉によって隠され，運転手からは見えにくくなっていました。（1コマ目）そのために，何人かの運転手はこの通りに侵入してしまい，歩行者たちはこれらの車に危険を感じていました。（2コマ目）そこで，次の週に，この男性は警察署に行き「枝と葉が標識を覆っています。切ってくれませんか」と話して，枝を切って標識をもっと見えやすくするよう要求しました。（3コマ目）その後，係員たちがやってきて，枝を切りました。男性や地域の住民は，交通標識が見えやすくなり，もっと分かりやすくなったことが分かって，喜んでいます。（4コマ目）

解説 交通標識，枝，車の進入禁止，歩行者などの基礎的な英語表現は，日常風景の描写でよく使われるので，覚えておこう。また，be difficult for 人 to ～「(人)には～しにくい」，make A B「AをBにする」などの表現は，場面が変わっても使いこなせるようにしておこう。

No.1

解答例 I’d be thinking, “Sometimes, traffic signs can be difficult to see. In that case, we should not think that someone else will deal with it. If I am the one who notices the trouble, I should act by myself.”

訳 私は，「時どき，交通標識は見えにくいことがある。そのような場合，我々は他の誰かが対処してくれるだろうと考えるべきではない。もし私がその問題に気づいた人であれば，私が自ら行動を起こすべきだ」と考えているでしょう。

解説 公のために行動を起こし，そのことが皆のためになったできごとについてなので，その点について自由に述べればよい。このような場合の「問題」はtroubleやissueで表現できる。public issueと述べれば，問題の意図に合致した表現になる。

No.2

解答例 I agree with that. To solve problems in our society, actions for the public are sometimes required. This viewpoint should be taught at school to lead children to build a better society in the future.

訳 私は賛成です。我々の社会の問題を解決するために，公衆のための行動が時には必要とされます。この視点は，子どもたちが将来よりよい社会を作り上げるよう導くために，学校で教えられるべきです。

解説 反対の意見の場合は「正しさの定義が決めにくい」「学校ではなく別の形式で教えられるべき」などの論点に基づいて述べることができる。

No.3

解答例 Yes, I think so. I think that many drivers do not understand how serious the result of illegal driving can be. One way to clarify this point can be setting more severe penalties for illegal driving.

訳 そう思います。多くのドライバーは違法運転の結果がどれほど深刻であるのか理解していないと思います。この点を明確にする一つの方法は，違法運転に対するより厳しい罰則を設定することでしょう。

解説 反対の意見の場合は，「車に頼りすぎる現代の生活に問題がある」，あるいは「運転手ではなく歩行者の方に事故の原因がある」，などの意見を述べるとよい。

No.4

解答例 No, I don't. I know that the Internet is convenient to send messages but it often causes misunderstandings, as we cannot use communication methods other than words, like facial expressions, or perceive nuances such as atmosphere, or tone of voice. There are also troubles around mutual understanding. I'd like to discuss things with people directly, face to face, not by using the Internet.

訳 そうは思わないです。インターネットはメッセージを送るには便利ですが，それはしばしば誤解を生みます。表情のような言葉以外のコミュニケーションの手段が使えないし，雰囲気や声のトーンなどのニュアンスを理解できないからです。相互理解の阻害にもなります。私はインターネットを使わず，人々と直接，顔を合わせて話し合いたいです。

解説 インターネット上での議論を良いと思うのであれば，「場所や時間の制限がないので，海外の人とも簡単に議論ができる」「費用も抑えられる」，などの利点を述べる。

著者

森明智　もり あきとも

名古屋外国語大学・外国語担当専任講師。大阪大学文学部卒業後、神戸大学大学院を経て、バーミンガム大学大学院修了。TEFL/TESL取得。独学で英検1級取得。その後、10年にわたって様々な大学で英検対策の授業を担当。映画などの題材を用いた生の英語にふれられる講義内容と、丁寧で分かり解説が評判で、受講生の授業評価では常に高評価を得ている。

※英検®は、公益財団法人 日本英語検定協会の登録商標です。
※このコンテンツは、公益財団法人 日本英語検定協会の承認や推奨、その他の検討を受けたものではありません。

本書は2023年9月に発刊した書籍を、2024年度の試験リニューアルに合わせて加筆・訂正した改訂版です。

一問一答　英検®準1級 完全攻略問題集 音声DL版

著　者　森　明智
発行者　清水美成
編集者　根本真由美
発行所　**株式会社 高橋書店**
〒170-6014 東京都豊島区東池袋3-1-1 サンシャイン60 14階
電話　03-5957-7103

ISBN978-4-471-27594-5　©TAKAHASHI SHOTEN　Printed in Japan

定価はカバーに表示してあります。
本書および本書の付属物の内容を許可なく転載することを禁じます。また、本書および付属物の無断複写（コピー、スキャン、デジタル化等）、複製物の譲渡および配信は著作権法上での例外を除き禁止されています。

本書の内容についてのご質問は「書名、質問事項（ページ、内容）、お客様のご連絡先」を明記のうえ、郵送、FAX、ホームページお問い合わせフォームから小社へお送りください。
回答にはお時間をいただく場合がございます。また、電話によるお問い合わせ、本書の内容を超えたご質問にはお答えできませんので、ご了承ください。本書に関する正誤等の情報は、小社ホームページもご参照ください。

【内容についての問い合わせ先】
書　面　〒170-6014 東京都豊島区東池袋3-1-1 サンシャイン60 14階　高橋書店編集部
ＦＡＸ　03-5957-7079
メール　小社ホームページお問い合わせフォームから　(https://www.takahashishoten.co.jp/)

【不良品についての問い合わせ先】
ページの順序間違い・抜けなど物理的欠陥がございましたら、電話03-5957-7076へお問い合わせください。
ただし、古書店等で購入・入手された商品の交換には一切応じられません。

一問一答 英検® 準1級 完全攻略問題集

別冊
頻出単熟語

高橋書店

矢印の方向に引くと、取り外し可能です➡

頻出単熟語

Contents

英検®準1級

頻出単語1351

☐ **abbreviate** 動 [ə'briːvieɪt] 略して書く，省略する	▶ abbreviation 名 省略，略語
☐ **abdominal** 形 名 [æb'dɒmɪnəl] 腹部の，腹部	abdominal pain 腹痛
☐ **abduct** 動 [əb'dʌkt] 誘拐する	▶ abduction 名 誘拐
☐ **abide** 動 [ə'baɪd] 我慢する	熟 abide by ～ ～に従う
☐ **abound** 動 [ə'baʊnd] たくさんある[いる]	▶ abundant 形 たくさんの ▶ abundance 名 豊富
☐ **abridged** 形 [ə'brɪdʒd] 要約された	▶ abridge 動 要約する
☐ **abruptly** 副 [ə'brʌptli] 不意に，出し抜けに	▶ abrupt 形 不意の 類 suddenly 副 突然に
☐ **abuse** 動 名 [ə'bjuːz,ə'bjuːs] 乱用(する)，悪用(する)	drug abuse 薬物乱用 ▶ abusive 形 乱暴な
☐ **academy** 名 [ə'kædəmi] 協会，学会	▶ academic 形 学術の
☐ **accelerate** 動 [ək'seləreɪt] 促進する	▶ accelerator 名 アクセル，促進するもの
☐ **acceptance** 名 [ək'septəns] 受理，受諾	▶ acceptable 形 受容できる 反 disapproval 名 不賛成，不支持
☐ **accompany** 動 [ə'kʌmpəni] 同行する，ついていく	▶ accompaniment 名 付属物

☐ **accomplishment** 名 [əˈkʌmplɪʃmənt] 成果，業績	▶ accomplish 動 達成する
☐ **accumulate** 動 [əˈkjuːmjəleɪt] ためる，たまる	▶ accumulation 名 堆積物 ▶ accumulative 形 累積する
☐ **achieve** 動 [əˈtʃiːv] 達成する	▶ achiever 名 成功者 ▶ achievement 名 達成
☐ **acid** 形 [ˈæsɪd] すっぱい，酸味のある	▶ acidic 形 酸性の ▶ acidify 動 酸化する
☐ **acknowledge** 動 [əkˈnɒlɪdʒ] 認める	▶ acknowledged 形 定評のある
☐ **acoustic** 形 [əˈkuːstɪk] 聴覚の	▶ acoustics 名 音響学，音響効果 類 acoustical 形 聴覚の
☐ **activate** 動 [ˈæktɪveɪt] 活動的にする，作動させる	▶ activation 名 活性化
☐ **activism** 名 [ˈæktɪvɪzəm] 行動主義	▶ activist 名 活動家
☐ **acupuncture** 名 [ˈækjəˌpʌŋktʃə] 鍼(はり)治療	▶ acupuncturist 名 鍼療法師
☐ **acutely** 副 [əˈkjuːtli] 鋭く	▶ acute 形 鋭い，激しい
☐ **addict** 名 [ˈædɪkt] 常用者，中毒者	▶ addiction 名 中毒 ▶ addictive 形 中毒の
☐ **adequately** 副 [ˈædɪkwətli] 適切に	▶ adequate 形 適切な 反 inadequately 副 不適切に
☐ **adhesion** 名 [ədˈhiːʒən] 付着，執着	▶ adhere 動 こだわる

☐ **adjustment** 名 [əˈdʒʌstmənt] 調整，調節	▶ adjust 動 調整する ▶ adjustable 形 調整できる
☐ **admiration** 名 [ˌædməˈreɪʃən] 感嘆，称賛，憧れ	▶ admire 動 賞賛する，敬服する
☐ **adolescent** 形 [ˌædəˈlesənt] 青年期の，思春期の	▶ adolescence 名 青年期
☐ **adoption** 名 [əˈdɒpʃən] 受容	▶ adopter 名 里親，養い親
☐ **adorable** 形 [əˈdɔːrəbəl] 崇敬すべき	▶ adore 動 崇敬する ▶ adoration 名 崇拝
☐ **advocate** 動 名 [ˈædvəkəɪt] 主張(する)，支持者(する)	類 preach 動 説教する ▶ advocacy 名 擁護
☐ **aerial** 形 [ˈeəriəl] 空気の，大気の	aerial infection 空気感染
☐ **aeronautics** 名 [ˌeərəˈnɔːtɪks] 航空学	Civil Aeronautics Act 航空法
☐ **afar** 副 [əˈfɑː] 遠くに	熟 from afar 遠くから
☐ **affiliate** 動 名 [əˈfɪlieɪt] 提携する，支社	類 associate 動 提携する ▶ affiliation 名 提携，合併
☐ **affix** 動 名 [əˈfɪks] 添付する，添加物	反 detach 動 取り外す
☐ **afflict** 動 [əˈflɪkt] 苦しめる	▶ affliction 名 苦悩
☐ **agenda** 名 [əˈdʒendə] 協議事項，議事日程，予定表	item of agenda 議事の項目

☐ **aggravate** 動 ['ægrəveɪt] さらに悪化させる，怒らせる	▶ aggravation 名 悪化
☐ **aging** 形 ['eɪdʒɪŋ] 年老いた	aging society　高齢化社会
☐ **airborne** 形 ['eəbɔːn] 空輸の	airborne troops　空挺(くうてい)部隊
☐ **alert** 名 動 [ə'lɜːt] 警戒(する)	熟 on the alert　警戒して ▶ alertness 名 油断のないこと
☐ **algae** 名 ['ældʒiː, -giː] 藻(複数形)	▶ alga 名 藻(単数形)
☐ **align** 動 [ə'laɪn] 整列する	▶ alignment 名 一列にならぶこと，提携
☐ **allegation** 名 [ˌælɪ'geɪʃən] 申し立て	▶ allege 動 申し立てをする
☐ **allergic** 形 [ə'lɜːdʒɪk] アレルギーの	▶ allergy 名 アレルギー
☐ **allocate** 動 ['æləkeɪt] 配分する	▶ allocation 名 割り当て
☐ **alongside** 副 [əˌlɒŋ'saɪd] そばに，並んで，一緒に	熟 alongside of ～　～と並んで
☐ **altitude** 名 ['æltɪtjuːd] 高度	the meridian altitude　子午線(しごせん)高度
☐ **Alzheimer** 名 ['æltshaɪmə] アルツハイマー	Alzheimer's disease　アルツハイマー病 類 dementia 名 認知症
☐ **ambiguous** 形 [æm'bɪgjuəs] 不明瞭な	▶ ambiguity 名 あいまいさ ▶ ambiguate 動 あいまいにする

☐ **amnesia** 名 [æm'ni:ziə] 健忘症	▶ amnestic 形 健忘の
☐ **anarchy** 名 ['ænəki] 無政府状態	▶ anarchist 名 無政府主義者 ▶ anarchic 形 無政府の
☐ **anonymous** 形 [ə'nɒnɪməs] 匿名の，作者不明の	▶ anonymously 副 匿名で
☐ **anthropologist** 名 [ˌænθrə'pɒlədʒɪst] 人類学者	▶ anthropology 名 人類学 ▶ anthropological 形 人類学の
☐ **antibiotic** 名 [ˌæntɪbaɪ'ɒtɪk] 抗生物質	antibiotic medication 抗生物質の投与
☐ **antiquity** 名 [æn'tɪkwəti] 古さ，古色	▶ antique 形 骨董(こっとう)の，古風な
☐ **apologetic** 形 [əˌpɒlə'dʒetɪk] 弁解の，謝罪の	▶ apologize 動 謝罪する
☐ **applaud** 動 [ə'plɔ:d] 拍手喝采する，ほめる	▶ applause 名 拍手喝采
☐ **appliance** 名 [ə'plaɪəns] 器具，装置，設備	electric appliance 電気製品 ▶ apply 動 申し込む
☐ **apprehension** 名 [ˌæprɪ'henʃən] 気づかい，心配，懸念	▶ apprehensive 形 不安な ▶ apprehend 動 逮捕する
☐ **apprentice** 名 [ə'prentɪs] 弟子	熟 apprentice *oneself* to ～ ～の弟子になる
☐ **aptitude** 名 ['æptɪtju:d] 適性	▶ apt 形 ～しがちな，適切な
☐ **archaeological** 形 [ˌɑ:kiə'lɒdʒɪkəl] 考古学の，考古学的な	▶ archaeologist 名 考古学者 ▶ archaeology 名 考古学

☐ **archive** 名 動 [ˈɑːkaɪv] 記録保管所，保管する	▶ archivist 名 記録保管人
☐ **arise** 動 [əˈraɪz] 起こる，発生する	熟 arise out of ～　～から生じる
☐ **aroma** 名 [əˈrəʊmə] 香り	aroma therapy　アロマテラピー
☐ **arrogant** 形 [ˈærəgənt] 横柄な	▶ arrogance 名 傲慢さ 反 humble 形 謙虚な
☐ **arsenic** 名 形 [ˈɑːsənɪk] ヒ素（の）	arsenic removing agent　ヒ素除去剤
☐ **ascend** 動 [əˈsend] 登る	▶ ascent 名 登ること
☐ **asinine** 形 [ˈæsənaɪn] 愚鈍な	▶ asininity 名 愚かさ 類 vacuous 形 愚かな，空虚な
☐ **assault** 動 名 [əˈsɔːlt] 攻撃（する）	▶ assault and battery　脅迫と暴行
☐ **assert** 動 [əˈsɜːt] 主張する	▶ assertion 名 断言 ▶ assertive 形 断言的な
☐ **assess** 動 [əˈses] 評価する，査定する	▶ assessment 名 査定
☐ **asset** 名 [ˈæset] 資産	real asset　不動産
☐ **assimilation** 名 [əˌsɪməˈleɪʃən] 消化，同化	▶ assimilate 動 消化する，同化する
☐ **assure** 動 [əˈʃʊə] 保証する，請け合う	▶ assurance 名 保証 ▶ assurable 形 保証できる

☐ **astonishment** 名 [əˈstɒnɪʃmənt] 驚き，びっくり	熟 to *one's* astonishment　驚いたことには
☐ **astronomer** 名 [əˈstrɒnəmə] 天文学者	▶ astronomy　名 天文学
☐ **astronomical** 形 [ˌæstrəˈnɒmɪkəl] 天文学的な	astronomical unit　天文単位
☐ **athletics** 名 [æθˈletɪks] (各種の)運動競技，スポーツ	▶ athleticism　名 スポーツ熱
☐ **atmospheric** 形 [ˌætməsˈferɪk] 大気の，空気の，大気による	atmospheric pressure　気圧 ▶ atmosphere　名 雰囲気，大気
☐ **attachment** 名 [əˈtætʃmənt] 付着，添付書類	類 bond　名 接着，結びつき
☐ **attain** 動 [əˈteɪn] 達成する	▶ attainable　形 達成できる
☐ **attract** 動 [əˈtrækt] 引きつける，魅了する	▶ attractive　形 魅力的な
☐ **attribute** 動 [əˈtrɪbjuːt] 帰する	▶ attribution　名 帰属，属性
☐ **auburn** 形 [ˈɔːbən] 赤褐色の	類 cupreous　形 銅色の
☐ **audio** 形 [ˈɔːdiəʊ] 可聴周波の	▶ audible　形 聞き取れる
☐ **auditorium** 名 [ˌɔːdəˈtɔːriəm] 聴衆席，観客席，傍聴席	auditorium place　大会議室
☐ **authentic** 形 [ɔːˈθentɪk] 確実な，典拠のある	▶ authenticity　名 確実性 ▶ authenticate　動 本物であると証明する

☐ **authorize** 動 [ˈɔːθəraɪz] 権威を与える	▶ authority 名 権威 ▶ authorization 名 権限を与えること
☐ **automated** 形 [ˈɔːtəmeɪtɪd] 自動化された	automated equipment　自動設備
☐ **aviation** 名 [ˌeɪviˈeɪʃən] 飛行	civil aviation　民間航空
☐ **avoidance** 名 [əˈvɔɪdəns] 逃避，忌避	類 aversion 名 反感，嫌悪
☐ **awake** 動 [əˈweɪk] 起こす	熟 awake to ～　～を悟る
☐ **backbreaking** 形 [ˈbækbreɪkɪŋ] ひどく骨の折れる	類 laborious 形 骨の折れる
☐ **backlash** 名 [ˈbæklæʃ] （急激な）はね返り	類 rebound 名 はね返り
☐ **backtrack** 動 [ˈbæktræk] 撤回する，引き返す	類 double back　引き返す
☐ **bacterial** 形 [bækˈtɪəriəl] バクテリアの	bacterial culture　細菌培養
☐ **baggage** 名 [ˈbægɪdʒ] 手荷物	類 satchel 名 小型かばん，学生かばん
☐ **bait** 名 動 [beɪt] 餌（をつける）	熟 rise to the bait　誘惑に乗る
☐ **ballroom** 名 [ˈbɔːlrʊm] 舞踏室	ballroom dance　社交ダンス
☐ **bankrupt** 名 形 [ˈbæŋkrʌpt] 破産者，破産して	熟 go bankrupt　破産する ▶ bankruptcy 名 倒産

☐ **bass** 名 形 [beɪs] バス，ベース，低音の	類 deep 形（音，声などが）低い
☐ **battery-powered** 形 [ˌbætəri ˈpaʊəd] 電池駆動式の	battery-powered device 電池駆動装置
☐ **bay** 名 [beɪ] 湾，入り江	熟 be at bay 窮地にある
☐ **beacon** 動 名 [ˈbiːkən] 誘導する，灯台，ビーコン	類 pharos 名 灯台
☐ **beam** 名 [biːm] 光線，光束	熟 beam in *one's* eye （気づいていない）自分の欠点
☐ **beckon** 動 [ˈbekən] 招く	熟 beckon *A* to *B* AをBのところへと招く
☐ **bee** 名 [biː] ミツバチ	熟 as busy as a bee とても多忙な
☐ **belly** 名 [ˈbeli] 腹，腹部	類 stomach 名 腹
☐ **bend** 名 動 [bend] カーブ，曲げる	熟 round the bend 気の狂った
☐ **benefit** 名 [ˈbenəfɪt] 利益	熟 for the benefit of ～ ～のために ▶ beneficial 形 有益な，有利な
☐ **bereaved** 形 [bəˈriːvd] 後に残された	the bereaved 遺族
☐ **betray** 動 [bɪˈtreɪ] 裏切る	▶ betrayal 名 裏切り，背信，密告，内通 ▶ betrayer 名 裏切り者
☐ **beverage** 名 [ˈbevərɪdʒ] 飲み物	cooling beverage 清涼飲料水

☐ **bias** 名 [ˈbaɪəs] 先入観	熟 on the bias　斜めに ▶ biased　形 偏見のある
☐ **biographical** 形 [ˌbaɪəˈgræfɪkəl] 伝記の	▶ biography　名 伝記 ▶ biographer　名 伝記作家
☐ **biological** 形 [ˌbaɪəˈlɒdʒɪkəl] 生物学の	▶ biology　名 生物学 ▶ biologically　副 生物学的に ▶ biologist　名 生物学者
☐ **birth-order** 名 [ˈbɜːθ ˌɔːdə] 出生順位	
☐ **birthrate** 名 [ˈbɜːθreɪt] 出生率	反 death rate　名 死亡率
☐ **bivouac** 名 [ˈbɪvuæk] 露営，野宿	熟 make a bivouac　露営する
☐ **blanch** 動 [blɑːntʃ] 漂白する，青ざめる	熟 blanch with fear　恐怖で青ざめる
☐ **bland** 形 [blænd] 人当たりがよい	bland reply　当たり障りのない返事
☐ **blindness** 名 [ˈblaɪndnəs] 目の不自由な人，向こう見ず	color blindness　色盲
☐ **blockade** 名 [blɒˈkeɪd] 封鎖	economic blockade　経済封鎖
☐ **blow** 名 動 [bləʊ] 強打，災難，(風が)吹く	類 knock　動 たたく
☐ **blunder** 動 名 [ˈblʌndə] 失敗(する)，しくじる	熟 blunder away ～　(好機)を逃す
☐ **bold** 形 [bəʊld] 大胆な，勇敢な，果敢な	熟 as bold as brass　実に図々しい

☐ **bomber** 名 [ˈbɒmə] 爆撃機，爆破犯人	▶ bomb 名 爆弾
☐ **booklet** 名 [ˈbʊklɪt] 小冊子	類 brochure 名 小冊子
☐ **bossy** 形 [ˈbɒsi] 横柄な	反 submissive 形 服従的な
☐ **botany** 名 [ˈbɒtəni] 植物学	▶ botanical 形 植物の，植物学の ▶ botanist 名 植物学者
☐ **boundary** 名 [ˈbaʊndəri] 境界	熟 draw a boundary　境界線を引く
☐ **bow** 名 動 [baʊ] おじぎ(する)	熟 bow out of ～　～を辞退する
☐ **bowel** 名 [ˈbaʊəl] 腸，内臓	bowel movement　便通
☐ **brace** 動 [breɪs] 支える，身構える	熟 brace *oneself* for ～　覚悟を固める
☐ **breach** 名 動 [briːtʃ] 違反，不履行，法律などを破る	熟 stand in the breach　攻撃の矢面に立つ
☐ **breakout** 名 [ˈbreɪkaʊt] 脱走，逃亡，発生	break out ～　～が突然起きる
☐ **breakthrough** 名 [ˈbreɪkθruː] 突破，打開，解明	熟 make a breakthrough　大きく進展させる 類 advance 動 進む
☐ **breast** 名 [brest] 胸	熟 make a clean breast of ～　～をすっかり打ち明ける
☐ **brew** 動 [bruː] 醸造する	熟 brew mischief　いたずらを企む

☐ **bribe** 動 名 [braɪb] わいろ(を贈る)	熟 bribe *A* with *B*　AをBで買収する ▶ bribery　名 わいろの授受
☐ **briefly** 副 [ˈbriːfli] 簡単に，手短に	熟 to put it briefly　手短に言えば
☐ **brisk** 形 [brɪsk] 活発な，きびきびした	▶ briskness　名 活発さ
☐ **browse** 動 [braʊz] 拾い読みする，見て回る，食べる	類 surf　動 見て回る ▶ browser　名 本を拾い読みする人
☐ **brutal** 形 [ˈbruːtl] 冷酷な，残忍な	▶ brute　名 残忍な人 ▶ brutally　副 冷酷に
☐ **buck** 名 動 [bʌk] 雄鹿，1ドル，反抗する	類 resist　動 反抗する
☐ **buddy** 名 [ˈbʌdi] 兄弟，相棒	bosom buddy　親友
☐ **buildup** 名 [ˈbɪldˌʌp] 増進，増強	熟 build up ～　～を増進する，鍛える
☐ **bully** 名 動 [ˈbʊli] いじめ，いじめる	熟 play the bully　威張り散らす
☐ **bungalow** 名 [ˈbʌŋɡələʊ] バンガロー	built-up bungalow　組み立て式バンガロー
☐ **bureau** 名 [ˈbjʊərəʊ] (官庁などの)局	taxation bureau　税務署 ▶ bureaucracy　名 官僚政治 ▶ bureaucratic　形 官僚政治の
☐ **burial** 名 [ˈberiəl] 埋葬式	▶ bury　動 埋葬する
☐ **butt** 名 [bʌt] (棒などの)端，先端	cigarette butt　タバコの吸い殻

☐ **buzz** 動 名 [bʌz] 電話をかけること，ブンブンいう(音)	熟 give 〜 a buzz　〜に電話する
☐ **cairn** 名 [keən] 石塚	▶ cairned　形 石塚の特徴がある
☐ **callous** 形 [ˈkæləs] 無感覚な	▶ callously　副 無情に ▶ callousness　名 無神経さ
☐ **canny** 形 [ˈkæni] 先の読める，利口な	▶ cannily　副 利口に ▶ canniness　名 利口さ
☐ **capitalism** 名 [ˈkæpətlɪzəm] 資本主義	▶ capitalize　動 利用する ▶ capital　名 形 資本(金)，重要な
☐ **capsize** 動 [kæpˈsaɪz] ひっくり返す，転覆させる	類 keel over 〜　〜をひっくり返す
☐ **caption** 名 動 [ˈkæpʃən] 表題，見出し，字幕(をつける)	類 subtitle　動 字幕をつける
☐ **captivate** 動 [ˈkæptɪveɪt] 魅惑する，うっとりさせる	▶ captivation　名 魅了 ▶ captivating　形 魅惑的な
☐ **captivity** 名 [kæpˈtɪvəti] とらわれ，監禁，束縛	▶ captive　名 虜(とりこ)，捕虜
☐ **carbonate** 名 動 [ˈkɑːbənət] 炭酸塩，炭酸ガス(を入れる)	▶ carbonated　形 炭酸を含む
☐ **carcass** 名 [ˈkɑːkəs] 死体	熟 carcass of 〜　〜の残骸
☐ **cardinal** 形 名 [ˈkɑːdənəl] きわめて重要な，枢機卿(すうきけい)	類 primal　形 おもな
☐ **cardiovascular** 形 [ˌkɑːdioʊˈvæskjələ] 心血管系の	cardiovascular system　循環器系

☐ **carnivore** 名 ['kɑːnəvɔː] 肉食者，肉食獣	▶ carnivorous 形 肉食の
☐ **casualty** 名 ['kæʒuəlti] 負傷者	casualty insurance 損害保険
☐ **category** 名 ['kætəgəri] 範疇（はんちゅう），カテゴリー	▶ categorize 動 分類する ▶ categorical 形 分類別の，絶対的な
☐ **cautiously** 副 ['kɔːʃəsli] 注意深く	▶ cautious 形 用心深い ▶ cautiousness 名 警戒心 ▶ caution 名 注意
☐ **cease** 動 名 [siːs] ～が止む，停止	熟 without cease 絶え間なく ▶ ceaseless 形 絶え間のない
☐ **cellphone** 名 ['selfəʊn] 携帯電話	類 mobile phone 名 携帯電話
☐ **cellular** 形 ['seljələ] 細胞の，細胞質の	▶ cell 名 細胞
☐ **censorship** 名 ['sensəʃɪp] 検閲	▶ censor 動 検閲する ▶ censorious 形 批判的な
☐ **cereal** 名 ['sɪəriəl] 穀草，シリアル	類 grain 名 穀物
☐ **ceremonial** 形 [ˌserə'məʊniəl] 儀式上の	ceremonial dress 礼服 ▶ ceremony 名 儀式 ▶ ceremonious 形 儀式ばった
☐ **characterize** 動 ['kærəktəraɪz] 特徴を述べる，性格を描写する	熟 characterize *A* as *B* AをBとしてみなす ▶ characteristic 名 特徴
☐ **charger** 名 ['tʃɑːdʒə] 充電器	同 battery charger 充電器
☐ **charitable** 形 ['tʃærətəbəl] 慈善心に富んだ	charitable institution 慈善施設 ▶ charity 名 慈善

☐ **charter** 動 名 [ˈtʃɑːtə] 特権(を与える)，貸し切り	business charter　事業許可
☐ **cheaply** 副 [ˈtʃiːpli] 安く	熟 live cheaply　安い生活費で暮らす
☐ **chemically** 副 [ˈkemɪkli] 化学的に	▶ chemical　形 化学の ▶ chemistry　名 化学
☐ **cherish** 動 [ˈtʃerɪʃ] 大事にする，なつかしむ	類 treasure　動 大事にする
☐ **childcare** 名 形 [ˈtʃaɪldkeə] 育児(の)，保育(の)	childcare allowance　児童扶養手当
☐ **choir** 名 [kwaɪə] 聖歌隊	church choir　教会聖歌隊
☐ **cholera** 名 [ˈkɒlərə] コレラ	▶ cholera vibrio　形 コレラ菌
☐ **chromosome** 名 [ˈkrəʊməsəʊm] 染色体	abnormality of chromosome　染色体異常
☐ **chronic** 形 [ˈkrɒnɪk] 慢性の	▶ chronically　副 慢性的に chronic disease　慢性病 反 acute　形 急性の
☐ **chronological** 形 [ˌkrɒnəˈlɒdʒɪkəl] 年代順の	chronological table　年表 ▶ chronologically　副 年代順に ▶ chronology　名 年代学，年表
☐ **cite** 動 [saɪt] 引用する，引証する，例証する	▶ citation　名 引用
☐ **citizenship** 名 [ˈsɪtəzənʃɪp] 市民権	grant citizenship　市民権を認める
☐ **civilian** 形 [səˈvɪljən] 文民の	civilian control　文民優位

☐ **clash** 動 名 [klæʃ] 衝突(する)，対立，不一致	熟 clash between *A* and *B*　AとBの間の対立
☐ **classic** 形 名 [ˈklæsɪk] 代表的な，古典	▶ classically　副 古典的に
☐ **classified** 形 [ˈklæsɪfaɪd] 分類された，機密の	classified document　機密書類
☐ **cleanse** 動 [klenz] 清潔にする，洗う	熟 cleanse *A* of *B*　BからAを清める
☐ **closet** 動 名 [ˈklɒzɪt] 閉じ込める，収納室	熟 closet *oneself*　小部屋に閉じこもる
☐ **closure** 名 [ˈkləʊʒə] 閉鎖，終結，区切り	熟 bring closure　区切りをつける
☐ **clumsy** 形 [ˈklʌmzi] 不器用な，下手な，ぎこちない	▶ clumsily　副 不器用に ▶ clumsiness　名 不器用さ 反 clever　形 器用な
☐ **coalition** 名 [ˌkəʊəˈlɪʃən] 連合，合同	coalition government　連立政府
☐ **coauthor** 名 動 [kəʊˈɔːθə] 共著者，共同執筆する	coauthored book　共同執筆された本
☐ **cocoon** 名 動 [kəˈkuːn] まゆ(を作る)，保護する	類 enwrap　動 包む
☐ **cognitive** 形 [ˈkɒgnətɪv] 認知の	▶ cognition　名 認知 ▶ cognitively　副 認知的に
☐ **coil** 動 名 [kɔɪl] 巻きつける，コイル	類 loop　動 輪にする
☐ **coincidental** 形 [kəʊˌɪnsəˈdentl] 偶然の	▶ coincidence　名 偶然の一致

☑ **collaboration** 名 [kəˌlæbəˈreɪʃən] 協力	▶ collaborate 動 協力する ▶ collaborator 名 協力者
☑ **collective** 形 [kəˈlektɪv] 集団的な	▶ collectivism 名 集産主義 ▶ collect 動 集める ▶ collection 名 集めること
☑ **collide** 動 [kəˈlaɪd] ぶつかり合う，衝突する	▶ collision 名 衝突
☑ **colony** 名 [ˈkɒləni] 植民地	▶ colonial 形 植民地の ▶ colonize 動 植民地にする ▶ colonization 名 植民地建設
☑ **combat** 動 名 [ˈkɒmbæt] 闘争(する)	▶ combative 形 好戦的な
☑ **comfort** 動 名 [ˈkʌmfət] 慰め(る)，心地よさ	▶ comfortable 形 心地よい
☑ **commemorative** 形 [kəˈmemərətɪv] 記念の	▶ commemorate 動 記念する ▶ commemoration 名 記念
☑ **commence** 動 [kəˈmens] ～を開始する，始める	▶ commencement 名 開始，卒業式
☑ **commerce** 名 [ˈkɒmɜːs] 商業，通商，貿易	▶ commercial 形 商業の ▶ commercialize 動 商業化する ▶ commercially 副 商業上
☑ **commodity** 名 [kəˈmɒdəti] 商品，産物	▶ commodify 動 商品化する
☑ **commonality** 名 [ˌkɒməˈnæləti] 共通性	類 commons 名 平民，庶民
☑ **communist** 名 [ˈkɒmjənɪst] 共産主義者	▶ communism 名 共産主義 ▶ communistic 形 共産主義の
☑ **commuter** 名 [kəˈmjuːtə] 通勤者	▶ commute 動 通勤する

☐ **comparable** 形 [ˈkɒmpərəbəl] 比較可能な	▶ compare 動 比較する ▶ comparison 名 比較 ▶ comparative 形 比較の
☐ **compartment** 名 [kəmˈpɑːtmənt] 区画，仕切り	▶ smoking compartment 喫煙室
☐ **compassion** 名 [kəmˈpæʃən] 同情，哀れみ	▶ compassionate 形 哀れみ深い
☐ **compatible** 形 [kəmˈpætəbəl] 適合する	▶ compatibility 名 適合性
☐ **compel** 動 [kəmˈpel] 強いる	▶ compelling 形 強制的な
☐ **competence** 名 [ˈkɒmpətəns] 能力，適性	▶ competent 形 有能な，能力のある ▶ competency 名 能力 反 incompetence 名 無能
☐ **complacent** 形 [kəmˈpleɪsənt] 自己満足の	▶ complacence 名 自己満足
☐ **completion** 名 [kəmˈpliːʃən] 完成	▶ complete 動 完成させる ▶ completely 副 完全に
☐ **complication** 名 [ˌkɒmplɪˈkeɪʃən] 複雑化	▶ complicate 動 複雑化する ▶ complicated 形 複雑な
☐ **complimentary** 形 [ˌkɒmpləˈmentəri] 敬意を表する，称賛の	▶ compliment 名 動 賛辞(を述べる)
☐ **comply** 動 [kəmˈplaɪ] 応じる，従う	▶ compliance 名 遵守
☐ **component** 形 名 [kəmˈpəʊnənt] 構成している，成分(の)，構成部品	類 constituent 形 名 構成の，成分(たる)
☐ **composure** 名 [kəmˈpəʊʒə] 沈着，平静	▶ compose 動 構成する，落ち着かせる 反 agitation 名 動揺

☐ **comprehensive** 形 [ˌkɒmprɪˈhensɪv] 包括的な，広い	▶ comprehend 動 理解する ▶ comprehension 名 理解
☐ **comprise** 動 [kəmˈpraɪz] 成り立つ	類 consist of ～　～から成り立つ
☐ **compromise** 名 動 [ˈkɒmprəmaɪz] 妥協(する)	▶ compromising 形 信用を傷つけるような
☐ **computerize** 動 [kəmˈpjuːtəraɪz] 電算機にかける	▶ compute 動 計算する
☐ **concealment** 名 [kənˈsiːlmənt] 隠すこと	▶ conceal 動 隠す
☐ **concentric** 形 [kənˈsentrɪk] 同心の	反 eccentric 形 中心を外れた，普通でない
☐ **conciliate** 動 [kənˈsɪlieɪt] なだめる，味方にする	▶ conciliation 名 懐柔 ▶ conciliatory 形 懐柔的な
☐ **concise** 形 [kənˈsaɪs] 簡潔な，簡明な	▶ conciseness 名 簡潔さ 反 wordy 形 冗漫な
☐ **conclusive** 形 [kənˈkluːsɪv] 決定的な，断固たる，終局の	▶ conclude 動 結論を出す ▶ conclusion 名 結論
☐ **condemn** 動 [kənˈdem] 非難する	▶ condemnation 名 非難 ▶ condemned 形 有罪を宣告された
☐ **condolence** 名 [kənˈdəʊləns] 悔やみ	▶ condole 動 悔やみを言う
☐ **confer** 動 [kənˈfɜː] 与える，協議する	▶ conference 名 会議
☐ **confession** 名 [kənˈfeʃən] 自白，白状，自認	▶ confess 動 自白する

☐ **confidential** 形 [ˌkɒnfɪˈdenʃəl] 信任の厚い，腹心の	▶ confidence 名 信頼 ▶ confidentially 副 内密に ▶ confidentiality 名 機密性
☐ **confirmation** 名 [ˌkɒnfəˈmeɪʃən] 確認	▶ confirm 動 確認する ▶ confirmatory 形 確認の
☐ **confrontation** 名 [ˌkɒnfrənˈteɪʃən] 対立，衝突	▶ confront 動 立ち向かう
☐ **congest** 動 [kənˈdʒest] 混んでいる	▶ congestion 名 混み合い，混雑 ▶ congested 形 渋滞した
☐ **conical** 形 [ˈkɒnɪkəl] 円錐(えんすい)の	▶ cone 名 円錐
☐ **conjure** 動 [ˈkʌndʒə] 呪文を唱えて呼ぶ，頼む	熟 conjure up 呪文を唱えて呼び出す
☐ **conscience** 名 [ˈkɒnʃəns] 良心，道義心，善悪の観念	▶ conscientious 形 良心的な
☐ **consecutively** 副 [kənˈsekjətɪvli] 連続して	▶ consecutive 名 連続の
☐ **consent** 動 名 [kənˈsent] 合意(する)	反 disallow 動 認めない
☐ **consequently** 副 [ˈkɒnsəkwəntli] その結果，従って	▶ consequential 形 重大な，その結果として起こる ▶ consequence 名 結果，重要さ
☐ **conservationist** 名 [ˌkɒnsəˈveɪʃənɪst] 保護主義者	▶ conservation 名 保護，維持 ▶ conservative 形 保守的な ▶ conserve 動 保存する
☐ **considerable** 形 [kənˈsɪdərəbəl] かなりの，相当な，少なからぬ	▶ considerably 副 かなり，相当に
☐ **console** 動 [kənˈsəʊl] 慰める	類 soothe 動 なだめる ▶ consolation 名 慰め

☐ **conspire** 動 [kən'spaɪə] 共謀する	▶ conspiracy 名 共謀，企て
☐ **constituent** 形 名 [kən'stɪtʃuənt] 構成たる，成分	類 element 名 成分，要素
☐ **constitution** 名 [ˌkɒnstɪ'tjuːʃən] 構成，組織，憲法	▶ constitute 動 構成する，要素となる
☐ **constraint** 名 [kən'streɪnt] 強制，圧迫，束縛	▶ constrain 動 強制して～させる
☐ **consult** 動 [kən'sʌlt] 意見を聞く，診察してもらう	▶ consultant 名 相談相手 ▶ consultation 名 相談，会議
☐ **contaminate** 動 [kən'tæməneɪt] 汚染する	▶ contamination 名 汚染 ▶ contaminant 名 汚染物質
☐ **contend** 動 [kən'tend] 戦う	▶ contention 名 闘争，口論 ▶ contentious 形 論争好きな
☐ **contentment** 名 [kən'tentmənt] 満足	▶ content 名 形 満足して，中身
☐ **contractual** 形 [kən'træktʃuəl] 契約の	▶ contract 名 動 契約(を結ぶ)，縮める
☐ **controversy** 名 ['kɒntrəvɜːsi] 論争	▶ controversial 形 論争の
☐ **convalescence** 名 [ˌkɒnvə'lesəns] 病後	▶ convalescent 形 回復期の
☐ **convention** 名 [kən'venʃən] 大会，慣習	national convention 全国党大会 ▶ convene 動 (会議のために)集まる
☐ **conventional** 形 [kən'venʃənəl] 社会的慣習による，型にはまった	▶ conventionalize 動 型にはめる

☐ **conversion** 名 [kənˈvɜːʃən] 転換(すること)，転化	熟 convert *A* into *B*　AをBに変える ▶ convert 動 (形・システムなど)を変える ▶ convertible 形 変えられる
☐ **convey** 動 [kənˈveɪ] 運ぶ，運搬する，伝える	▶ conveyance 名 運搬 ▶ conveyable 形 運搬できる
☐ **conviction** 名 [kənˈvɪkʃən] 確信，信念	▶ convict 動 有罪と宣告する
☐ **cooperative** 形 [kəʊˈɒpərətɪv] 協力的な	▶ cooperation 名 協力，共同 ▶ cooperate 動 協力する
☐ **coordinator** 名 [koʊˈɔːrdəneɪtər] 調整者	▶ coordinate 形 動 同等の，調整する ▶ coordination 名 調整
☐ **copper** 名 [ˈkɑːpər] 銅	▶ coppery 形 銅色の
☐ **cordless** 形 [ˈkɔːdləs] コードレスの	反 corded 形 コードつきの
☐ **corps** 名 [kɔːr] 軍隊	the press corps　記者団
☐ **corpse** 名 [kɔːrps] 死体	▶ corpselike 形 死体のような
☐ **correlate** 動 [ˈkɒrəleɪt] 関係がある	▶ correlation 名 相関，関係
☐ **correspondence** 名 [ˌkɒrəˈspɒndəns] 対応，通信	▶ correspond 動 一致する ▶ correspondent 名 通信員
☐ **corrosion** 名 [kəˈrəʊʒən] 腐食	▶ corrode 動 腐食する
☐ **counsel** 名 動 [ˈkaʊnsəl] 助言，忠告，相談する，勧める	▶ counselor 名 カウンセラー，相談者

☐ **counterfeit** 名 形 動 [ˈkaʊntəfɪt] 模造物，偽造の，偽造する	類 fake 名 形 動 偽造(の)，偽造する 反 genuine 形 本物の
☐ **counterpart** 名 [ˈkaʊntəpɑːt] 割り印，相対物，副本	熟 have a counterpart to ～ ～に相当するものがある
☐ **countertop** 名 [ˈkaʊntətɒp] キッチンカウンター	類 counter 名 調理台
☐ **courtesy** 名 [ˈkɜːtəsi] 礼儀，丁重，いんぎん，親切	熟 by courtesy of ～ ～の好意によって
☐ **courthouse** 名 [ˈkɔːthaʊs] 裁判所	▶ courtroom 名 法廷
☐ **cove** 名 [kəʊv] 湾，入り江	▶ covelike 形 湾のような
☐ **crafty** 形 [ˈkrɑːfti] 悪賢い	▶ craft 名 技能，技巧，悪だくみ
☐ **cram** 名 動 [kræm] (無理に)詰め込む(こと)	▶ cram school 塾
☐ **crawl** 名 動 [krɔːl] はう(こと)，徐行	▶ crawler 名 (まだ歩けない)赤ん坊
☐ **credence** 名 [ˈkriːdəns] 信用	▶ credential 名 信任状
☐ **creek** 名 [kriːk] 小川	熟 up the creek 窮地に立って
☐ **creep** 動 名 [kriːp] はう(こと)，ぞっとする	▶ creepy 形 ぞっとする
☐ **crescent** 名 [ˈkresənt, ˈkrez-] 三日月	the Crescent イスラム教徒

☐ **cricket** 名 [ˈkrɪkɪt] コオロギ，クリケット(スポーツ)	熟 (as) merry as a cricket　とても陽気な
☐ **criterion** 名 [kraɪˈtɪəriən] 標準，基準	複 criteria ▶ criterial　形 標準として役立つ
☐ **crystal** 名 [ˈkrɪstl] 水晶	▶ crystalize　動 結晶させる
☐ **cuisine** 名 [kwɪˈziːn] 料理	Italian cuisine　イタリア料理 nouvelle cuisine　新しい料理法
☐ **cult** 名 [kʌlt] 信仰，儀式	熟 cult of ～　～の崇拝
☐ **cultivar** 名 [ˈkʌltɪˌvɑː] 栽培品種	類 cultigen　名 栽培型植物
☐ **cultivation** 名 [ˌkʌltəˈveɪʃən] (土地の)耕作	▶ cultivate　動 耕作する ▶ cultivable　形 耕作可能な
☐ **cunning** 形 [ˈkʌnɪŋ] 狡猾(こうかつ)な，ずるい，悪賢い	▶ cunningly　副 狡猾に ▶ cunningness　名 狡猾さ
☐ **curator** 名 [kjʊˈreɪtə] 館長，主事	▶ curatorial　形 学芸員の
☐ **curb** 名 動 [kɜːb] 縁石，抑制(する)	熟 curb global warming　地球温暖化を抑える
☐ **currency** 名 [ˈkʌrənsi] 通貨，流通貨幣	▶ current　名 形 潮流，現在の
☐ **curse** 動 [kɜːs] 呪う	熟 curse at ～　～をののしる
☐ **cursive** 形 [ˈkɜːsɪv] 草書体の	cursive manner　筆記体

☐ **custody** 名 [ˈkʌstədi] 保護，管理	熟 in custody　拘留されて ▶ custodial　形 保護の
☐ **cyclone** 名 [ˈsaɪkləʊn] 低気圧	反 anticyclone　名 高気圧
☐ **cynical** 形 [ˈsɪnɪkəl] 皮肉な，冷笑的な，世をすねた	反 credulous　形 信じやすい，馬鹿正直な ▶ cynic　名 皮肉屋 ▶ cynicism　名 冷笑的な態度
☐ **damp** 形 [dæmp] じめじめした	▶ damply　副 湿って ▶ dampness　名 湿気
☐ **dampen** 動 [ˈdæmpən] 湿らせる	▶ dampener　名 緩衝装置
☐ **daylight** 名 [ˈdeɪlaɪt] 日光，日中	at daylight　夜明けに in daylight　昼間に
☐ **daytime** 名 形 [ˈdeɪtaɪm] 昼間(の)	反 nighttime　名 形 夜間(の)
☐ **dealing** 名 [ˈdiːlɪŋ] ふるまい	複 dealings　名 交際関係 熟 have dealings with ～　～と取り引きがある
☐ **dean** 名 [diːn] 学部長	dean's list　成績優秀者のリスト
☐ **deceive** 動 [dɪˈsiːv] だます，欺く，思い違いをさせる	熟 deceive *A* into *B*　AをだましてBをさせる
☐ **decelerate** 動 [ˌdiːˈseləreɪt] 速度を落とす	反 accelerate　動 加速する
☐ **deception** 名 [dɪˈsepʃən] 欺くこと，惑わし，欺瞞(ぎまん)	▶ deceptive　形 人を欺くような
☐ **decisive** 形 [dɪˈsaɪsɪv] 決定的な，決定力のある，重大な	decisive character　果断な性格 ▶ decision　名 決定 ▶ decide　動 決定する

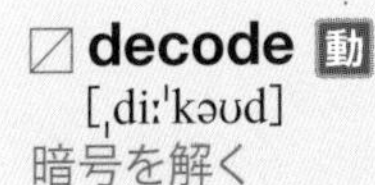

☐ **decode** 動 [ˌdiːˈkəʊd] 暗号を解く	反 encode 動 暗号に書き直す
☐ **dedication** 名 [ˌdedɪˈkeɪʃən] 献身	▶ dedicate 動 捧げる ▶ dedicatory 形 奉納の
☐ **deduct** 動 [dɪˈdʌkt] 控除する	▶ deduction 名 控除，演繹（えんえき） ▶ deductive 形 演繹的な
☐ **defective** 形 [dɪˈfektɪv] 欠点のある	▶ defectiveness 名 欠点 ▶ defectively 副 不備な方法で
☐ **defensive** 形 [dɪˈfensɪv] 防御的な，自衛上の，守備の	▶ defensiveness 名 防御性 ▶ defensively 副 防御的に ▶ defend 動 守る
☐ **defer** 動 [dɪˈfɜː] 延ばす，延期する	▶ deferment 名 延期 ▶ deferred 形 延期された ▶ deference 名 服従，尊敬
☐ **defy** 動 [dɪˈfaɪ] ものともしない，無視する	▶ defiance 名 反抗の態度 ▶ defiant 形 反抗的な
☐ **degrade** 動 [dɪˈgreɪd] 品位を落とす	▶ degradation 名 降格 ▶ degrading 形 侮辱する
☐ **dejected** 形 [dɪˈdʒektɪd] がっかりした	▶ dejection 名 落胆 ▶ dejectedly 副 がっかりして
☐ **delta** 名 [ˈdeltə] デルタ，三角形のもの	▶ deltaic 形 三角形の
☐ **denigrate** 動 [ˈdenəˈgreɪt] 誹謗する，中傷する	▶ denigration 名 誹謗，中傷
☐ **dense** 形 [dens] 密集した	▶ density 名 密度
☐ **dental** 形 [ˈdentl] 歯の	▶ dentist 名 歯医者

☐ **dependable** 形 [dɪˈpendəbəl] 頼みになる	▶ dependably 副 忠実に ▶ dependability 名 頼みになること
☐ **dependency** 名 [dɪˈpendənsi] 依存物，属国	▶ dependent 形 従属関係の ▶ depend 動 当てにする
☐ **depersonalize** 動 [ˌdiːˈpɜːsənəlaɪz] 非人格化する，個性を奪う	depersonalization disorder 離人症性障害，離人症候群
☐ **deploy** 動 [dɪˈplɔɪ] 展開する，配置する	▶ deployment 名 配置，展開
☐ **depression** 名 [dɪˈpreʃən] 不景気，意気消沈	▶ depressive 形 憂鬱な ▶ depress 動 意気消沈させる
☐ **deprive** 動 [dɪˈpraɪv] 奪う	熟 deprive *A* of *B* AからBを奪う
☐ **derange** 動 [dɪˈreɪndʒ] 乱す，混乱させる	▶ derangement 名 かく乱 ▶ deranged 形 錯乱した
☐ **descendant** 名 [dɪˈsendənt] 子孫	▶ descend 動 下りる ▶ descent 名 下降，下り坂
☐ **desperate** 形 [ˈdespərət] 自暴自棄の，捨てばちの	▶ desperation 名 自暴自棄 ▶ desperately 副 自暴自棄で
☐ **destine** 動 [ˈdestɪn] 運命づける	▶ destiny 名 運命 ▶ destination 名 目的地
☐ **destructive** 形 [dɪˈstrʌktɪv] 破壊的な	▶ destruct 動 破壊する ▶ destructively 副 破壊的に
☐ **detach** 動 [dɪˈtætʃ] 引き離す	▶ detachment 名 分離，孤立 ▶ detachable 形 取り外せる
☐ **detain** 動 [dɪˈteɪn] 引き留める	▶ detainment 名 留置 ▶ detainee 名 抑留者

☐ **detection** 名 [dɪ'tekʃən] 看破，探知，発見，発覚	▶ detector 名 探知機 ▶ detect 動 感知する，見つける ▶ detective 名 刑事
☐ **deterioration** 名 [dɪˌtɪərɪ'reɪʃən] 悪化	▶ deteriorate 動 悪化させる
☐ **detour** 名 ['diːtʊə] 迂回路	熟 make a detour　遠回りする
☐ **devastate** 動 ['devəsteɪt] 荒らす，荒廃させる	▶ devastation 名 荒廃 ▶ devastator 名 破壊者 ▶ devastating 形 破滅的な
☐ **deviate** 動 ['diːvieɪt] それる，はずれる，逸脱する	▶ deviation 名 逸脱 ▶ deviationist 名 逸脱者
☐ **devise** 動 [dɪ'vaɪz] 工夫する，考案する，案出する，発明する	▶ device 名 装置，工夫
☐ **devotion** 名 [dɪ'vəʊʃən] 献身	▶ devote 動 捧げる
☐ **devour** 動 [dɪ'vaʊə] むさぼり食う，がつがつ食う	熟 devour a book　本をむさぼり読む
☐ **devout** 形 [dɪ'vaʊt] 信心深い	▶ devoutness 名 信心深さ ▶ devoutly 副 敬虔に
☐ **diabetes** 名 [ˌdaɪə'biːtiːz, -tɪs] 糖尿病	▶ diabetic 形 糖尿病の
☐ **diagnose** 動 ['daɪəgnəʊz] 診断する	▶ diagnosis 名 診断 ▶ diagnostic 形 診断の
☐ **dial** 名 動 [daɪəl] 文字盤，電話する	dial the wrong number　間違った電話番号にかける
☐ **dictate** 動 [dɪk'teɪt] 書き取らせる，命令する	▶ dictator 名 独裁者 ▶ dictation 名 口述

☐ **differentiate** 動 [ˌdɪfəˈrenʃieɪt] 識別する	▶ differential 形 差異の
☐ **digestion** 名 [daɪˈdʒestʃən, də-] 消化，こなれ	▶ digest 動 消化する ▶ digestive 形 消化を助ける
☐ **dilution** 名 [daɪˈluːʃən] 薄めること，希薄，薄弱化	▶ dilute 形 動 薄い，薄める
☐ **dime** 名 [daɪm] 10セント硬貨	熟 a dime a dozen　ありふれた
☐ **dimension** 名 [daɪˈmenʃən, də-] 寸法	▶ dimensional 形 次元の ▶ dimensionalize 動 立体的に表す ▶ dimensional 形 ～次元の
☐ **diminish** 動 [dəˈmɪnɪʃ] 減らす	▶ diminishment 名 縮減 反 increase 動 増える
☐ **diplomatic** 形 [ˌdɪpləˈmætɪk] 外交の	▶ diplomat 名 外交官 ▶ diplomatize 動 駆け引きする ▶ diplomacy 名 外交
☐ **disability** 名 [ˌdɪsəˈbɪləti] 無力	▶ disable 動 無力にする
☐ **disadvantaged** 形 [ˌdɪsədˈvɑːntɪdʒd] 恵まれない環境の	the disadvantaged　恵まれない人々 ▶ disadvantage 名 不利(な点)
☐ **disappearance** 名 [ˌdɪsəˈpɪərəns] 消滅	▶ disappear 動 消失する disappearance from home　家出
☐ **disarray** 名 動 [ˌdɪsəˈreɪ] 混乱(させる)	熟 in disarray　混乱して
☐ **disastrous** 形 [dɪˈzɑːstrəs] 災害の，悲惨な	▶ disaster 名 災害 ▶ disastrously 副 悲惨な状態で
☐ **discard** 名 動 [ˈdɪskɑːd] 放棄，廃棄，捨てる	▶ discarded 形 捨てられた

☐ **discontent** 名 形 動 [ˌdɪskənˈtent] 不満(な)，　不満を抱かせる	熟 be discontent with ～　～に不満な 反 content　名 満足
☐ **disguise** 名 動 [dɪsˈgaɪz] 変装(させる)，偽装(する)	熟 in disguise　変装して
☐ **dispense** 動 [dɪˈspens] 分配する，供給する	熟 dispense with ～　～なしで済ます
☐ **disposal** 名 [dɪˈspəʊzəl] 処分，処置	熟 at *one's* disposal　～のご自由に使える
☐ **dispose** 動 [dɪˈspəʊz] 配置する	▶ disposition　名 (人の)性質 熟 dispose of ～　～を処分する
☐ **disregard** 名 動 [ˌdɪsrɪˈgɑːd] 無視(する)，　軽視(する)	熟 in disregard of ～　～を無視して 反 heed　動 (助言など)に注意する
☐ **distinction** 名 [dɪˈstɪŋkʃən] 区別	▶ distinct　形 別個の，明瞭な ▶ distinctly　副 明白に ▶ distinguish　動 ～を区別する
☐ **distract** 動 [dɪˈstrækt] 散らす，そらす	▶ distraction　名 気を散らすこと ▶ distracted　形 注意をそらされた
☐ **diversion** 名 [daɪˈvɜːʃən, də-] 脇へそらすこと	▶ divert　動 脇へそらす
☐ **divine** 形 [dəˈvaɪn] 神の	▶ divinity　名 神性
☐ **docile** 形 [ˈdəʊsaɪl] おとなしい	▶ docilely　副 おとなしく ▶ docility　名 従順さ
☐ **domestication** 名 [dəˌmestɪˈkeɪʃən] 順化，家畜化	▶ domesticate　動 飼い慣らす ▶ domestic　形 家庭の，飼い慣らされた
☐ **dominate** 動 [ˈdɒməneɪt] 支配する，圧する	▶ dominant　形 支配的な，最も有力な ▶ domination　名 支配

☐ **donor** 名 [ˈdəʊnə] 寄贈者，提供者	反 donee 名 受贈者
☐ **doom** 名 動 [duːm] 運命(づける)，破滅，死	▶ doomful 形 不吉な ▶ doomed 形 絶望的な
☐ **dose** 名 動 [dəʊs] (薬の)一服，投薬する	▶ overdose 名 過量服用
☐ **doubtful** 形 [ˈdaʊtfəl] 疑いを抱いて	▶ doubtfulness 名 疑わしさ ▶ doubtfully 副 疑わしげに
☐ **drab** 形 [dræb] 茶色の，単調な	▶ drabness 名 くすんだ茶色，単調さ ▶ drably 副 さえない方法で
☐ **drag** 名 動 [dræg] 引く(こと)，引っぱる	熟 drag behind　手間取る 熟 drag *one's* feet　足を引きずる
☐ **drain** 名 動 [dreɪn] 排水管，排水(する)	▶ drainage 名 排水
☐ **drastic** 形 [ˈdræstɪk] 思い切った，徹底的な	drastic measures　思い切った手段 ▶ drastically 副 大幅に，思い切って
☐ **drawback** 名 [ˈdrɔːbæk] 欠点，不利益，控除，払い戻し	類 disadvantage 名 不利な立場，不利益
☐ **dread** 名 動 [dred] 恐怖，恐れる	▶ dreadful 形 ひどい，恐ろしい
☐ **drench** 動 [drentʃ] びしょ濡れにする	▶ drenched 形 びしょ濡れの
☐ **drone** 名 [drəʊn] 雄蜂，無人機	drone system　無人飛行システム
☐ **droop** 名 動 [druːp] うなだれる(こと)，意気消沈	熟 droop *one's* head　うつむく

☐ **drug-resistant** 形 [ˌdrʌg rɪˈzɪstənt] 薬剤耐性の	drug-resistant cancer　薬剤耐性がん
☐ **dual** 形 [ˈdjuːəl] 2の，二重の	▶ duality　名 二重性
☐ **duke** 名 [djuːk] 公爵	反 duchess　名 公爵夫人，(女性の)公爵
☐ **dump** 名 動 [dʌmp] 捨てる，ごみ捨て場	▶ dumping　名 廃棄，投げ売り
☐ **duplicate** 名 形 動 [ˈdjuːplɪkeɪt] 重複(の)，複製(する)	熟 in duplicate　(正と副の)2通で ▶ duplication　名 写し
☐ **dweller** 名 [ˈdwelə] 住人，居住者	▶ dwell　動 住む ▶ dwelling　名 住居 熟 dwell on ～　～を考える
☐ **dynamic** 名 [daɪˈnæmɪk] 力学，動力	▶ dynamical　形 活動的な ▶ dynamically　副 活動的に
☐ **eager** 形 [ˈiːgə] しきりに求めて，熱望して	▶ eagerness　名 熱意 ▶ eagerly　副 熱心に
☐ **earnings** 名 [ˈɜːnɪŋz] 稼ぎ高，所得，稼いだもの	▶ earn　動 稼ぐ
☐ **eclectic** 名 形 [ɪˈklektɪk] 取捨選択する，折衷主義者	▶ eclecticism　名 折衷主義
☐ **ecology** 名 [ɪˈkɒlədʒi] 生態学	▶ ecologist　名 生態学者
☐ **edible** 形 [ˈedəbəl] 食べられる，食用に適する	▶ edibleness　名 食べられること 反 inedible　形 食用に適さない
☐ **editorial** 名 形 [ˌedəˈtɔːriəl] 社説(の)，編集(の)	▶ editor　名 編集者

☐ **eerie** 形 [ˈɪəri] 不気味な	▶ eeriness 名 不気味さ ▶ eerily 副 不気味に
☐ **elaborate** 形 動 [ɪˈlæbərət] 入念な，精巧な，念入りに作る	▶ elaboration 名 入念，精巧
☐ **election** 名 [ɪˈlekʃən] 選挙，当選	primary election 予備選挙 general election 総選挙
☐ **electoral** 形 [ɪˈlektərəl] 選挙の	electoral district 選挙区
☐ **electromagnetic** 形 [ɪˌlektrəʊmæɡˈnetɪk] 電磁気の	electromagnetic wave 電磁波
☐ **electron** 名 [ɪˈlektrɒn] 電子	類 neutron 名 中性子，ニュートロン
☐ **elegance** 名 [ˈelɪɡəns] 優雅，上品	▶ elegant 形 優雅な
☐ **elevate** 動 [ˈelɪveɪt] 高める，高尚にする	▶ elevation 名 登用，向上
☐ **embark** 動 [ɪmˈbɑːk] 積み込む，乗船させる	熟 embark on ～ ～を始める
☐ **embarrassment** 名 [ɪmˈbærəsmənt] 当惑，困惑	▶ embarrass 動 恥ずかしい思いをさせる ▶ embarrassing 形 人を当惑させるような
☐ **embassy** 名 [ˈembəsi] 大使館	類 ambassador 名 大使
☐ **embed** 動 [ɪmˈbed] はめ込む	▶ embeddable 形 はめ込み可能な
☐ **emergence** 名 [ɪˈmɜːdʒəns] 出現	▶ emerge 動 出現する ▶ emergent 形 新興の

☐ **emigrate** 動 ['emɪgreɪt] 移住する	▶ emigration 名 移住 ▶ emigrant 名 移民
☐ **eminent** 形 ['emɪnənt] 地位の高い，有名な	▶ eminence 名 高名，卓越 ▶ eminently 副 抜きんでて
☐ **emission** 名 [ɪ'mɪʃən] 放射，発射	▶ emit 動 放射する
☐ **emotional** 形 [ɪ'məuʃənəl] 情にもろい，感激しやすい	▶ emotion 名 感情 ▶ emotionally 副 感情的に
☐ **empower** 動 [ɪm'pauə] 強める	▶ empowerment 名 権限委譲
☐ **emulate** 動 ['emjəleɪt] 競う，まねる	▶ emulation 名 競うこと，まねること
☐ **enclosure** 名 [ɪn'kləuʒə] 囲い込み	▶ enclose 動 取り囲む
☐ **endorse** 動 [ɪn'dɔːs] 裏書きする，支持する	▶ endorsement 名 裏書き，支持
☐ **energize** 動 ['enədʒaɪz] 激励する	▶ energization 名 勢いを与えること
☐ **enforcement** 名 [ɪn'fɔːsmənt] 施行，執行	▶ enforce 動 実施する，施行する
☐ **engage** 動 [ɪn'geɪdʒ] 従事する，携わる	▶ engagement 名 約束，婚約 ▶ engaged 形 婚約中の
☐ **enormously** 副 [ɪ'nɔːməsli] 莫大に	▶ enormous 形 巨大な ▶ enormity 名 極悪さ，巨大さ
☐ **enrage** 動 [ɪn'reɪdʒ] ひどく怒らす，激怒させる	▶ rage 名 激怒 ▶ enragement 名 強い怒りの気持ち

☐ **entangle** 動 [ɪnˈtæŋgəl] もつれさせる	反 disentangle 動 もつれをほどく ▶ entanglement 名 巻き込むこと
☐ **entrust** 動 [ɪnˈtrʌst] 任せる，委託する	▶ entrustment 名 委託
☐ **enumerate** 動 [ɪˈnjuːməreɪt] 列挙する，数え上げる	▶ enumeration 名 列挙，リスト
☐ **envious** 形 [ˈenviəs] ねたみを抱いている，うらやましそうな	▶ envy 名 動 ねたみ，羨望，うらやむ ▶ enviously 副 うらやましそうに
☐ **environmentalist** 名 [ɪnˌvaɪrənˈmentəlɪst] 環境保護主義者	▶ environment 名 環境 ▶ environmental 形 環境の
☐ **envoy** 名 [ˈenvɔɪ] 使節	envoy extraordinary 特命全権大使
☐ **epidemic** 名 形 [ˌepəˈdemɪk] 伝染病，流行性の，伝染性の	類 pandemic 名 形 伝染爆発(の)
☐ **epidemiology** 名 [ˌepədiːmiˈɒlədʒi] 疫学，伝染病学	▶ epidemiologic 形 疫学の
☐ **episode** 名 [ˈepəsəʊd] 挿話，エピソード	▶ episodic 形 挿話的な
☐ **equation** 名 [ɪˈkweɪʒən] 等しくすること，方程式	linear equation 一次方程式
☐ **equilibrium** 名 [ˌiːkwəˈlɪbriəm] 均衡，平静	▶ equilibrate 動 釣りあわせる
☐ **erect** 形 動 [ɪˈrekt] 直立の，直立させる	▶ erectness 名 直立，垂直 ▶ erection 形 直立
☐ **erosion** 名 [ɪˈrəʊʒən] 浸食	▶ erode 動 浸食する

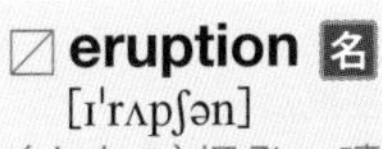

☐ **eruption** 名 [ɪˈrʌpʃən] （火山の）爆発，噴火	▶ erupt 動 爆発する
☐ **escort** 名 動 [ˈeskɔːt] エスコート役，護衛する	熟 under escort　護衛されて
☐ **essence** 名 [ˈesəns] 本質，エッセンス	熟 in essence　本質的に
☐ **ethic** 名 [ˈeθɪk] 倫理，道徳律	▶ ethical 形 倫理的な，道徳上の
☐ **eulogy** 名 [ˈjuːlədʒi] 賛辞	▶ eulogize 動 賛辞を贈る
☐ **evacuation** 名 [ɪˌvækjuˈeɪʃən] 避難	▶ evacuate 動 避難する（させる）
☐ **evaporate** 動 [ɪˈvæpəreɪt] 蒸発させる	▶ evaporation 名 蒸発 ▶ evaporative 形 蒸発性の
☐ **evenly** 副 [ˈiːvənli] 平等に	▶ even 形 平等な，平らな
☐ **eventful** 形 [ɪˈventfəl] 多事な，重大な	▶ eventfulness 名 多事，重要さ
☐ **ever-changing** 形 [ˈevə ˌtʃeɪndʒɪŋ-] 変わり続ける	ever-changing scene　変わり続ける光景
☐ **evict** 動 [ɪˈvɪkt] 立ち退かせる，追い立てる	▶ eviction 名 立ち退き，追い立て
☐ **evil** 形 [ˈiːvəl] 悪の	▶ evilness 名 悪
☐ **evolutionary** 形 [ˌiːvəˈluːʃənəri, ˌevə-] 進化的な，展開的な	▶ evolutionarily 副 進化的な方法で ▶ evolution 名 進化，発展

☐ **exaggerate** 動 [ɪgˈzædʒəreɪt] 誇張する	▶ exaggeration 名 誇張 ▶ exaggerated 形 誇張された
☐ **excavation** 名 [ˌekskəˈveɪʃən] 発掘	▶ excavate 動 発掘する
☐ **excerpt** 名 動 [ˈeksɜːpt] 抄録，抜粋(する)	▶ excerption 名 抜粋
☐ **excess** 名 [ɪkˈses, ˈekses] 過多，過剰，超過	▶ excessive 形 過剰な ▶ exceed 動 ～を超える
☐ **exclude** 動 [ɪkˈskluːd] 締め出す，遮断する	▶ exclusive 形 排他的な ▶ exclusion 名 除外
☐ **exert** 動 [ɪgˈzɜːt] 用いる，働かせる	熟 exert *oneself* to ～　～するよう努力する
☐ **exertion** 名 [ɪgˈzɜːʃən] 努力，尽力	▶ exertional 形 労作の
☐ **exhale** 動 [eksˈheɪl] 吐き出す	▶ exhalation 名 息を吐き出すこと，発散 反 inhale 動 吸い込む
☐ **exhaustion** 名 [ɪgˈzɔːstʃən] 使い尽くすこと，消耗，枯渇	▶ exhaust 動 使い尽くす，疲れさせる
☐ **exile** 名 動 [ˈeksaɪl, ˈegzaɪl] 亡命(者)，国外へ追放する	熟 in exile　亡命中で
☐ **exotic** 形 [ɪgˈzɒtɪk] 異国情緒の，異国風の	▶ exoticness 名 異国風の性質
☐ **expanse** 名 [ɪkˈspæns] 広がり，広々とした場所	▶ expand 動 広げる ▶ expansive 形 広々とした
☐ **expat** 名 [ˌeksˈpæt] 国外駐在	▶ expatriate 動 国外に追放する，国籍を取りあげる

☐ **expectancy** 名 [ɪkˈspektənsi] 期待，待望	life expectancy　平均余命
☐ **experimental** 形 [ɪkˌsperəˈmentl] 実験的な	▶ experimentally　副 実験的に ▶ experiment　名 実験
☐ **expire** 動 [ɪkˈspaɪə] 満了する，終了する	▶ expiration　名 期限切れ
☐ **explanatory** 形 [ɪkˈsplænətəri] 説明的な，解釈上の	explanatory note　注釈
☐ **explicit** 形 [ɪkˈsplɪsɪt] 明白な，はっきりした	▶ explicitly　副 明白に 反 implicit　形 暗に示された
☐ **exploitation** 名 [ˌeksplɔɪˈteɪʃən] 開発，開拓	▶ exploit　名 動 偉業，手柄，開発する
☐ **exposition** 名 [ˌekspəˈzɪʃən] 博覧会，展示	類 exhibition　名 展覧会
☐ **exposure** 名 [ɪkˈspəʊʒə] さらすこと	▶ expose　動 さらす，あばく
☐ **expressway** 名 [ɪkˈspresweɪ] 高速道路	類 highway　名 幹線道路
☐ **extant** 形 [ɪkˈstænt] 現存の	反 extinct　形 絶滅した
☐ **external** 形 [ɪkˈstɜːnl] 外部の，外の，外面の	反 internal　形 内面の
☐ **extinguish** 動 [ɪkˈstɪŋgwɪʃ] 消す	▶ extinguisher　名 消火器 反 light　動 火をつける
☐ **extort** 動 [ɪkˈstɔːt] 強要する，奪い取る	▶ extortion　名 強要，奪い取ること ▶ extortionate　形 法外な

☐ **extract** 動 [ɪkˈstrækt] 抜く，抜き取る	▶ extraction 名 抜き取ること ▶ extractive 形 抜粋的な
☐ **extravagant** 形 [ɪkˈstrævəgənt] 浪費する，贅沢な	▶ extravagance 名 浪費 ▶ extravagantly 副 贅沢に
☐ **fabricate** 動 [ˈfæbrɪkeɪt] でっちあげる，偽造する	▶ fabrication 名 製造，でっちあげ
☐ **facilitate** 動 [fəˈsɪlɪteɪt] 容易にする，楽にする	▶ facilitation 名 容易にすること ▶ facilitative 形 促進性の
☐ **faint** 名 形 動 [feɪnt] 気絶(する)，ぼんやりとした	類 pass out 気絶する
☐ **fake** 名 形 動 [feɪk] 詐欺師，偽造(の)，偽造する	類 counterfeit 名 形 動 模造物，偽造の，偽造する 反 genuine 形 本物の
☐ **falsify** 動 [ˈfɔːlsɪfaɪ] 偽造する，偽る	▶ falsification 名 偽造 ▶ false 形 誤った
☐ **famine** 名 [ˈfæmɪn] 飢饉	類 starvation 名 飢餓 ▶ famish 動 餓える ▶ famished 形 餓えた
☐ **fancy** 名 形 動 [ˈfænsi] 空想(する)，装飾的な	熟 fancy *oneself* うぬぼれる
☐ **fasten** 動 [ˈfɑːsən] しっかり留める	▶ fastener 名 留めるもの ▶ fast 形 固定した，しっかりした
☐ **fatal** 形 [ˈfeɪtl] 致命的な	▶ fatality 名 不運，不幸 ▶ fatally 副 致命的に ▶ fate 名 運命
☐ **fatigue** 名 動 [fəˈtiːg] 疲労，作業服，疲れさせる	▶ fatigued 形 疲れきった ▶ fatiguing 形 とても疲れさせる
☐ **faulty** 形 [ˈfɔːlti] 欠点のある	▶ faultiness 名 不完全な状態 ▶ fault 名 (過失の)責任

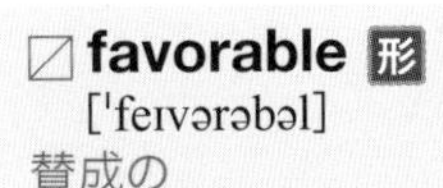

☐ **favorable** 形 [ˈfeɪvərəbəl] 賛成の	▶ favorability 名 好ましさ
☐ **federation** 名 [ˌfedəˈreɪʃən] 連合，同盟	▶ federal 形 連邦の
☐ **fertile** 形 [ˈfɜːtaɪl] 肥沃(ひよく)な	▶ fertility 名 肥沃，多産 ▶ fertilize 動 受精させる
☐ **festive** 形 [ˈfestɪv] 祝祭の	▶ festively 副 陽気に ▶ festivity 名 祭礼，祝祭
☐ **feverish** 形 [ˈfiːvərɪʃ] 熱のある	▶ feverishly 副 熱狂して
☐ **fiber-optic** 形 [ˌfaɪbə ˈɒptɪk] 光ファイバーの	fiber-optic cable 光ファイバーケーブル
☐ **fictional** 形 [ˈfɪkʃənəl] 小説の，作りごとの	▶ fictionalize 動 小説にする
☐ **fictitious** 形 [fɪkˈtɪʃəs] 架空の，想像上の	▶ fictitiously 副 虚構のさまの 反 genuine 形 本物の
☐ **fierce** 形 [fɪəs] 獰猛(どうもう)な，凶暴な	▶ fiercely 副 獰猛に ▶ fierceness 名 獰猛さ，猛威
☐ **filial** 形 [ˈfɪliəl] 子としての	filial piety 親孝行
☐ **finite** 形 [ˈfaɪnaɪt] 有限の	▶ finitely 副 有限のある ▶ finiteness 名 有限性
☐ **fireplace** 名 [ˈfaɪəpleɪs] 暖炉	類 hearth 名 暖炉，家庭
☐ **first-born** 名 形 [ˈfɜːstbɔːn] 最初に生まれた，長男，長女	first-born baby 最初の赤ん坊

☐ **fizzle** 動 [ˈfɪzəl] 立ち消えになる	熟 fizzle out　尻すぼみになって終わる
☐ **flattery** 名 [ˈflætəri] お世辞	▶ flatter　動 お世辞を言う
☐ **flaw** 名 動 [flɔː] 欠点，ひび，傷をつける	反 flawless　形 傷のない，完全な
☐ **flicker** 名 動 [ˈflɪkə] 点滅，明滅する[させる]	a flicker of light　ちらちらする光
☐ **flipper** 名 [ˈflɪpə] ひれ状の足	flipper for swimming　水泳用足ひれ
☐ **flock** 名 動 [flɒk] 群れ，集まる	熟 in flocks　群れをなして
☐ **fluid** 名 形 [ˈfluːɪd] 流動体(の)	類 liquid　名 形 流動体，液体(の) 反 solid　名 形 固体(の) ▶ fluidity　名 流動性
☐ **foe** 名 [fəʊ] 敵	political foe　政敵
☐ **fog** 名 動 [fɒg] 霧，霧でおおう，霧がかかる	▶ foggy　形 霧が深い
☐ **folly** 名 [ˈfɒli] 愚行	熟 commit a folly　馬鹿なことをする
☐ **forbid** 動 [fəˈbɪd] 禁じる	▶ forbiddance　名 禁止
☐ **formalize** 動 [ˈfɔːməlaɪz] 一定の形を与える	▶ formalization　名 形式化 ▶ formally　副 正式に ▶ formal　形 折り目正しい
☐ **format** 名 [ˈfɔːmæt] 型，判	▶ formative　形 形成の

☐ **formidable** 形 [ˈfɔːmədəbəl, fəˈmɪd-] 恐るべき，手ごわい	▶ formidability 名 したたかさ ▶ formidably 副 手ごわく
☐ **formulate** 動 [ˈfɔːmjəleɪt] 明確に述べる，公式化する	▶ formula 名 決まった言い方，定式
☐ **fort** 名 [fɔːt] 砦	▶ fortify 動 要塞化する，強化する
☐ **foster** 動 [ˈfɒstə] 育てる，養育する	foster parent　育ての親
☐ **fragrance** 名 [ˈfreɪgrəns] かぐわしいこと，香気	▶ fragrant 形 香りのよい ▶ fragrantly 副 かぐわしく
☐ **franchise** 名 動 [ˈfræntʃaɪz] 参政権，営業権(を与える)	熟 under franchise　フランチャイズ制で
☐ **freelance** 名 [ˈfriːlɑːns] フリーの作家，自由契約の記者	freelance reporter　フリーの記者
☐ **freight** 名 動 [freɪt] 貨物運送，貨物を積む	freight transport　貨物輸送
☐ **frequency** 名 [ˈfriːkwənsi] 頻度	▶ frequent 形 頻繁な ▶ frequently 副 頻繁に
☐ **freshman** 名 [ˈfreʃmən] 大学1年生	cf. sophomore 名 大学2年生 cf. junior 名 大学3年生 cf. senior 名 大学4年生
☐ **friction** 名 [ˈfrɪkʃən] 摩擦	▶ frictional 形 摩擦の
☐ **fright** 名 [fraɪt] 恐怖，驚き	stage fright　舞台上での緊張 ▶ frighten 動 怖がらせる ▶ frightful 形 恐ろしい
☐ **fume** 名 動 [fjuːm] 煙霧，興奮，煙る，いぶる	熟 in a fume　怒って

☐ **functional** 形 [ˈfʌŋkʃənəl] 機能の，関数の	▶ function 名 動 機能，働き，関数，働く
☐ **fundamental** 形 [ˌfʌndəˈmentl] 基盤となる	▶ fundamentally 副 根本的に
☐ **furious** 形 [ˈfjʊəriəs] 怒り狂った	▶ fury 名 怒り ▶ furiously 副 怒り狂って
☐ **furnace** 名 [ˈfɜːnɪs] 暖房炉	stoke furnace　炉に薪をくべる
☐ **fusion** 名 [ˈfjuːʒən] 溶解，連合	▶ fusionism 名 連合主義 ▶ fuse 動 溶かす
☐ **fussy** 形 [ˈfʌsi] 騒ぎ立てる，気難しい	▶ fussiness 名 好き嫌い ▶ fussily 副 口うるさく
☐ **galvanize** 動 [ˈgælvənaɪz] 元気を与える	▶ galvanization 名 直流通電，電池作用
☐ **gasp** 名 動 [gɑːsp] 喘ぎ，息をのむ(こと)	熟 gasp for air　息を切らす
☐ **gathering** 名 [ˈgæðərɪŋ] 集会，集まり	family gathering　家族の集まり
☐ **gauge** 名 動 [geɪdʒ] 標準寸法，測定する	temperature gauge　温度計 depth gauge　水深計
☐ **gel** 名 [dʒel] ゲル，ゼリー状の物	反 sol 名 ゾル
☐ **gene** 名 [dʒiːn] 遺伝子	▶ genetically 副 遺伝的に ▶ genetics 名 遺伝学
☐ **generic** 形 [dʒəˈnerɪk] 一般的な，(分類上の)属の	generic person　総人称(一般的に人を指す)

☐ **genomics** 名 [dʒəˈnəʊmɪks] ゲノムに関する科学	▶ genome 名 ゲノム〔染色体の一組〕
☐ **geographical** 形 [ˌdʒiːəˈgræfɪkəl] 地理学の，地理的な	▶ geography 名 地理学
☐ **geologist** 名 [dʒiˈɒlədʒɪst] 地質学者	▶ geology 名 地質学
☐ **germ** 名 [dʒɜːm] 細菌，兆し	熟 in germ　芽生えの状態で
☐ **glamour** 名 [ˈglæmə] 魅力，魅惑	▶ glamorous 形 魅力的な
☐ **glare** 名 動 [gleə] まぶしい光，ぎらぎら光る	▶ glaring 形 まぶしい，明白な
☐ **glide** 動 [glaɪd] すべるように動く，滑走する	▶ glider 名 グライダー
☐ **globe** 名 [gləʊb] 球体，地球	▶ global 形 全世界の，球体の
☐ **gloomy** 形 [ˈgluːmi] 暗い，陰気な	▶ gloom 名 暗がり，憂うつ
☐ **gnat** 名 [næt] ブヨ，イエカ	熟 strain at a gnat　ささいなことにこだわる
☐ **gossip** 名 動 [ˈgɒsɪp] うわさ話(をする)	gossip session　井戸端会議
☐ **gradation** 名 [grəˈdeɪʃən] 段階的変化	▶ gradate 動 段階的に変わる
☐ **graphic** 形 [ˈgræfɪk] 写実的な，図で表した	▶ graphics 名 製図法

☐ **grasp** 動 名 [grɑːsp] つかむ(こと)，理解(する)	類 comprehend 動 把握する
☐ **gratify** 動 [ˈɡrætɪfaɪ] 喜ばせる，満足させる	▶ gratification 名 満足
☐ **graveyard** 名 [ˈɡreɪvjɑːd] 墓地	類 cemetery 名 共同墓地
☐ **grim** 形 [ɡrɪm] いかめしい，厳格な	▶ grimness 名 厳しさ，おそろしさ
☐ **grit** 動 名 [ɡrɪt] きしませる，小さな砂，勇気	熟 grit *one's* teeth at ～ ～に歯を食いしばる
☐ **groan** 動 名 [ɡrəʊn] うめく，うめき声，不賛成の声	熟 groan inwardly 苦悩する
☐ **groom** 動 名 [ɡruːm] 手入れする，訓練する，馬丁	類 train 動 訓練する
☐ **grumble** 動 名 [ˈɡrʌmbəl] 不平(を言う)	類 mutter 動 不平を言う
☐ **hail** 動 [heɪl] 迎える，呼ぶ	類 herald 動 歓迎する
☐ **hallow** 動 [ˈhæləʊ] 神聖なものとしてあがめる	hallowed ground 霊地
☐ **handful** 名 [ˈhændfʊl] ひとつかみ，手に負えないこと	熟 handful of ～ ひとつかみの～
☐ **handout** 名 [ˈhændaʊt] 折り込み広告，配布物	cash handout 補助金
☐ **handy** 形 [ˈhændi] 便利な，使いやすい	熟 come in handy 助けになる

☐ **harass** 動 [ˈhærəs, həˈræs] 悩ます，困らせる	▶ harassment 名 ハラスメント，嫌がらせ
☐ **harbor** 名 動 [ˈhɑːbə] 港，隠れ場所，心に抱く	類 hold 動 心に抱く
☐ **harden** 動 [ˈhɑːdn] 硬くする	▶ hardened 形 硬化した，鍛錬した ▶ hardener 名 硬化剤
☐ **hardware** 名 [ˈhɑːdweə] 金物類，ハードウェア，設備	反 software 名 ソフトウェア
☐ **harsh** 形 [hɑːʃ] 耳障りな，不快な	▶ harshness 名 不快感 ▶ harshly 副 厳しく，無情に
☐ **hasty** 形 [ˈheɪsti] 急いでなされた，急な	▶ hastiness 名 せっかちさ ▶ hastily 副 急いで ▶ hasten 動 急がせる
☐ **hay** 名 [heɪ] 干し草，まぐさ	hay fever 花粉症
☐ **hazardous** 形 [ˈhæzədəs] 冒険的な，危険な	▶ hazard 名 危険
☐ **heap** 動 名 [hiːp] 積み上げる，積み重ね，かたまり	a heap of ～ たくさんの～
☐ **hectic** 形 [ˈhektɪk] 興奮した，熱狂的な	▶ hectivity 名 熱狂的な活動 ▶ hectically 副 興奮して
☐ **heed** 動 名 [hiːd] 心に留める，注意(する)	熟 pay heed to ～ ～に注意する
☐ **heighten** 動 [ˈhaɪtn] 高める，高尚にする	heighten awareness 意識を高める
☐ **herald** 動 名 [ˈherəld] 布告者，告知(する)，布告(する)	類 announce 動 知らせる

☐ **hereditary** 形 [həˈredətəri] 遺伝の，世襲の	▶ hereditarily 副 遺伝的に ▶ heredity 名 遺伝
☐ **hibernation** 名 [ˌhaɪbəˈneɪʃən] 冬眠	▶ hibernate 動 冬眠する
☐ **hierarchy** 名 [ˈhaɪrɑːki] 階層制度	▶ hierarchical 形 階層的な
☐ **high-altitude** 名 [ˌhaɪ ˈæltɪtʃuːd] 高高度，高地	▶ altitude 名 高度
☐ **hillside** 名 [ˈhɪlsaɪd] 山腹	熟 on the hillside　山腹に
☐ **hinder** 動 [ˈhɪndə] 妨害する	▶ hindrance 名 妨害，障害
☐ **hippocampus** 名 [ˌhɪpəˈkæmpəs] 海馬〔脳の一部〕	▶ hippocampal 形 海馬の
☐ **hoax** 動 名 [həʊks] かつぐ，悪ふざけ	類 fraud 名 詐欺
☐ **hollow** 形 名 [ˈhɒləʊ] うつろな，内容のない，へこみ	類 vacuous 形 空虚な
☐ **homicide** 名 [ˈhɒmɪsaɪd] 殺人	▶ homicidal 形 殺人の
☐ **homogeneous** 形 [ˌhəʊməˈdʒiːniəs] 同種の	▶ homogeneousness 名 同種
☐ **honorary** 形 [ˈɒnərəri] 名誉として与えられる	▶ honor 名 名誉
☐ **horizon** 名 [həˈraɪzən] 水平線，範囲	▶ horizontal 形 水平の，横の 反 verticality 名 垂直

☐ **hormone** 名 [ˈhɔːməʊn] ホルモン	▶ hormonal 形 ホルモンの
☐ **horrify** 動 [ˈhɒrɪfaɪ] 怖がらせる	▶ horror 名 恐怖 ▶ horrible 形 恐ろしい ▶ horrific 形 恐ろしい
☐ **howl** 動 名 [haʊl] 遠吠え(する)	類 roar 動 吠える
☐ **hue** 名 [hjuː] 色合い	▶ hueless 形 色合いのない
☐ **hull** 名 動 [hʌl] 外皮，殻，皮をむく	類 dehull 動 さや[皮]をむく
☐ **hum** 動 [hʌm] ブンブンいう	熟 hum and haw 口ごもる
☐ **humble** 形 [ˈhʌmbəl] 謙遜な，控えめな	▶ humbleness 名 謙遜
☐ **hurdle** 名 動 [ˈhɜːdl] 障害物，飛び越す，克服する	類 vault 動 飛び越す
☐ **husbandry** 名 [ˈhʌzbəndri] 農業，耕作，やりくり	good husbandry 上手なやりくり
☐ **hybrid** 名 形 [ˈhaɪbrɪd] 雑種(の)，混合物	類 crossbreed 名 異種交配動[植]物 ▶ hybridize 動 交配させる
☐ **hydrate** 動 名 [ˈhaɪdreɪt] 水和させる，水和物	反 dehydrate 動 脱水させる
☐ **hydrogen** 名 [ˈhaɪdrədʒən] 水素	hydrogen car 水素自動車
☐ **hypnotize** 動 [ˈhɪpnətaɪz] 催眠術をかける	▶ hypnotism 名 催眠(術) ▶ hypnotic 形 催眠術の

☐ **hypodermic** 形 [ˌhaɪpəˈdɜːmɪk] 皮下の	hypodermic injection　皮下注射
☐ **hypothesis** 名 [haɪˈpɒθəsɪs] 仮説	▶ hypothesize　動 仮説を設ける
☐ **hysterical** 形 [hɪˈsterɪkəl] ヒステリー性の	▶ hysterically　副 異常に興奮して
☐ **icon** 名 [ˈaɪkɒn] 像，肖像	▶ iconic　形 偶像の
☐ **idealize** 動 [aɪˈdɪəlaɪz] 理想化する，理想的と考える	▶ idealization　名 理想化
☐ **identification** 名 [aɪˌdentɪfɪˈkeɪʃən] 同一，身分証明	▶ identify　動 確認する，同一視する ▶ identity　名 身元
☐ **ignite** 動 [ɪɡˈnaɪt] 発火させる，燃焼させる	▶ ignition　名 点火，発火 ▶ ignitable　形 発火しやすい
☐ **illegally** 副 [ɪˈliːɡəli] 違法に	▶ illegal　形 不法の，違法の 反 legal　副 法律(上)の
☐ **illiterate** 形 [ɪˈlɪtərət] 字を知らない，読み書きのできない	▶ illiteracy　名 無学 反 literate　形 読み書きできる
☐ **illustrate** 動 [ˈɪləstreɪt] 説明する，例示する	▶ illustration　名 挿絵，例証 ▶ illustrative　形 実例となる
☐ **imbalance** 名 [ɪmˈbæləns] 不均衡	economic imbalance　経済的不均衡
☐ **immaterial** 形 [ˌɪməˈtɪəriəl] 重要でない，精神上の	▶ immaterialize　動 重要でなくさせる
☐ **immune** 形 [ɪˈmjuːn] 免疫の	▶ immunity　名 免疫性，免除 ▶ immunize　動 免疫化する

☐ **impair** 動 [ɪmˈpeə] 弱める，害する	▶ impairment 名 損なうこと，弱めること ▶ impaired 形 弱った
☐ **implement** 名 動 [ˈɪmpləmənt] 道具，用具，実行する	▶ implementation 名 履行，実行
☐ **impressive** 形 [ɪmˈpresɪv] 強い印象を与える，印象的な	▶ impress 動 印象づける，印象を与える ▶ impression 名 印象，感銘
☐ **imprison** 動 [ɪmˈprɪzən] 収監する，閉じ込める	▶ imprisonment 名 入獄，収監
☐ **improper** 形 [ɪmˈprɒpə] 不適当な	▶ improperly 副 不適切に ▶ impropriety 名 不適切，不正
☐ **impulse** 名 [ˈɪmpʌls] （心の）衝動，一時の感情，でき心	▶ impulsive 形 衝動的な
☐ **inauguration** 名 [ɪˌnɔːgjəˈreɪʃən] 就任	▶ inaugurate 動 就任させる，開始する ▶ inaugural 形 就任の，開始の
☐ **incorporate** 動 [ɪnˈkɔːpəreɪt] 合体させる，法人化する	▶ incorporation 名 合体，法人団体
☐ **incidence** 名 [ˈɪnsɪdəns] 発生，発生率	▶ incident 名 形 事件，ありがちな ▶ incidentally 副 付随的に，偶発的に
☐ **inclination** 名 [ˌɪŋkləˈneɪʃən] 傾向，意向	▶ incline 動 向けさせる ▶ inclinable 形 傾向がある
☐ **incompatible** 形 [ˌɪnkəmˈpætəbəl] 相いれない，両立できない	▶ incompatibility 名 両立しがたいこと ▶ incompatibly 副 互換性なしで
☐ **incrementally** 副 [ˌɪŋkrəˈmentəli] 増加的に，徐々に	▶ incremental 形 ますます増加する
☐ **indecent** 形 [ɪnˈdiːsənt] 不作法な，品の悪い	▶ indecency 名 不作法，下品 ▶ indecently 副 下品な態度で

☐ **indicator** 名 [ˈɪndəkeɪtə] 指示する人，指示するもの	▶ indicate 動 示す，指摘する ▶ indication 名 指示，兆候 ▶ indicative 形 表示する
☐ **indifferent** 形 [ɪnˈdɪfərənt] 無関心な	▶ indifference 名 無関心 ▶ indifferently 副 無関心に
☐ **indigenous** 形 [ɪnˈdɪdʒənəs] 土着の，原産の	▶ indigenously 副 特有の方法で 反 exotic 形 異国風の
☐ **indirect** 形 [ˌɪndəˈrekt] 遠回りの，間接の	▶ indirectly 副 間接的に 反 direct 形 直接の
☐ **indistinguishable** 形 [ˌɪndɪˈstɪŋgwɪʃəbəl] 区別がつかない	▶ indistinguishably 副 見分けのつかないほど
☐ **individually** 副 [ˌɪndəˈvɪdʒuəli] 個人として	▶ individual 形 個人の
☐ **indoors** 副 [ˌɪnˈdɔːz] 屋内に，屋内で	熟 stay indoors 家に閉じこもる
☐ **induction** 名 [ɪnˈdʌkʃən] 誘導，誘引	▶ inductive 形 帰納の，帰納的な
☐ **indulge** 動 [ɪnˈdʌldʒ] 甘やかす，気ままにさせる	▶ indulgence 名 甘やかすこと
☐ **ineffective** 形 [ˌɪnəˈfektɪv] 効果のない，効果的でない	▶ ineffectiveness 名 無効 ▶ ineffectively 副 効果なく
☐ **inefficiency** 名 [ˌɪnɪˈfɪʃənsi] 無能，能力不足	▶ inefficient 形 役に立たない 反 efficiency 名 能率，効率
☐ **inequality** 名 [ˌɪnɪˈkwɒləti] 不平等，不均衡	▶ inequal 形 不平等な ▶ inequitable 形 不公平な
☐ **infant** 名 [ˈɪnfənt] 幼児	▶ infancy 名 幼少，幼年期 ▶ infantile 形 幼児の，幼児期の

☐ **infection** 名 [ɪnˈfekʃən] (病毒の)空気伝染, 感染	▶ infectious 形 伝染性の ▶ infect 動 感染させる
☐ **inflammatory** 形 [ɪnˈflæmətəri] 怒らせる, 扇動的な	▶ inflame 動 怒らせる ▶ inflammation 名 炎症, 怒り
☐ **inflation** 名 [ɪnˈfleɪʃən] 膨らむこと, インフレーション	▶ inflate 動 膨らませる ▶ inflatable 形 膨らませることができる
☐ **influential** 形 [ɪnfluˈenʃəl] 勢力のある, 有力な	▶ influence 名 影響
☐ **infrastructure** 名 [ˈɪnfrəˌstrʌktʃə] 基盤設備, インフラ	▶ infrastructural 形 下部の, 基盤の
☐ **inhale** 動 [ɪnˈheɪl] (息を)吸い込む	▶ inhalation 名 吸入 ▶ inhaler 名 人工呼吸器
☐ **inherent** 形 [ɪnˈhɪərənt] 固有の, 本来の, 生来の	▶ inherence 名 固有, 生得 ▶ inherently 副 本来, 生得的に
☐ **inherit** 動 [ɪnˈherɪt] 相続する, 受け継ぐ	▶ inheritance 名 相続財産
☐ **inject** 動 [ɪnˈdʒekt] 注射する, 導入する	▶ injection 名 注入, 注射
☐ **innate** 形 [ˌɪˈneɪt] 生来の, 先天的な	▶ innately 副 生得的に ▶ innateness 名 先天性
☐ **inquiry** 名 [ɪnˈkwaɪəri] 質問, 問い合わせ	▶ inquire 動 質問する
☐ **insight** 名 [ˈɪnsaɪt] 洞察, 眼識	▶ insightful 形 洞察力に富む
☐ **insomnia** 名 [ɪnˈsɒmniə] 眠れないこと, 不眠症	▶ insomniac 名 形 不眠症患者, 不眠症の

☐ **inspection** 名 [ɪnˈspekʃən] 精査，点検	▶ inspect 動 精査する
☐ **instillation** 名 [ˌɪnstəˈleɪʃən] (思想などを)教え込むこと	▶ instill 動 注入する，点滴する
☐ **insulation** 名 [ˌɪnsjəˈleɪʃən] 隔離，孤立	▶ insulate 動 孤立させる，絶縁させる
☐ **insure** 動 [ɪnˈʃʊə] 保険をかける	▶ insurance 名 保険
☐ **intact** 形 [ɪnˈtækt] 手を付けられていない，完全な	▶ intactness 名 無損傷
☐ **intake** 名 [ˈinteik] 取り入れ口，摂取量	intake system (自動車などの)吸気装置
☐ **integral** 形 [ˈɪntəgrəl] 不可欠な，積分の	▶ integrate 動 統合する，統一する ▶ integer 名 整数，完全体 ▶ integration 名 統合
☐ **intelligence** 名 [ɪnˈtelədʒəns] 知能，理解力	▶ intelligent 形 知性の，聡明な
☐ **intensity** 名 [ɪnˈtensəti] 強烈，激烈	▶ intense 形 激しい，強烈な
☐ **intensive** 形 [ɪnˈtensɪv] 強い，集中的な	▶ intensiveness 名 集約
☐ **intercede** 動 [ˌɪntəˈsiːd] とりなす，仲裁する	熟 intercede with ～　～との間を仲裁する
☐ **intermittent** 形 [ˌɪntəˈmɪtənt] 時どきとぎれる，断続的な	▶ intermittence 名 断続，とぎれ ▶ intermission 名 休憩，中断 ▶ intermittently 副 断続的に
☐ **interrelatedness** 名 [ˌɪntərɪˈleɪtɪdnəs] 対人関係	▶ interrelated 形 相互に関係がある

☑ **intersection** 名 [ˌɪntəˈsekʃən] 交差，交差点	▶ intersect 動 横切る ▶ intersectant 形 交差している
☑ **intervention** 名 [ˌɪntəˈvenʃən] 間に入ること，介在	▶ intervene 動 介入する
☑ **intimation** 名 [ˌɪntəˈmeɪʃən] 暗示，ほのめかし	▶ intimate 形 親密な
☑ **intimidate** 動 [ɪnˈtɪmədeɪt] 怖がらせる，脅す	▶ intimidation 名 脅し，脅迫
☑ **intoxicate** 動 [ɪnˈtɒksɪkeɪt] 酔わせる	▶ intoxication 名 酔い，興奮
☑ **intrigue** 動 名 [ɪnˈtriːg] 陰謀，興味(を引きつける)	類 scheme 名 陰謀
☑ **intrinsic** 形 [ɪnˈtrɪnsɪk] 本来備わっている	▶ intrinsically 副 本質的に
☑ **intuition** 名 [ˌɪntjuˈɪʃən] 直観，直感	▶ intuitive 形 直観[感]的な ▶ intuitively 副 直観的に
☑ **inundate** 動 [ˈɪnəndeɪt] 水浸しにする	▶ inundation 名 浸水，洪水
☑ **invaluable** 形 [ɪnˈvæljuəbəl] この上なく価値がある	▶ invaluably 副 計り知れないほど ▶ valuable 形 高価な
☑ **inventive** 形 [ɪnˈventɪv] 発明の才がある	▶ invent 動 発明する
☑ **investor** 名 [ɪnˈvestə] 投資者，出資者	▶ invest 動 着せる，出資する ▶ investment 名 投資
☑ **irony** 名 [ˈaɪərəni] 皮肉	▶ ironical 形 皮肉な ▶ ironically 副 皮肉にも

☐ **irritation** 名 [ˌɪrɪˈteɪʃən] いらいらさせること	▶ irritate 動 いらいらさせる ▶ irritating 形 刺激性の
☐ **jail** 動 名 [dʒeɪl] 投獄する，刑務所	類 prison 名 刑務所
☐ **jeopardy** 名 [ˈdʒepədi] 危険	▶ jeopardise 動 危険にさらす
☐ **jot** 名 動 [dʒɒt] わずか，少し，メモする	熟 jot down　簡単に書き留める
☐ **joyful** 形 [ˈdʒɔɪfəl] 喜ばしい，うれしい	▶ joyfully 副 嬉々として ▶ joyfulness 名 楽しさ
☐ **junction** 名 [ˈdʒʌŋkʃən] 接合，接合点	▶ junctional 形 接合部の
☐ **junk** 動 名 [dʒʌŋk] 捨てる，がらくた	junk food　ジャンクフード
☐ **kidnap** 動 名 [ˈkɪdnæp] さらう，誘拐（する）	類 abduct 動 誘拐する
☐ **kidney** 名 [ˈkɪdni] 腎臓	kidney failure　腎不全
☐ **kindness** 名 [ˈkaɪndnəs] 親切心，親切な行為	熟 out of kindness　親切心から
☐ **knowledgeable** 形 [ˈnɒlɪdʒəbəl] 知識のある，物知りの	▶ knowledgeably 副 豊富な知識をもって ▶ knowledge 名 知識
☐ **labyrinth** 名 [ˈlæbərɪnθ] 迷宮，迷路，迷路園	▶ labyrinthian 形 迷宮のような
☐ **lament** 動 名 [ləˈment] 嘆き悲しむ，哀悼する，悲嘆	類 deplore 動 嘆き悲しむ ▶ lamentation 名 悲嘆 ▶ lamentable 形 悲しむべき

☐ **landfill** 名 [ˈlændfɪl] ごみ処理地	landfill site　埋立地，埋立処分地
☐ **landlord** 名 [ˈlændlɔːd] 主人，亭主	▶ landlordism　名 地主制度
☐ **landowner** 名 [ˈlændˌəʊnə] 土地所有者	類 landownership　名 土地所有権
☐ **lapse** 動 名 [læps] 脱落する，間違い，しくじり	類 oversight　名 間違い
☐ **lark** 動 名 [lɑːk] ふざける(こと)	類 frolic　動 はしゃぐ
☐ **latent** 形 [ˈleɪtənt] 潜在的な	▶ latently　副 潜在的に
☐ **lawn** 名 [lɔːn] 芝生	熟 mow the lawn　芝を刈る
☐ **lawsuit** 名 [ˈlɔːsuːt] 訴訟	熟 file a lawsuit　訴訟を起こす
☐ **leak** 動 名 [liːk] 漏れる，しみこむ，漏えい	熟 spring a leak　漏れ出す
☐ **lease** 名 [liːs] 賃貸借契約	by lease　賃貸で
☐ **leeway** 名 [ˈliːweɪ] ずれること，余裕	熟 make up leeway　遅れを取り戻す
☐ **legible** 形 [ˈledʒəbəl] 読みやすい	▶ legibility　名 読みやすさ ▶ legibly　副 明瞭に
☐ **legitimate** 形 [ləˈdʒɪtəmət] 合法の，正当な	▶ legitimacy　名 合法性 ▶ legitimately　副 合法的に

☐ **lender** 名 [ˈlendə] 貸す人，貸し方	反 borrower 名 借り方
☐ **lengthen** 動 [ˈleŋθən] 長くする，のばす	▶ length 名 長さ ▶ lengthy 形 冗長な
☐ **lenient** 形 [ˈliːniənt] 寛大な，情け深い	▶ lenience 名 寛大さ，憐み
☐ **lethal** 形 [ˈliːθəl] 死の，致死の，致命的な	▶ lethality 名 致死性，死亡率
☐ **leverage** 名 [ˈliːvərɪdʒ] てこの力，効力	▶ lever 名 てこ，操作棒
☐ **liable** 形 [ˈlaɪəbəl] 責任がある，～にかかりやすい	▶ liability 名 責任，負債，傾向
☐ **liberal** 形 [ˈlɪbərəl] 気前のよい，大まかな	類 tolerant 形 寛容な
☐ **liberate** 動 [ˈlɪbəreɪt] 自由にする	▶ liberation 名 解放，釈放
☐ **lick** 動 [lɪk] なめる	熟 lick *one's* lips 喜ぶ，楽しむ
☐ **lifespan** 名 [ˈlaɪfspæn] 寿命	average lifespan 平均寿命
☐ **likelihood** 名 [ˈlaɪklihʊd] 可能性，見込み	熟 in all likelihood 多分，十中八九 ▶ likely 形 ありそうな
☐ **likewise** 副 [ˈlaɪkwaɪz] 同様に，同じように	likewise for me 同感です
☐ **limestone** 名 [ˈlaɪmstəʊn] 石灰岩	▶ lime 名 石灰

☐ **limp** 動 名 形 [lɪmp] 足を引きずる(こと)，弱々しい	類 hitch 動 足を引きずる
☐ **lineage** 名 [ˈlɪniɪdʒ] 血統，系統，家柄	a man of good lineage　家柄の良い人
☐ **linger** 動 [ˈlɪŋgə] 居残る，いつまでもいる	▶ lingerer 名 うろうろする人 ▶ lingering 形 長引いた
☐ **litigation** 名 [ˌlɪtəˈgeɪʃən] 訴訟	in litigation　係争中
☐ **livelihood** 名 [ˈlaɪvlihʊd] 暮らし，生計	livelihood allowance　生活手当
☐ **lodge** 動 名 [lɒdʒ] 宿泊する，申し立てる，ロッジ	lodge a claim　損害賠償請求をする
☐ **loft** 動 名 [lɒft] 高く打ち上げる，屋根裏	類 garret 名 屋根裏部屋
☐ **lofty** 形 [ˈlɒfti] 高尚な，非常に高い	lofty aim　高尚な目的
☐ **logistics** 名 [ləˈdʒɪstɪks] 物流	logistics company　物流企業
☐ **long-standing** 形 [ˌlɒŋˈstændɪŋ] 長年の	long-standing argument　長期間にわたる議論
☐ **lore** 名 [lɔː] 知識，伝承	▶ folklore 名 民間伝承
☐ **loyalty** 名 [ˈlɔɪəlti] 忠誠	loyalty to master　主君への忠誠 ▶ loyal 形 忠誠心のある
☐ **lunar** 形 [ˈluːnə] 月の	lunar calendar　太陰暦 (⇔ solar calendar　太陽暦)

☐ **lunatic** 名 形 [ˈluːnətɪk] 精神異常者(の)	▶ lunar 形 月の
☐ **lure** 動 名 [lʊə] 誘惑(する)	類 entice 動 誘惑する
☐ **lurk** 動 [lɜːk] 潜む，待ち伏せる	▶ lurking 形 潜んでいる
☐ **luxurious** 形 [lʌgˈzjʊəriəs] 豪華な	▶ luxuriousness 名 豪華さ ▶ luxury 名 ぜいたく
☐ **mackerel** 名 [ˈmækərəl] サバ	canned mackerel　サバ缶
☐ **madam** [**Madame**] 名 [ˈmædəm] マダム	aging madam　高齢の女性
☐ **magnetic** 形 [mægˈnetɪk] 磁気の，磁石の	magnetic field　磁場
☐ **magnify** 動 [ˈmægnɪfaɪ] 拡大する	magnify an image　画像を拡大する ▶ magnification 名 拡大
☐ **maiden** 形 名 [ˈmeɪdn] 未婚の，処女(の)	maiden horse　未勝利馬
☐ **mainstream** 名 形 [ˈmeɪnstriːm] 主流(の)	mainstream audience　客層
☐ **majesty** 名 [ˈmædʒəsti] 威厳，主権	majesty of law　法の威厳 ▶ majestic 形 威厳のある
☐ **mandatory** 形 [ˈmændətəri] 強制の，義務的な	mandatory clause　必須条項 ▶ mandate 名 権限 反 voluntary 形 自発的な
☐ **manpower** 名 [ˈmænˌpaʊə] 人材	manpower cost　人件費

☐ **manuscript** 名 [ˈmænjəskrɪpt] 原稿	manuscript fee　原稿料
☐ **margin** 名 [ˈmɑːdʒɪn] （ページなどの）余白，マージン	margin of error　誤差
☐ **marital** 形 [ˈmærətl] 結婚の，夫婦（間）の	marital problems　夫婦間の問題
☐ **massive** 形 [ˈmæsɪv] 大量の，巨大な	massive aid program　大規模援助計画 ▶ mass 名 かたまり，大量に ▶ massively 副 大量に，非常に
☐ **matchmaking** 名 [ˈmætʃˌmeɪkɪŋ] 結婚の仲介，縁結び	matchmaking company　結婚相談所
☐ **matriarchal** 形 [ˌmeɪtriˈɑːkl] 女家長の，母権制の	matriarchal family　母系家族
☐ **mechanism** 名 [ˈmekənɪzəm] 機械，機械仕掛け	mechanism engineering　機械工学
☐ **mediocre** 形 [ˌmiːdiˈəʊkə] 並の，平凡な，劣った，二流の	mediocre cook　二流の料理人
☐ **meditation** 名 [ˌmedɪˈteɪʃən] 瞑想，仲介	deep in meditation　瞑想にふける ▶ meditate 動 瞑想する，熟考する
☐ **mellow** 形 [ˈmeləʊ] 穏やかな，円熟した	mellow light　柔らかい光
☐ **memoir** 名 [ˈmemwɑː] （筆者自身の）思い出の記，回顧録	family memoir　家族の思い出
☐ **memorial** 名 形 [məˈmɔːriəl] 記念物，記念碑，記念の	類 monument 名 記念碑
☐ **meningitis** 名 [ˌmenɪnˈdʒaɪtɪs] 髄膜炎	meningitis B　B型髄膜炎

☐ **merchant** 名 [ˈmɜːtʃənt] 商人，貿易商人	merchant association　商業組合
☐ **mercy** 名 [ˈmɜːsi] 慈悲	熟 at the mercy of ～　～のなすがままに ▶ merciful　形 慈悲深い ▶ mercifully　副 慈悲深く
☐ **mere** 形 [mɪə] ほんの～	mere acquaintance　ちょっとした知り合い
☐ **messy** 形 [ˈmesi] 取り散らかした，乱雑な	messy bedroom　散らかった寝室 ▶ mess　名 乱雑
☐ **methane** 名 [ˈmiːθeɪn] メタン	methane action　メタン作用
☐ **methodology** 名 [ˌmeθəˈdɒlədʒi] 方法論	▶ methodological　形 方法論的な
☐ **metropolitan** 形 [ˌmetrəˈpɒlətən] 大都市の，都会(人)の，都会的な	the metropolitan area　大都市圏 ▶ metropolis　名 大都市
☐ **microfilm** 名 [ˈmaɪkrəʊfɪlm] マイクロフィルム	microfilm technology　マイクロフィルム技術
☐ **microscope** 名 [ˈmaɪkrəskəʊp] 顕微鏡	microscope investigation　顕微鏡検査 ▶ microscopic　形 微小の
☐ **migration** 名 [maɪˈgreɪʃən] 移住，転住，渡り	▶ migrate　動 移住する ▶ migratory　形 移住性の ▶ migrant　名 移住者
☐ **millennium** 名 [mɪˈleniəm] ミレニアム，千年間	for a millennium　千年間
☐ **millionaire** 名 [ˌmɪljəˈneə] 富豪	類 billionaire　名 億万長者
☐ **mimic** 動 形 [ˈmɪmɪk] 模倣する，模倣の	類 mime　動 まねする

☐ **mingle** 動 [ˈmɪŋgəl] 混ぜる，一緒になる	mingle with ～　～と交流する
☐ **minimal** 形 [ˈmɪnəməl] 最小限の	▶ minimally 副 最小限に ▶ minimum 名 最小限 反 maximal 形 最大の
☐ **miscellaneous** 形 [ˌmɪsəˈleɪniəs] 種々雑多な，多方面の	▶ miscellaneously 副 雑多な状態で ▶ miscellaneousness 名 雑多
☐ **misery** 名 [ˈmɪzəri] 不幸	▶ miserable 形 惨めな
☐ **mishandling** 名 [ˌmɪsˈhændlɪŋ] 誤った取り扱い	mishandling error　取り扱い誤り
☐ **mislead** 動 [ˌmɪsˈliːd] 誤解を招く	mislead the enemy　敵を欺く
☐ **mogul** 名 [ˈməʊgəl] 重要人物	mogul of industry　産業界の要人
☐ **moisture** 名 [ˈmɔɪstʃə] 水分	moisture bead　水滴 ▶ moist 形 湿った
☐ **mold** 動 名 [məʊld] 型(に入れて作る)	類 shape 名 型
☐ **monetary** 形 [ˈmʌnətəri] 貨幣の，通貨の	▶ money 名 貨幣
☐ **monetize** 動 [ˈmʌnətaɪz] 収益化する	monetize digital content　デジタルコンテンツを収益化する
☐ **monocropping** 名 [ˈmɒnəʊkrɒpɪŋ] 単一栽培	反 polycropping 名 混合栽培
☐ **monopolize** 動 [məˈnɒpəlaɪz] 独占権を得る，独り占めする	monopolize a market　市場を独占する ▶ monopoly 名 独占(権) ▶ monopolization 名 独占

☐ **monoxide** 名 [mɒnˈɒksaɪd] 一酸化物	carbon monoxide　一酸化炭素
☐ **morale** 名 [məˈrɑːl] 士気	morale survey　意欲調査
☐ **morality** 名 [məˈræləti] 道徳，道徳性	business morality　企業道徳 ▶ moral 形 道徳の
☐ **moss** 名 [mɒs] こけ	▶ mossy 形 こけむした
☐ **motto** 名 [ˈmɒtəʊ] 標語，モットー	personal motto　座右の銘
☐ **mourn** 動 [mɔːn] 嘆く，悲しむ，哀悼する，弔う	mourn the dead　死者を悼む ▶ mournful 形 悲しげな
☐ **muddy** 形 [ˈmʌdi] 泥深い，ぬかるみの	▶ muddiness 名 ぬかるみ
☐ **multiple** 形 [ˈmʌltəpəl] 多数の，多様な，複雑な	multiple ad　マルチ広告 ▶ multiply 動 掛け合わせる
☐ **mundane** 形 [mʌnˈdeɪn] 日常の，ありきたりの	▶ mundanely 副 平凡に
☐ **murder** 名 [ˈmɜːdə] 殺人	murder attempt　殺人未遂 ▶ murderous 形 殺人の
☐ **mutation** 名 [mjuːˈteɪʃən] 突然変異	mutation experiment　突然変異実験
☐ **myopia** 名 [maɪˈəʊpiə] 近視	▶ myopic 形 近視眼的な ▶ myopically 副 近視眼的に
☐ **myth** 名 [mɪθ] 神話，つくり話	▶ mythological 形 神話の，架空の ▶ mythology 名 神話(学)

☐ **nationwide** 形 副 [ˌneɪʃənˈwaɪd] 全国的な(に)	類 countrywide　形 副 全国的な(に)
☐ **navigate** 動 [ˈnævɪgeɪt] 操縦する，航行する，通り抜ける	navigate a ship　船を操縦する ▶ navigation　名 航行，誘導
☐ **neurocircuitry** 名 [njʊərəʊˈsɜːkətri] 神経回路	類 neural network　神経回路網
☐ **neurology** 名 [njʊˈrolədʒi] 神経学	▶ neurologist　名 神経学者 ▶ neurological　形 神経学の
☐ **neuron** 名 [ˈnjʊərɒn] ニューロン	neuron cell　神経細胞
☐ **nicely** 副 [ˈnaɪsli] きれいに，心地よく	nicely dressed　きれいな身なりをした
☐ **nomadic** 形 [nəʊˈmædɪk] 遊牧の	▶ nomadically　副 放浪して ▶ nomad　名 遊牧民
☐ **notably** 副 [ˈnəʊtəbli] 特に，とりわけ	類 especially　副 特に ▶ notability　名 有名 ▶ notable　形 著名な
☐ **noteworthy** 形 [ˈnəʊtˌwɜːði] 注目すべき，顕著な，著しい	類 notable　形 注目すべき
☐ **notorious** 形 [nəʊˈtɔːriəs] 悪名高い	▶ notoriousness　名 悪名高さ ▶ notoriously　副 悪(名)高く
☐ **nourish** 動 [ˈnʌrɪʃ] 栄養を与える	▶ nourishment　名 栄養
☐ **nuance** 名 [ˈnjuːɑːns] 微妙な違い，ニュアンス	類 shade　名 微妙な食い違い
☐ **nuisance** 名 [ˈnjuːsəns] やっかいなもの，不快なもの	nuisance call　迷惑電話

☐ **nurture** 動 [ˈnɜːtʃə] (大切に)育てる，教育する	nurture a child　子供を育てる
☐ **nutrient** 名 [ˈnjuːtriənt] 栄養素	▶ nutritious　形 栄養になる ▶ nutritionally　副 栄養上で
☐ **obesity** 名 [əʊˈbiːsəti] 肥満	obesity care　肥満治療 ▶ obese　形 肥満した
☐ **objective** 名 形 [əbˈdʒektɪv] 目標，目的，客観的な	反 subjective　形 主観的な ▶ object　名 対象，目的 ▶ objectively　副 客観的に
☐ **obligation** 名 [ˌɒbləˈgeɪʃən] 義務，義理，恩義，おかげ	obligation of tax　納税義務 ▶ obligate　動 義務を負わせる ▶ obligatory　形 義務的な
☐ **obscene** 形 [əbˈsiːn] わいせつな	obscene act　わいせつ行為 ▶ obscenely　副 わいせつに
☐ **obsess** 動 [əbˈses] 取りつく	▶ obsession　名 取りつかれること
☐ **obsolete** 形 [ˈɒbsəliːt] すたれた，もはや用いられない	an obsolete word　死語 ▶ obsoletely　副 すたれて 反 contemporary　形 現代の
☐ **obstinate** 形 [ˈɒbstənət] 頑固な	obstinate attitude　頑固な態度 ▶ obstinately　副 頑固に
☐ **occasional** 形 [əˈkeɪʒənəl] 時折の，時たまの	▶ occasion　名 機会 ▶ occasionally　副 時どき，時折
☐ **offend** 動 [əˈfend] 怒らせる，感情をそこなう	▶ offense　名 違反，無礼
☐ **offensive** 形 [əˈfensɪv] 嫌な，不快な	offensive behavior　下品な振る舞い ▶ offensively　副 無礼に
☐ **ominous** 形 [ˈɒmɪnəs] 不吉な，縁起の悪い，険悪な	▶ ominously　副 不気味に

☐ **omit** 動 [əʊˈmɪt] 除く，除外する	▶ omission 名 省略，遺漏，脱落
☐ **ongoing** 形 [ˈɒnˌgəʊɪŋ] 進行中の	ongoing care　継続的ケア
☐ **operative** 形 [ˈɒpərətɪv] 活動している，運転している	▶ operate 動 稼働する ▶ operation 名 作業，操作
☐ **opioid** 名 [ˈoʊpiˌɔɪd] オピオイド，麻薬様物質	opioid addict　オピオイド依存
☐ **opportune** 形 [ˈɒpətjuːn] 適切な	▶ opportunity 名 機会，好機 ▶ opportunely 副 都合よく
☐ **oppress** 動 [əˈpres] 抑圧する	political oppression　政治弾圧 ▶ oppression 名 抑圧 ▶ oppressive 形 抑圧的な
☐ **opt** 動 [ɒpt] 選ぶ，選択する	▶ option 名 選択 ▶ optional 形 選択できる 熟 opt out of ～　～から手を引く
☐ **oral** 形 [ˈɔːrəl] 口頭の，口述の，経口の	oral agent　経口剤
☐ **orbital** 形 [ˈɔːbɪtl] 軌道の	orbital altitude　軌道高度 ▶ orbit 名 軌道
☐ **orchard** 名 [ˈɔːtʃəd] 果樹園	orchard worker　果樹園農家
☐ **orderly** 形 [ˈɔːdəli] 秩序ある	▶ order 名 順序 反 disorderly 形 無秩序の，乱雑な
☐ **organism** 名 [ˈɔːgənɪzəm] 生物	▶ organic 形 有機体の ▶ organ 名 器官
☐ **organized** 形 [ˈɔːgənaɪzd] 組織された	organized activity　組織的活動 ▶ organize 動 組織する 反 unorganized 形 組織されていない

☐ **originate** 動 [əˈrɪdʒəneɪt] 発生する，起こる	▶ origin 名 起源 ▶ original 形 最初の
☐ **orthorexia** 名 [ˌɔːθəˈreksiə] オルトレキシア，摂食障害	orthorexia nervosa オルトレキシア・ナーボウサ
☐ **oscillate** 動 [ˈɒsəleɪt] 振動する	▶ oscillation 名 振動
☐ **outbreak** 名 [ˈaʊtbreɪk] 突発，発生	outbreak area 暴動地区 ▶ break out 動 起こる，突発する
☐ **outbuilding** 名 [ˈaʊtˌbɪldɪŋ] 別棟	類 garage 名 ガレージ
☐ **outdated** 形 [ˌaʊtˈdeɪtɪd] 時代遅れの	outdated equipment 時代遅れの機器
☐ **outlaw** 名 動 [ˈaʊtlɔː] 無法者，追放する	類 lawless 形 非合法の
☐ **outlook** 名 [ˈaʊtlʊk] 見解，見地，〜観	outlook for economic growth 経済成長の見通し
☐ **output** 動 名 [ˈaʊtpʊt] 産出(する)，生産高	類 yield 動 産出する 反 input 動 名 入力(する)
☐ **outrageous** 形 [aʊtˈreɪdʒəs] 恐ろしい，乱暴な	▶ outrageousness 名 非道さ ▶ outrageously 副 乱暴に(も)
☐ **outsider** 名 [aʊtˈsaɪdə] 門外漢，部外者，よそ者	outsider person 外国人 反 insider 名 内部の人
☐ **outward** 名 形 副 [ˈaʊtwəd] 表面的な，外(へ)，外側に(の)	類 external 名 形 外(の)
☐ **overlook** 動 [ˌəʊvəˈlʊk] 見落とす	類 miss 動 見逃す

☐ **oversized** 形 [ˌəʊvəˈsaɪzd] 特大の	oversized garbage　粗大ごみ
☐ **owl** 名 [aʊl] フクロウ	owl nest　フクロウの巣 熟 night owl　夜更かしをする人
☐ **oxidize** 動 [ˈɒksədaɪz] 酸化する	▶ oxidation　名 酸化
☐ **pacify** 動 [ˈpæsɪfaɪ] 静める，なだめる	▶ pacification　名 和解 ▶ pacific　形 平和的な 類 placate　動 なだめる，慰める
☐ **pad** 動 名 [pæd] 詰め物(をする)	熟 pad out　水増しする
☐ **painkiller** 名 [ˈpeɪnˌkɪlə] 鎮痛剤	powerful painkiller　強力な鎮静剤
☐ **pandemic** 形 [pænˈdemɪk] 全国的に広がる，汎流行の	pandemic outbreak　世界的流行の発生
☐ **paperwork** 名 [ˈpeɪpəwɜːk] 書類仕事	complex paperwork　複雑な書類手続き 類 bookwork　名 書類仕事
☐ **paragraph** 動 名 [ˈpærəgrɑːf] 節に分ける，段落	paragraph construction　段落構成
☐ **paralyze** 動 [ˈpærəlaɪz] 麻痺させる	▶ paralysis　名 麻痺 ▶ paralytic　形 麻痺性の
☐ **parameter** 名 [pəˈræmɪtə] パラメーター，要因	▶ parametric　形 パラメーターの
☐ **parasitic** 形 [ˌpærəˈsɪtɪk] 寄生的な，パラサイトの	▶ parasite　名 寄生虫
☐ **partial** 形 [ˈpɑːʃəl] 一部の，部分的な，不完全な	反 total　形 全体の ▶ partially　副 部分的に

☐ **particle** 名 [ˈpɑːtɪkəl] 粒子	particle array　粒子配列 ▶ particular 形 特定の ▶ particularly 副 特に
☐ **password** 名 [ˈpɑːswɜːd] 合言葉，パスワード	password authentication　パスワード認証
☐ **patch** 動 名 [pætʃ] つぎを当てる，つぎ当て	類 piece 動 つなぎ合わせる
☐ **patent** 動 名 形 [ˈpeɪtnt] 特許(を取る)，特許の	apply for a patent　特許を出願する
☐ **pathetic** 形 [pəˈθetɪk] 哀れを誘う，悲しい	▶ pathetically 副 痛ましいほどに 類 pitiful 形 かわいそうな
☐ **pathway** 名 [ˈpɑːθweɪ] 経路	pathway control　経路制御
☐ **pave** 動 [peɪv] 敷く，舗装する	▶ pavement 名 舗装道路
☐ **pawn** 名 動 [pɔːn] 質	pawnbroker 名 質屋 類 hock 名 質
☐ **peacefully** 副 [ˈpiːsfəli] 平和的に	▶ peaceful 形 平和的な ▶ peace 名 平和
☐ **peasant** 名 [ˈpezənt] 農民	peasant farmer　小作農民
☐ **peel** 動 名 [piːl] 皮(をむく)	類 pare 動 皮をむく
☐ **pending** 形 前 [ˈpendɪŋ] 未決定で，～の間	▶ pend 動 未決のままである
☐ **pension** 動 名 [ˈpenʃən] 年金(を支給する)	pension benefit　受取年金

☑ **pensive** 形 [ˈpensɪv] 考え込んでいる，物思わしげな	▶ pensively 副 物思いに沈んで 類 meditative 形 瞑想にふける
☑ **perception** 名 [pəˈsepʃən] 知覚，認識	▶ perceptible 形 知覚できる ▶ perceive 動 気づく
☑ **perfume** 動 名 [ˈpɜːfjuːm] 香水（をつける）	類 scent 名 香り
☑ **permanence** 名 [ˈpɜːmənəns] 永続性	▶ permanent 形 永続的な ▶ permanently 副 永遠に
☑ **perpetual** 形 [pəˈpetʃuəl] 永続的な，永久の	perpetual annuity 終身年金 ▶ perpetuity 名 永続性
☑ **persist** 動 [pəˈsɪst] 固執する，主張し続ける	▶ persistent 形 しつこい ▶ persistence 名 こだわり
☑ **personnel** 名 形 [ˌpɜːsəˈnel] 人事部，社員，人事の	personnel affairs 人事
☑ **pest** 名 [pest] 害虫，害獣	pest bacilli ペスト菌
☑ **pesticide** 名 [ˈpestɪsaɪd] 殺虫剤	pesticide chemical 殺虫剤 ▶ pesticidal 形 殺虫性の
☑ **petition** 動 名 [pəˈtɪʃən] 請願（する）	petition drive 署名運動 ▶ petitioner 名 請願者
☑ **petty** 形 [ˈpeti] 取るに足らない，ささいな	▶ pettily 副 わずかに
☑ **pharmaceutical** 形 [ˌfɑːməˈsjuːtɪkəl] 調剤の，製薬の，薬学の	▶ pharmacy 名 薬学，薬局
☑ **phase** 名 [feɪz] 段階，時期，段階的に行う	熟 in phase 一致して 熟 phase out 段階的に排除する

☐ **philosophical** 形 [ˌfɪləˈsɒfɪkəl] 哲学の	▶ philosophy 名 哲学
☐ **phony** 形 [ˈfəʊni] にせの，いんちきの，うその	phony bill　偽札
☐ **pierce** 動 [pɪəs] 穴をあける	pierce armor　装甲を破る
☐ **pillar** 名 [ˈpɪlə] 柱，支柱	類 column 名 円柱
☐ **pinpoint** 動 名 形 [ˈpɪnpɔɪnt] 正確に示す，先端，精密な	類 nail 動 核心を突く
☐ **pioneer** 動 名 [ˌpaɪəˈnɪə] 開拓する，先駆者	類 innovator 名 革新者
☐ **pious** 形 [ˈpaɪəs] 敬虔（けいけん）な，信心深い	pious Catholic　敬虔なカトリック教徒 ▶ piety 名 敬虔 反 impious 形 神を敬わない
☐ **pipeline** 名 [ˈpaɪplaɪn] パイプライン	pipeline accident　パイプライン事故
☐ **piston** 名 [ˈpɪstən] ピストン	piston engine　ピストン機関
☐ **pitcher** 名 [ˈpɪtʃə] ピッチャー	baseball pitcher　野球投手
☐ **plasma** 名 [ˈplæzmə] プラズマ	plasma activation　プラズマ活性化
☐ **playoff** 名 [pleɪɒf] プレーオフ	playoff game　プレーオフ，再試合
☐ **plead** 動 [pliːd] 弁論する，弁護する	熟 plead for ～　～を懇願する 類 claim 動 主張する

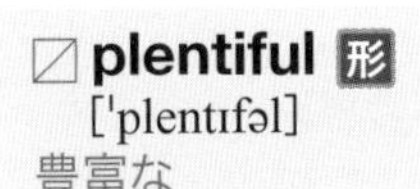

☐ **plentiful** 形 [ˈplentɪfəl] 豊富な	plentiful crop　豊作
☐ **plight** 名 [plaɪt] (悪い)状態, 苦境, 窮状	plight of the refugees　難民たちの窮状 類 predicament　名 苦しい立場
☐ **pneumonia** 名 [njuːˈməʊniə] 肺炎	pneumonia care　肺炎治療
☐ **pollutant** 名 [pəˈluːtənt] 汚染物質	▶ pollute　動 よごす, 汚染する ▶ pollution　名 よごすこと, 汚染
☐ **popularized** 形 [ˈpɒpjələraɪzd] 普及した, 大衆化された	▶ popular　形 人気のある, 通俗な ▶ popularize　動 大衆化する
☐ **populate** 動 [ˈpɒpjəleɪt] 居住する, 生息する	▶ population　名 人口 ▶ populous　形 人口密度の高い
☐ **potentially** 副 [pəˈtenʃəli] 潜在的に, もしかすると	▶ potential　形 名 可能性(のある) ▶ potentiality　名 潜在力
☐ **practically** 副 [ˈpræktɪkli] 実際的に, 実用的に, ほとんど	類 almost　副 ほとんど
☐ **precept** 名 [ˈpriːsept] 教訓	political precept　政治的教訓
☐ **precision** 名 [prɪˈsɪʒən] 精度	▶ precise　形 正確な ▶ precisely　副 厳密に言えば
☐ **predefined** 形 [priːdɪˈfaɪnd] 事前定義済みの	predefined address　事前登録住所 ▶ predefine　動 事前に定義する
☐ **predominantly** 副 [prɪˈdɒmənəntli] おもに	predominantly controlled　優位に支配された ▶ predominant　形 重要な
☐ **preferable** 形 [ˈprefərəbəl] 好ましい	▶ prefer　動 ～の方を好む ▶ preference　名 好み, 好むこと ▶ preferential　副 優先的な

☐ **premeditate** 動 [priːˈmedɪteɪt] (～を)前もって熟慮する	▶ premeditated 形 あらかじめ計画した ▶ premeditation 名 事前の思慮
☐ **premier** 名 形 [ˈpremiə] 首相，最高の	premier company 一流企業
☐ **premise** 名 動 [ˈpremɪs] 根拠，前提(とする)	basic premise 大前提
☐ **preschool** 名 [ˈpriːskuːl] 幼稚園	▶ preschooler 名 幼稚園児
☐ **prescribe** 動 [prɪˈskraɪb] 処方する，処方を書く	▶ prescription 名 処方箋
☐ **presidential** 形 [ˌprezɪˈdenʃəl] 大統領の	presidential address 大統領演説 ▶ president 名 大統領
☐ **presto** 副 [ˈprestəʊ] 直ちに	類 suddenly 副 すぐに
☐ **presumption** 名 [prɪˈzʌmpʃən] 推定，仮定	▶ presume 動 推定する ▶ presumably 副 思うに，多分
☐ **pretension** 名 [prɪˈtenʃən] 主張，権利，自負，自任	▶ pretend 動 ふりをする
☐ **prevail** 動 [prɪˈveɪl] 優勢である，流行する	prevail in ～ ～に蔓延する ▶ prevalence 名 普及 ▶ prevalent 形 流行している
☐ **prevention** 名 [prɪˈvenʃən] 防止	▶ prevent 動 予防する
☐ **prey** 名 動 [preɪ] えじき，捕食する	▶ predator 名 捕食動物
☐ **primary** 形 [ˈpraɪməri] 初期の，最初の，原始的な	primary base 主要基地 ▶ prime 形 最も重要な ▶ primarily 副 主として，おもに

☐ **primate** 名 [ˈpraɪmeɪt] 霊長類	primate brain　霊長類の脳
☐ **prioritize** 動 [praɪˈɒrətaɪz] 優先順位を決める	▶ prioritization　名 優先順位づけ
☐ **privilege** 動 名 [ˈprɪvəlɪdʒ] 特権(を与える)	privilege class　特権階級 ▶ privileged　形 特権のある
☐ **pro** 名 [prəʊ] 職業選手，専門家，プロ	pro athlete　プロスポーツ選手
☐ **pro&con** 名 [prəʊ ənd kɒn] 賛成と反対	pro and con arguments　賛否両論
☐ **probe** 動 名 [prəʊb] 探る，調べる，厳密な調査	類 examine　動 調べる
☐ **problematic** 形 [ˌprɒbləˈmætɪk] 問題がある	▶ problem　名 問題
☐ **proceed** 動 [prəˈsiːd] 続行する，着手する	▶ process　名 過程 ▶ procedure　名 手順 ▶ procedural　形 手続き上の
☐ **proclaim** 動 [prəˈkleɪm] 宣言する	▶ proclamation　名 宣言，布告
☐ **proficiency** 名 [prəˈfɪʃənsi] 熟練	▶ proficient　形 熟練した
☐ **profile** 動 名 [ˈprəʊfaɪl] 人物の紹介(をする)	▶ profiling　名 プロファイリング
☐ **prognosis** 名 [prɒgˈnəʊsɪs] 予後	prognosis after surgery　術後の予後
☐ **progression** 名 [prəˈgreʃən] 進行	▶ progress　名 動 進歩(する)，発達(する)

☐ **prohibition** 名 [ˌprəʊhəˈbɪʃən] 禁止	▶ prohibit 動 禁じる ▶ prohibitive 形 禁止の
☐ **projection** 名 [prəˈdʒekʃən] 投影	▶ project 動 名 計画(する)
☐ **prologue** 名 [ˈprəʊlɒg] プロローグ	類 introduction 名 導入
☐ **prominent** 形 [ˈprɒmɪnənt] 卓越した，傑出した，有名な	▶ prominence 名 顕著，卓越 類 eminent 形 著名な
☐ **propel** 動 [prəˈpel] 推進する，駆り立てる	▶ propulsion 名 推進力
☐ **proper** 形 [ˈprɒpə] 適切な，ふさわしい	▶ property 名 財産，所有物 反 improper 形 不適切な
☐ **prosecute** 動 [ˈprɒsɪkjuːt] 起訴する	▶ prosecutor 名 検察官 ▶ prosecution 名 起訴，遂行
☐ **prosper** 動 [ˈprɒspə] 繁栄する	▶ prosperity 名 繁栄 ▶ prosperous 形 繁栄している
☐ **protective** 形 [prəˈtektɪv] 保護する	▶ protect 動 守る ▶ protection 名 保護
☐ **protein** 名 [ˈprəʊtiːn] タンパク質	protein absorption タンパク質吸収
☐ **prototypical** 形 [ˌprəʊtəˈtɪpɪkəl] 試作の	▶ prototypically 副 原型的に ▶ prototype 名 試作品
☐ **proximity** 名 [prɒkˈsɪməti] 近接	proximity of 〜 〜の近くにいること ▶ proximate 形 最も近い
☐ **psychiatric** 形 [ˌsaɪkiˈætrɪk] 精神医学の	psychiatric analysis 精神分析 ▶ psychiatry 名 精神医学 ▶ psychiatrist 名 精神科医

☐ **psychic** 名 形 [ˌsaɪkɪk] 霊能者，精神の	反 physical 形 身体的な
☐ **pullout** 名 形 [ˈpʊlaʊt] 折り込み，引き出し式（の）	熟 pull out 引き抜く
☐ **pulp** 名 動 [pʌlp] パルプ，どろどろになる	pulp magazines 安雑誌
☐ **punctual** 形 [ˈpʌŋktʃuəl] 時間に正確な	▶ punctuality 名 時間厳守 ▶ punctually 副 時間通りに
☐ **purify** 動 [ˈpjʊərɪfaɪ] 浄化する	▶ pure 形 純粋な
☐ **pursuance** 名 [pəˈsjuːəns] 追撃，遂行	▶ pursue 動 追跡する
☐ **pursue** 動 [pəˈsjuː] 追う，追跡する	pursue a career キャリアを積む ▶ pursuit 名 追跡，追求
☐ **quarterly** 形 [ˈkwɔːtəli] 年4回の	▶ quarter 名 4分の1
☐ **questionable** 形 [ˈkwestʃənəbəl] 疑わしい	questionable behavior 問題行動 ▶ question 名 質問 反 unquestionable 形 疑いようのない
☐ **queue** 名 [kjuː] 行列	熟 in a queue 列をなして
☐ **racial** 形 [ˈreɪʃəl] 人種の	▶ race 名 人種，民族
☐ **racism** 名 [ˈreɪsɪzəm] 民族的優越感，人種差別	熟 have racism in ～ ～に人種差別を有する
☐ **radar** 名 [ˈreɪdɑː] レーダー，探知能力	microwave radar マイクロ波レーダー

☐ **radiate** 動 ['reɪdieɪt] 放射する	▶ radiation 名 放射，放射能 ▶ radiant 形 光り輝く
☐ **radical** 形 ['rædɪkəl] 根本的な，急進的な	▶ radicalism 名 急進的なこと 反 conservative 形 保守的な
☐ **radiosonde** 名 ['reɪdiəʊsɑnd] ラジオゾンデ	radiosonde balloon　ラジオゾンデ気球
☐ **rage** 動 名 [reɪdʒ] 激怒(する)	類 fury 名 激怒
☐ **raid** 動 名 [reɪd] 襲撃(する)	類 foray 名 動 襲撃(する)
☐ **ram** 動 [ræm] 激突する	類 crush 動 激突する
☐ **rash** 名 形 [ræʃ] 発疹，気の早い，無謀な	類 reckless 形 無謀な
☐ **ration** 動 名 ['ræʃən] 分配(する)，配給(する)	▶ rations 名 食糧 ▶ ratio 名 比率
☐ **rationalize** 動 ['ræʃənəlaɪz] 合理化する	▶ rational 形 理性のある
☐ **rear** 動 名 形 [rɪə] 育てる，後方(の)	類 raise 動 育てる
☐ **rebel** 動 名 形 ['rebəl] 反抗する，反逆者，反抗の	類 rise up　蜂起する ▶ rebellion 名 反逆 ▶ rebellious 形 反逆の
☐ **rebound** 動 名 [rɪ'baʊnd] はね返る，反動	on the rebound　反動で
☐ **receiver** 名 [rɪ'siːvə] 受信機	receiver contract　受信契約

☐ **receptive** 形 [rɪ'septɪv] (考えなどを)受け入れる	▶ receive 動 受け取る ▶ receptiveness 名 感受性, 理解力
☐ **recession** 名 [rɪ'seʃən] (一時的な)景気後退, 不景気	▶ recede 動 減退する ▶ recess 名 休憩
☐ **recipient** 名 [rɪ'sɪpiənt] 受取人	recipient address 受信アドレス
☐ **reckless** 形 ['rekləs] 向こう見ずな	▶ recklessness 名 無謀さ
☐ **reconstruct** 動 [ˌriːkən'strʌkt] 再構築する	▶ reconstruction 名 再建 類 rebuild 動 建て直す
☐ **redundant** 形 [rɪ'dʌndənt] 余分な	▶ redundantly 副 重複して ▶ redundancy 名 余分
☐ **referee** 動 名 [ˌrefə'riː] 審判(する)	類 umpire 動 名 審判(する)
☐ **refine** 動 [rɪ'faɪn] 改良を加える, 洗練する	熟 refine *A* into *B* Aを精製してBにする ▶ refinement 名 改善(点) ▶ refined 形 洗練された
☐ **refrain** 動 名 [rɪ'freɪn] 控える, 折り返し句	類 abstain 動 控える 熟 refrain from ～ ～を控える
☐ **refugee** 名 [ˌrefjʊ'dʒiː] 難民	refugee camp 難民キャンプ ▶ refuge 名 避難(所)
☐ **registration** 名 [ˌredʒə'streɪʃən] 登録, 記名	▶ register 動 登録する
☐ **regulate** 動 ['regjəleɪt] 取り締まる, 規制する	▶ regulation 名 規制 ▶ regulatory 形 規制する
☐ **rehearse** 動 [rɪ'hɜːs] リハーサルをする	▶ rehearsal 名 リハーサル

☐ **reinforce** 動 [ˌriːənˈfɔːs] 補強する，増強する	reinforce a decision　決断を強固にする ▶ reinforcement　名 補強
☐ **relay** 動 [ˈriːleɪ] 中継する	relay a message　メッセージを伝える
☐ **reliable** 形 [rɪˈlaɪəbəl] 頼りになる	▶ reliability　名 信頼性 ▶ rely　動 頼る
☐ **reluctant** 形 [rɪˈlʌktənt] 気が進まない，嫌々ながらの	▶ reluctance　名 気が進まないこと ▶ reluctantly　副 嫌々ながらに
☐ **remark** 動 名 [rɪˈmɑːk] 言う，意見	類 comment　名 コメント
☐ **remarkably** 副 [rɪˈmɑːkəbli] 著しく，目立って，非常に	remarkably crowded　著しく混雑した ▶ remarkable　形 著しい
☐ **remittance** 名 [rɪˈmɪtəns] 送金	▶ remit　動 送金する
☐ **removal** 名 [rɪˈmuːvəl] 除去，引っ越し	▶ remove　動 取り除く
☐ **renounce** 動 [rɪˈnaʊns] 放棄する	▶ renunciation　名 拒否
☐ **renowned** 形 [rɪˈnaʊnd] 有名な	renowned artist　高名な芸術家 ▶ renown　名 名声
☐ **repay** 動 [rɪˈpeɪ] 返済する	repay a loan　ローンを返済する ▶ repayment　名 返済(金)
☐ **repeal** 動 名 [rɪˈpiːl] 無効(にする)	類 revoke　動 無効にする
☐ **replicate** 動 [ˈreplɪkeɪt] 複製する	▶ replication　名 模写 類 copy　動 複製する

☐ **representation** 名 [ˌreprɪzenˈteɪʃən] 代表すること，表現	▶ represent 動 代表する ▶ representative 名 代表，代理人
☐ **reschedule** 動 [ˌriːˈʃedjuːl] 日程を変更する	▶ rescheduled 形 日程を変更された
☐ **resent** 動 [rɪˈzent] 腹を立てる，憤る	▶ resentment 名 憤り ▶ resentful 形 憤慨した
☐ **reside** 動 [rɪˈzaɪd] 住む	▶ residence 名 住宅 ▶ resident 名 居住者 ▶ residential 形 住宅の
☐ **resign** 動 [rɪˈzaɪn] 辞任する	resign a claim 請求権を放棄する ▶ resignation 名 辞職 ▶ resigned 形 あきらめている
☐ **resistance** 名 [rɪˈzɪstəns] 抵抗，反抗，敵対	▶ resist 動 抵抗する ▶ resistant 形 抵抗力のある
☐ **resolve** 動 名 [rɪˈzɒlv] 決意(する)，解決する	類 purpose 名 決心 ▶ resolvable 形 解決できる
☐ **resonant** 形 [ˈrezənənt] 共鳴する，鳴り響く	▶ resonantly 副 共鳴して
☐ **respectively** 副 [rɪˈspektɪvli] それぞれに	▶ respective 形 それぞれの
☐ **respiratory** 形 [rɪˈspɪrətəri] 呼吸器の	▶ respire 動 呼吸する
☐ **restoration** 名 [ˌrestəˈreɪʃən] 復元	▶ restore 動 回復させる
☐ **restrain** 動 [rɪˈstreɪn] 抑える，抑制する	▶ restraint 名 自制，抑制 ▶ restrained 形 抑制した ▶ restrainable 形 制止できる
☐ **retrospect** 名 [ˈretrəspekt] 回想	▶ retrospective 形 回顧の

☐ **reusable** 形 [riːˈjuːzəbəl] 再利用可能な	類 recyclable　形 リサイクルできる ▶ reuse　名 動 再利用(する)
☐ **revelation** 名 [ˌrevəˈleɪʃən] 啓示，暴露(された事物)	revelation of a secret　秘密の暴露 ▶ reveal　動 ～を明らかにする
☐ **revenge** 動 名 [rɪˈvendʒ] 復讐(する)	類 retaliate　動 仕返しする
☐ **revenue** 名 [ˈrevənjuː] 歳入，収益	revenue account　収益勘定 反 expenditure　名 支出(額)
☐ **reversal** 名 [rɪˈvɜːsəl] 逆転	▶ reverse　形 逆の
☐ **revert** 動 [rɪˈvɜːt] 帰る，逆戻りする	▶ reversion　名 復帰
☐ **revive** 動 [rɪˈvaɪv] 復活させる	revive a bill　法案を復活させる ▶ revival　名 蘇生，復活
☐ **revoke** 動 [rɪˈvəʊk] 取り消す，無効にする	類 cancel　動 取り消す ▶ revocation　名 取り消し
☐ **revolutionary** 形 [ˌrevəˈluːʃənəri] 革命的な	▶ revolution　名 革命
☐ **rib** 動 名 [rɪb] からかう，肋骨	類 poke fun at ～　～をからかう
☐ **riddle** 動 名 [ˈrɪdl] なぞ(を解く)	▶ riddling　形 なぞめいた
☐ **ridge** 名 [rɪdʒ] 山の背，尾根，分水嶺	ridge line　稜線
☐ **ridicule** 動 名 [ˈrɪdəkjuːl] あざ笑う，嘲笑	▶ ridiculous　形 ばかげた ▶ ridiculously　副 ばかばかしいほど

☐ **rift** 名 [rɪft] 切れ目，裂け目，割れ目	熟 rift between ～　～間の亀裂
☐ **rigid** 形 [ˈrɪdʒɪd] 硬くて曲がらない，厳格な	▶ rigidness 名 硬式 ▶ rigidity 名 硬直，厳格
☐ **rigorous** 形 [ˈrɪgərəs] 厳しい，厳格な	▶ rigorousness 名 厳密さ ▶ rigor 名 厳格
☐ **riot** 動 名 [ˈraɪət] 暴動(を起こす)	run riot　騒ぎまわる ▶ riotous 形 暴動の
☐ **rivalry** 名 [ˈraɪvəlri] 競争	熟 in rivalry with ～　～に対抗して ▶ rival 名 競争相手
☐ **robbery** 名 [ˈrɒbəri] 強盗	robbery homicide　強盗殺人
☐ **rod** 名 [rɒd] 棒	kiss the rod　素直に罰を受ける
☐ **romance** 名 [rəʊˈmæns] ロマンス，小説的な事件，情事	▶ romantic 名 形 空想家，空想的な
☐ **routinely** 副 [ruːˈtiːnli] 日常的に	▶ routine 名 形 日常(の仕事)，日課
☐ **rumor** 動 名 [ˈruːmə] うわさ(をする)	▶ rumored 形 うわさされている
☐ **rupture** 動 名 [ˈrʌptʃə] 破裂(する)	熟 rupture *oneself*　ヘルニアを起こす
☐ **sacrifice** 動 名 [ˈsækrəfaɪs] 犠牲(にする)	▶ sacrificial 形 犠牲の，犠牲的な
☐ **sadden** 動 [ˈsædn] 悲しませる	▶ sad 形 悲しい

☐ **salute** 動 名 [səˈluːt] 敬意を表する，敬礼(する)	▶ salutation 名 挨拶
☐ **sanction** 動 名 [ˈsæŋkʃən] 認可(する)	economic sanction 経済制裁
☐ **sanctuary** 名 [ˈsæŋktʃuəri] 聖域	sanctuary area 聖域
☐ **sandstorm** 名 [ˈsændstɔːm] 砂嵐	desert sandstorm 砂漠の砂嵐
☐ **sanitizer** 名 [ˈsænətaɪzə] 消毒剤，殺菌剤	pool sanitizer プール消毒剤 ▶ sanitation 名 公衆衛生 ▶ sanitary 形 衛生的な
☐ **saturate** 動 [ˈsætʃəreɪt] 浸す，ずぶぬれにする	▶ saturation 名 飽和状態，集中砲火
☐ **savage** 動 形 [ˈsævɪdʒ] 激しく攻撃する，残忍な	▶ savagery 名 残忍さ，蛮行
☐ **saw** 名 [sɔː] のこぎり	熟 saw off のこぎりで切断する
☐ **scarcity** 名 [ˈskeəsəti] 不足，欠乏	▶ scarce 形 不足して ▶ scarcely 副 ほとんど～ない
☐ **scary** 形 [ˈskeəri] 怖い	▶ scariness 名 怯え ▶ scare 動 怖がる
☐ **scheme** 動 名 [skiːm] 陰謀(を企てる)	類 plot 名 動 陰謀(を企てる)
☐ **scold** 動 [skəʊld] 叱る	類 rebuke 動 叱る
☐ **scout** 動 名 [skaʊt] 偵察(する)	熟 scout out 探す

☐ **scramble** 動 名 [ˈskræmbəl] よじ登る，奪い合う，混乱	熟 scramble for ～　～を奪い合う
☐ **scrap** 動 名 [skræp] 解体する，断片	▶ scrappy 形 くずの
☐ **scrape** 動 名 [skreɪp] こすり落とす(こと)	熟 scrape along　何とか暮らしていく
☐ **scribble** 動 名 [ˈskrɪbəl] 走り書き(する)	▶ scribbled 形 走り書きした 類 scrawl 動 走り書きする
☐ **seam** 動 名 [siːm] 縫い合わせる，縫い目	▶ seamless 形 縫い目のない，切れ目ない
☐ **seaside** 名 形 [ˈsiːsaɪd] 海岸(の)	類 shore 名 岸
☐ **seaweed** 名 [ˈsiːwiːd] 海藻	seaweed forest　海中林
☐ **seclusion** 名 [sɪˈkluːʒən] 隔離，隔絶	▶ seclude 動 引き離す ▶ secluded 形 世間との交わりを絶った
☐ **segment** 動 名 [ˈsegmənt] 分ける，区分	▶ segmentation 名 分割 ▶ segmental 形 部分の
☐ **seize** 動 [siːz] つかむ，握る，捕まえる	▶ seizure 名 つかむこと，押収(品)
☐ **self-sustaining** 形 [self-səˈsteɪnɪŋ] 自立する，自給の	類 self-supporting 形 自営の，自活する
☐ **senator** 名 [ˈsenətə] 上院議員	▶ senatorial 形 上院の
☐ **sender** 名 [ˈsendə] 送信者	bill sender　元払い

☐ **sensory** 形 ['sensəri] 感覚上の，知覚の	▶ sense 名 感覚
☐ **sequel** 名 ['siːkwəl] 続き，続編，後編	in the sequel 結局
☐ **sequence** 名 ['siːkwəns] 順序，連続して起こること	in sequence 順に ▶ sequential 形 連続的な
☐ **serene** 形 [sə'riːn] 穏やかな，うららかな，のどかな	▶ sereneness 名 のどかさ ▶ serenity 名 平穏
☐ **servitude** 名 ['sɜːvɪtjuːd] 隷属	▶ servile 形 卑屈な
☐ **severity** 名 [sə'verəti] 厳しさ，重大性	▶ severe 形 厳しい，厳格な
☐ **sewage** 名 ['sjuːɪdʒ] 下水	sewage water 汚水
☐ **shaft** 名 [ʃɑːft] 柄	get the shaft ひどい目に遭う
☐ **shatter** 動 ['ʃætə] 粉々にする	▶ shattered 形 打ちのめされた ▶ shattering 形 (人を)狼狽させる
☐ **sheer** 形 副 [ʃɪə] まったくの，完全な(に)	類 complete 形 完全な
☐ **sherry** 名 ['ʃeri] シェリー酒	sweet sherry 甘口シェリー酒
☐ **shoplift** 動 ['ʃɒpˌlɪft] 万引きする	▶ shoplifter 名 万引き犯 ▶ shoplifting 名 万引き
☐ **short-sighted** 形 [ʃɔːt'saɪtɪd] 近視の	▶ short-sightedly 副 近視眼的に ▶ short-sightedness 名 近視

☐ **showroom** 名 [ˈʃəʊrʊm] 陳列室，ショールーム	showrooming 名 実店舗を展示場にすること
☐ **showy** 形 [ˈʃəʊi] 華やかな，人目を引く	▶ show 動 見せる
☐ **shrink** 動 [ʃrɪŋk] 縮む，収縮する	類 diminish 動 減少する
☐ **sibling** 名 [ˈsɪblɪŋ] 兄弟，姉妹	▶ sib 名 血縁者
☐ **significantly** 副 [sɪɡˈnɪfɪkəntli] 有意に	▶ significant 形 重要な ▶ significance 名 意義，重要性 ▶ signify 動 ～を意味する，重要である
☐ **simmer** 動 [ˈsɪmə] 煮る	simmered dish 煮込み料理
☐ **simulate** 動 [ˈsɪmjəleɪt] ふりをする，装う	▶ simulator 名 シミュレーター，模擬実験装置 ▶ simulation 名 シミュレーション
☐ **skeleton** 名 [ˈskelətən] 骨格，概要（の）	▶ skeletal 形 骸骨のような
☐ **skull** 名 [skʌl] 頭蓋骨	out of *one's* skull 酔っている
☐ **slack** 形 [slæk] ゆるい，たるんだ	slack in business 不況
☐ **sluggish** 形 [ˈslʌɡɪʃ] 動きののろい，ゆるやかな	▶ sluggishness 名 不活発
☐ **slum** 動 名 [slʌm] スラム街（に行く）	熟 slum it 苦しい生活をする
☐ **sly** 形 [slaɪ] ずるい，悪賢い，陰険な	▶ slyness 名 陰険

☐ **smartly** 副 [smɑːtli] 賢く，きびきびと	▶ smart 形 活発な，賢い
☐ **smash** 動 形 [smæʃ] 打ち砕く，大成功の	類 successful 形 大成功の
☐ **snakebite** 名 ['sneɪkbaɪt] 蛇にかまれた傷	poisonous snakebite 蛇咬症
☐ **sneak** 形 動 [sniːk] 思いがけない，こっそり歩く	▶ sneaky 形 卑怯な ▶ sneaker 名 忍び歩く人
☐ **sobriety** 名 [sə'braɪəti] しらふ	▶ sober 形 しらふの
☐ **socialize** 動 ['səʊʃəlaɪz] 社会化する	▶ social 形 社会の
☐ **socially** 副 ['səʊʃəli] 社会的に	socially uncomfortable 社会的に不快な
☐ **societal** 形 [sə'saɪətl] 社会の	societal benefit 社会的利益
☐ **sociology** 名 [ˌsəʊsi'ɒlədʒi] 社会学	animal sociology 動物社会学 ▶ sociologist 名 社会学者
☐ **socket** 名 ['sɒkɪt] ソケット	類 outlet 名 コンセント
☐ **solace** 動 名 ['sɒlɪs] 慰め(る)	▶ solacement 名 慰め，安堵
☐ **solemn** 形 ['sɒləm] まじめな，謹厳な	▶ solemnity 名 厳粛
☐ **solidarity** 名 [ˌsɒlə'dærəti] 結束，一致，団結，連帯	▶ solid 形 固体の

☐ **solidify** 動 [səˈlɪdɪfaɪ] 凝固する	▶ solidification 名 凝固
☐ **somewhat** 副 [ˈsʌmwɒt] やや，いくぶん，多少	熟 somewhat of ～　いくぶん～
☐ **soothe** 動 [suːð] なだめる，なだめすかす	▶ soother 名 なだめる人[もの] ▶ soothing 形 心を落ち着かせる
☐ **sophisticate** 動 [səˈfɪstɪkeɪt] 世間慣れさせる，洗練させる	▶ sophisticated 形 洗練された ▶ sophistication 名 精巧さ
☐ **sound wave** 名 [ˈsaʊndˌweɪv] 音波	soundwave energy　音波エネルギー
☐ **southwest** 名 形 [ˌsaʊθˈwest] 南西(の)	▶ southwestern 形 南西(部)の，南西からの
☐ **sovereignty** 名 [ˈsɒvrənti] 主権	▶ sovereign 形 主権を有する，独立の
☐ **sow** 動 [səʊ] まく	熟 sow *A* in *B*　BにAをまく
☐ **soybean** 名 [ˈsɔɪbiːn] 大豆	soybean oil　大豆油
☐ **spacecraft** 名 [ˈspeɪskrɑːft] 宇宙船	manned spacecraft　有人宇宙船
☐ **spacious** 形 [ˈspeɪʃəs] 広々とした	▶ space 名 空間
☐ **specialization** 名 [ˌspeʃəlaɪˈzeɪʃən] 専門化	▶ specialize 動 専門にする
☐ **specifically** 副 [spəˈsɪfɪkli] 明確に，はっきりと	▶ specify 動 明示する ▶ specific 形 明確な，特定の ▶ specification 名 明細に述べること

☐ **spiral** 形 名 動 [ˈspaɪərəl] 渦巻(の)，らせん(の)，らせんに動く	in a spiral　らせん状に
☐ **spiritualism** 名 [ˈspɪrətʃʊlɪzəm] スピリチュアリズム	▶ spiritual　形 精神上の
☐ **splendid** 形 [ˈsplendɪd] 華麗な，壮麗な，目もあやな	▶ splendor　名 輝き
☐ **splintered** 形 [ˈsplɪntəd] 割れた	▶ splinter　動 割る
☐ **spoke** 名 [spəʊk] (車輪の)スポーク	熟 put a spoke in *one*'s wheel ～　～のじゃまをする
☐ **spotlight** 動 名 [ˈspɒtlaɪt] 目立たせる，注目	類 glare　名 目立つこと
☐ **sprain** 名 動 [spreɪn] 捻挫(する)	類 wrench　名 捻挫
☐ **sprint** 動 名 [sprɪnt] 全力疾走(する)	▶ sprinter　名 短距離走者
☐ **squabble** 動 名 [ˈskwɒbəl] つまらない口論(をする)	類 spat　動 ささいなけんか
☐ **squire** 動 名 [skwaɪə] お供する，大地主	▶ squirearchy　名 地主階級
☐ **stab** 動 名 [stæb] 刺す，中傷(する)，企て	類 attempt　名 動 企て(る)
☐ **stability** 名 [stəˈbɪləti] 安定	▶ stable　形 安定した ▶ stabilize　動 ～を安定させる ▶ stably　副 安定して
☐ **stagger** 動 [ˈstægə] よろめく	▶ staggerer　名 難題，よろめく人

☐ **stain** 動 名 [steɪn] しみ(をつける)	反 destain 動 汚れを取り除く
☐ **stale** 形 [steɪl] 新鮮でない，古くさい	▶ staleness 名 腐敗 反 fresh 形 新鮮な
☐ **stall** 動 [stɔːl] 行き詰まる，引きのばす	熟 stall off 遅らせる
☐ **standby** 名 ['stændbaɪ] 頼りになるもの，代役	熟 stand by 待機する 類 reliance 名 信頼，信用
☐ **starve** 動 [stɑːv] 飢える	▶ starvation 名 飢餓，餓死
☐ **statistical** 形 [stə'tɪstɪkəl] 統計の	▶ statistics 名 統計値 ▶ statistically 副 統計によって
☐ **steer** 動 名 [stɪə] 運転する，指示する，アドバイス	熟 steer clear of ～ ～を避ける
☐ **stereotype** 名 ['steriətaɪp] 定型，固定概念	類 classify 動 分類する ▶ stereotypical 形 定型化した
☐ **sterile** 形 ['steraɪl] 不妊の	▶ sterility 名 不妊症
☐ **stiff** 形 [stɪf] 硬い	▶ stiffness 名 剛性
☐ **stifle** 動 ['staɪfəl] 息を止める，抑える	▶ stifling 形 息苦しい
☐ **stimulate** 動 ['stɪmjəleɪt] 刺激する	▶ stimulation 名 刺激，興奮，鼓舞，激励 ▶ stimulus 名 刺激(になるもの) ▶ stimulant 名 刺激剤
☐ **stockpile** 動 名 ['stɒkpaɪl] 備蓄(する)，貯蔵庫	類 reserve 名 蓄え，予備

☐ **stoop** 動 [stuːp] かがむ，前へ曲がる	熟 stoop *one's* shoulders　肩を落とす
☐ **stout** 形 [staʊt] じょうぶな，頑丈な	▶ stoutly　副 頑丈に 類 strong　形 強い，じょうぶな
☐ **straightforward** 形 副 [ˌstreɪtˈfɔːwəd] まっすぐな，率直に	▶ straightforwardly　副 まっすぐに
☐ **strand** 動 [strænd] 座礁する，困らせる	▶ stranded　形 立ち往生した
☐ **strangle** 動 [ˈstræŋgəl] 絞め殺す	類 strangulate　動 窒息させる
☐ **strap** 動 [stræp] シートベルトを締める，しばる	類 tie　動 結びつける
☐ **strenuous** 形 [ˈstrenjuəs] 奮闘的な，熱心な，激しい	▶ strenuously　副 激しく
☐ **stroll** 動 名 [strəʊl] 散歩(する)，ぶらぶらと歩く(こと)	類 saunter　動 名 のんびり歩く(こと)
☐ **stubborn** 形 [ˈstʌbən] 頑固な	▶ stubbornly　副 頑なに
☐ **subculture** 名 [ˈsʌbˌkʌltʃə] サブカルチャー	▶ subcultural　形 サブカルチャーの
☐ **subscription** 名 [səbˈskrɪpʃən] 予約購読，寄付(金)	▶ subscribe　動 寄付する，署名する
☐ **subsequently** 副 [ˈsʌbsəkwəntli] 続いて	▶ subsequent　形 その次の 反 previous　形 前の
☐ **subsistence** 名 [səbˈsɪstəns] 生存，生活	▶ subsist　動 生存する

☐ **substantially** 副 [səbˈstænʃəli] 大いに，かなり	▶ substantial 形 実体がある，十分な ▶ substance 名 物資
☐ **subtle** 形 [ˈsʌtl] 微妙な，とらえがたい	▶ subtilize 動 希薄にする ▶ subtlely 名 希薄 ▶ subtly 副 ほのかに
☐ **subtract** 動 [səbˈtrækt] 取り去る，引く	▶ subtraction 名 引き算，引き去ること 反 odd 動 加える
☐ **successor** 名 [səkˈsesə] 後任，後継者，相続者，継承者	▶ succeed 動 成功する ▶ succession 名 連続して起こる物事 ▶ successive 形 引き続く
☐ **suggestive** 形 [səˈdʒestɪv] 示唆的な	▶ suggest 動 提案する
☐ **suicidal** 形 [ˌsuːəˈsaɪdl] 自殺の，自滅的な	▶ suicide 名 自殺
☐ **summerhouse** 名 [ˈsʌməhaʊs] あずまや	類 gazebo 名 展望台
☐ **super** 形 副 名 [ˈsuːpə] すばらしい，非常に，管理人	類 superintendent 名 管理人
☐ **superb** 形 [sjuːˈpɜːb] すばらしい，堂々とした	▶ superbly 副 すばらしく
☐ **superbug** 名 [ˈsuːpəbʌg] 耐性菌	drug-resistant superbug 薬物抵抗性耐性菌
☐ **supernatural** 形 [ˌsuːpəˈnætʃərəl] 超自然的な，信じられない	▶ supernaturally 副 神秘的に
☐ **supervisor** 名 [ˈsuːpəvaɪzə] 監督者	▶ supervision 名 監督 ▶ supervise 動 監督する
☐ **supplement** 名 [ˈsʌpləmənt] 補足，付録	▶ supplementary 形 追加の

☐ **suppress** 動 [sə'pres] 抑圧する	▶ suppression 名 抑圧
☐ **supreme** 形 [sʊ'priːm] 最高位の，最上の	▶ supremeness 名 最上
☐ **surplus** 名 形 ['sɜːpləs] 余剰(の)	in surplus 余分に 反 deficit 名 不足，赤字
☐ **surrender** 動 名 [sə'rendə] 降伏(する)	類 abnegate 動 放棄する
☐ **surveillance** 名 [sə'veɪləns] 監視	▶ surveil 動 監視下に置く
☐ **sustain** 動 [sə'steɪn] 維持する，養う	▶ sustainer 名 扶養者 ▶ sustainable 形 持続できる ▶ sustenance 名 生命を維持するもの
☐ **swamp** 動 [swɒmp] 水浸しにする，押し寄せる	▶ swamped 形 忙しくて仕方ない
☐ **swap** 動 名 [swɒp] 交換(する)	類 switch 名 動 交換(する)
☐ **swarm** 動 名 [swɔːm] 群れ(になる)	熟 swarm into ～ ～に殺到する
☐ **swell** 動 名 [swel] ふくれる(こと)	類 increase 動 増す ▶ swelling 名 腫れること
☐ **sweltering** 形 ['sweltərɪŋ] うだるように暑い	▶ swelter 名 動 暑さにまいっている(様子)
☐ **symptom** 名 ['sɪmptəm] 症状	▶ symptomatic 形 症状を示す
☐ **synagogue** 名 ['sɪnəgɒg] ユダヤ教会	類 tabernacle 名 ユダヤ神殿

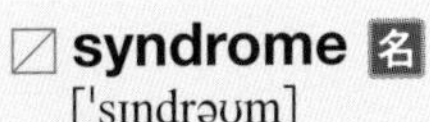

☐ **syndrome** 名 [ˈsɪndrəʊm] 症候群，シンドローム	syndrome of dementia　認知症候群
☐ **tackle** 動 [ˈtækəl] 取り組む	類 confront　動 立ち向かう
☐ **tailor** 動 [ˈteɪlə] あつらえる，調整する	tailor *A* to *B*　AをBに合わせる
☐ **tale** 名 [teɪl] 物語	fairy tale　おとぎ話
☐ **talent** 名 [ˈtælənt] 才能	▶ talented　形 才能のある
☐ **tame** 動 形 [teɪm] 飼い慣らす，従順な	反 wild　形 野生の
☐ **tariff** 動 名 [ˈtærɪf] 関税（を課す）	▶ tariffication　名 関税化
☐ **tedious** 形 [ˈtiːdiəs] 退屈な	▶ tedium　名 退屈
☐ **television rating** 名 [ˈteləˌvɪʒən ˈreɪtɪŋ] テレビの視聴率	high television rating　テレビの高視聴率
☐ **temporarily** 副 [ˈtempərərəli] 一時的に	▶ tempo　名 速さ ▶ temporary　形 一時的な 反 permanent　形 永久不変の
☐ **temptation** 名 [tempˈteɪʃən] 誘惑	▶ tempt　動 誘惑する ▶ temptable　形 誘惑されやすい
☐ **tense** 形 [tens] ぴんと張った，緊張した	▶ tension　名 緊張 反 relaxed　形 くつろいだ
☐ **terminology** 名 [ˌtɜːməˈnɒlədʒi] 専門用語	▶ terminological　形 専門用語上の

☐ **termite** 名 [ˈtɜːmaɪt] シロアリ	termite damage　シロアリ被害
☐ **terrify** 動 [ˈterɪfaɪ] 恐れさせる，怖がらせる	▶ terror 名 恐怖 ▶ terrifying 形 怖ろしい ▶ terrified 形 おびえた
☐ **territorial** 形 [ˌterəˈtɔːriəl] 領土の	▶ territory 名 領土
☐ **testament** 名 [ˈtestəmənt] 証拠，遺言	▶ testamentary 形 遺言の
☐ **testimony** 名 [ˈtestəməni] 証言，口供書	熟 testimony to ～　～の証拠 ▶ testimonial 名 (人・能力などの)証明書 ▶ testify 動 証言する
☐ **thaw** 動 名 [θɔː] 解凍(する)	類 defrost 動 解凍する
☐ **theorize** 動 [ˈθɪəraɪz] 理論を立てる	▶ theory 名 理論 ▶ theorization 名 理論化
☐ **therapeutic** 形 [ˌθerəˈpjuːtɪk] 治療の	▶ therapy 名 治療 ▶ therapist 名 セラピスト
☐ **thereby** 副 [ðeəˈbaɪ] それによって，それに関して	Thereby hangs a tale　それには訳がある
☐ **thigh** 名 [θaɪ] もも，大腿	thigh muscle　大腿筋
☐ **thunderous** 形 [ˈθʌndərəs] 雷のような，とどろきわたる	▶ thunder 名 雷
☐ **tick** 動 名 [tɪk] 動く，カチカチいう音	tick away　刻々と時間が過ぎる
☐ **tidy** 動 形 [ˈtaɪdi] 整える，整然とした	▶ tidily 副 きちんと

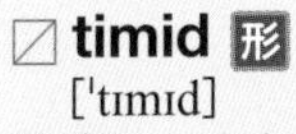

☐ **timid** 形 [ˈtɪmɪd] 臆病な，小心な，内気な	▶ timidly 副 恐る恐る ▶ timidity 名 臆病
☐ **token** 名 形 [ˈtəʊkən] しるし(として)	熟 in token of ～　～のしるしとして
☐ **tolerance** 名 [ˈtɒlərəns] 耐性，寛大	▶ tolerant 形 耐性のある，寛容な ▶ tolerable 形 耐えられる ▶ tolerate 動 許容する
☐ **toll** 名 [təʊl] 通行料金，損失，死傷者数	toll fare　通行料
☐ **tone** 名 [təʊn] (音の)調子，音色	熟 in a ～ tone　～な調子で
☐ **toxic** 形 名 [ˈtɒksɪk] 有毒な，有毒物質	▶ toxicity 名 毒性
☐ **toxin** 名 [ˈtɒksɪn] 毒素	toxin action　毒素作用
☐ **tract** 名 [trækt] 管	digestive tract　消化管
☐ **trail** 動 名 [treɪl] 引きずる，跡	熟 blaze a trail　道しるべをつける，先駆者となる
☐ **trait** 名 [treɪ] 形質，性質	類 character 名 性質
☐ **trajectory** 名 [trəˈdʒektəri] 軌道	▶ traject 動 伝える
☐ **transformer** 名 [trænsˈfɔːmə] 変圧器	▶ transform 動 一変させる ▶ transformation 名 変化
☐ **transmit** 動 [trænzˈmɪt] 送信する，伝える	▶ transmission 名 伝染，伝達 ▶ transmitter 名 発信器

☐ **transplant** 動 名 [ˈtrænsplɑːnt, trænsˈplɑːnt] 移植(する)	organ transplant　臓器移植 ▶ transplantation　名 移植
☐ **trauma** 名 [ˈtrɔːmə] トラウマ	trauma unit　外科 ▶ traumatic　形 トラウマ症の
☐ **treetop** 名 [ˈtriːtɒp] こずえ	類 crown　名 花冠
☐ **trek** 動 名 [trek] トレッキング(する)，徒歩旅行	類 travel　動 旅行する ▶ trekker　名 歩行旅行者
☐ **trespass** 動 名 [ˈtrespəs] 侵入する，不法侵入(する)	類 intrusion　名 侵入
☐ **tribal** 形 [ˈtraɪbəl] 部族の	▶ tribally　副 部族的に ▶ tribe　名 部族
☐ **tribute** 名 [ˈtrɪbjuːt] 贈り物，賛辞	類 eulogy　名 賛辞 ▶ tributary　形 貢ぎ物を納める
☐ **trickle** 動 [ˈtrɪkəl] したたる，ぽたぽた落ちる	類 dribble　動 したたる
☐ **triumph** 動 名 [ˈtraɪəmf] 勝利(する)，征服(する)	類 victory　名 勝利 ▶ triumphant　形 勝利を収めた
☐ **trivial** 形 [ˈtrɪviəl] ささいな，つまらない	▶ trivialize　動 つまらなくする ▶ trivia　名 つまらないこと
☐ **troubleshooting** 名 [ˈtrʌbəlˌʃuːtɪŋ] トラブル対応	▶ troubleshoot　動 解決する，修理する
☐ **trump** 動 名 [trʌmp] 切り札(を出す)	熟 trump card　切り札，奥の手
☐ **tryout** 名 [ˈtraɪaʊt] 適性検査	熟 try out　試してみる

☐ **tuck** 動 [tʌk] 押し込む	熟 tuck away　しまい込む
☐ **tuition** 名 [tjuˈɪʃən] 教授，授業，授業料	▶ tuitional　形 教授(上)の
☐ **tumble** 動 名 [ˈtʌmbəl] 転落(する)，暴落(する)	類 descend　動 下降する
☐ **tumor** 名 [ˈtjuːmə] 腫瘍	▶ tumorous　形 腫瘍のような
☐ **turbulent** 形 [ˈtɜːbjələnt] 荒れ狂う，動揺した，不穏な	類 tumultuous　形 騒々しい ▶ turbulence　名 (大気の)荒れ，激動
☐ **turnaround** 名 [ˈtɜːnəraʊnd] 改善，転換	類 reversal　名 逆転させること
☐ **tutor** 動 名 [ˈtjuːtə] 家庭教師(をする)	類 instructor　名 指導者
☐ **two-party** 形 [tuː-ˈpɑːti] 二大政党の	two-party system　二大政党制
☐ **typhoon** 名 [ˌtaɪˈfuːn] 台風	typhoon forecast　台風予報 類 hurricane　名 ハリケーン
☐ **ugly** 形 [ˈʌgli] 醜い	▶ ugliness　名 醜悪さ
☐ **ultramodern** 形 [ʌltəˈmɒdn] 超現代的な	ultramodern equipment　最新式の設備
☐ **unanimously** 副 [juːˈnænɪməsli] 満場一致で	adopted unanimously　満場一致で可決される ▶ unanimous　形 満場一致の
☐ **unbelievable** 形 [ˌʌnbəˈliːvəbəl] 信じられない	▶ unbelievably　副 信じられないほど

☐ **undeniable** 形 [ˌʌndɪˈnaɪəbəl] 否定できない	反 deniable 形 否定できる ▶ undeniably 副 紛れもなく
☐ **underway** 形 [ˌʌndəˈweɪ] 進行中で	熟 get underway 進む
☐ **unearth** 動 [ʌnˈɜːθ] 発掘する，掘り出す	unearth a body 死体を掘り起こす
☐ **unequal** 形 [ʌnˈiːkwəl] 同等でない，不釣り合いの	類 inadequate 形 不適な
☐ **unfold** 動 [ʌnˈfəʊld] 展開する	類 spread 動 広げる
☐ **uniformed** 形 [ˈjuːnəfɔːmd] 制服を着た，画一化した	uniformed policeofficer 制服を着た警官
☐ **unintended** 形 [ˌʌnɪnˈtendəd] 意図しない	unintended acceleration 急発進
☐ **uniquely** 副 [juːˈniːkli] 独自に	uniquely shaped 定型外の ▶ unique 形 ひとつしかない
☐ **unpredictable** 形 [ˌʌnprɪˈdɪktəbəl] 予測できない	▶ unpredictably 副 予想外に
☐ **unrelenting** 形 [ˌʌnrɪˈlentɪŋ] 絶え間ない	▶ unrelentingly 副 容赦なく
☐ **unreliable** 形 [ˌʌnrɪˈlaɪəbəl] 信頼できない	▶ unreliably 副 信頼できない方法で
☐ **unrest** 名 [ʌnˈrest] 不安	social unrest 社会不安
☐ **unsafe** 形 [ˌʌnˈseɪf] 安全でない	unsafe act 危険な行為

☐ **unsuccessful** 形 [ˌʌnsəkˈsesfəl] 失敗した	unsuccessful litigation　敗訴
☐ **unsure** 形 [ˌʌnˈʃɔː] 確信のない	類 uncertain　形 あやふやな
☐ **untrustworthy** 形 [ʌnˈtrʌstˌwɜːði] 信頼できない	反 trustworthy　形 信頼できる ▶ untrustworthiness　名 信頼できないこと
☐ **uphold** 動 [ʌpˈhəʊld] 維持する，支持する，確認する	類 maintain　動 支持する
☐ **urgency** 名 [ˈɜːdʒənsi] 切迫，急迫，緊急，火急	urgency signal　緊急信号 ▶ urgent　形 緊急の
☐ **usage** 名 [ˈjuːsɪdʒ] 使うこと，使用，慣習	social usage　社会的習慣
☐ **usher** 動 名 [ˈʌʃə] 案内する，案内係	類 guide　動 ガイドする
☐ **utensil** 名 [juːˈtensəl] 用具，家庭用品	household utensils　家庭用品
☐ **utilize** 動 [ˈjuːtəlaɪz] 利用する	▶ utiliser　名 利用上手な人 ▶ utilization　名 利用 ▶ utility　名 公益事業，有用(性)
☐ **utmost** 形 [ˈʌtməʊst] 最大限の，最高の	▶ the utmost　名 最大限
☐ **utterance** 名 [ˈʌtərəns] 口から出すこと，発言，発声	utter darkness　真っ暗闇 ▶ utter　動 形 述べる，完全な
☐ **vacant** 形 [ˈveɪkənt] 空いている	▶ vacancy　名 空っぽの状態
☐ **vaccine** 名 [ˈvæksiːn] ワクチン	▶ vaccinate　動 ワクチンを接種する ▶ vaccination　名 ワクチン接種

☐ **vain** 形 [veɪn] うぬぼれの強い，むだな	熟 in vain　いたずらに，むだに
☐ **validate** 動 [ˈvælədeɪt] 有効にする，批准する	▶ valid　形 たしかな ▶ validation　名 確認，承認 ▶ validity　名 正当性
☐ **valuation** 名 [ˌvæljuˈeɪʃən] 評価，査定	▶ valuate　動 評価する
☐ **vaporize** 動 [ˈveɪpəraɪz] 気化する	▶ vaporized　形 蒸発した
☐ **variable** 名 形 [ˈveəriəbəl] 変数，可変の，変わりやすい	反 constant　名 形 定数，不変の ▶ variability　名 可変性 ▶ vary　動 変化する
☐ **vault** 動 名 [vɔːlt] 飛び越える，地下(貯蔵)室	類 hurdle　動 飛び越える ▶ vaulted　形 アーチ型の
☐ **vegan** 名 形 [ˈviːgən] ベジタリアン(の)	熟 go vegan　ベジタリアンになる ▶ vegetation　名 植物，草木 ▶ vegetative　形 植物の
☐ **veil** 動 名 [veɪl] ベール(で覆う)，隠す	take the veil　修道院に入る ▶ veiled　形 ベールを掛けた
☐ **venerable** 形 [ˈvenərəbəl] 尊敬するに足る，尊ぶべき	▶ venerableness　名 尊敬すること ▶ venerate　動 尊敬する
☐ **venture** 動 名 [ˈventʃə] 思いきって〜する，冒険，投機	熟 at a venture　でたらめに ▶ venturesome　形 冒険好きな
☐ **venue** 名 [ˈvenjuː] 会合場所，開催地，予定地	main venue　主会場
☐ **verbal** 形 [ˈvɜːbəl] 言葉の，言葉から成る	類 spoken　形 口語の 反 nonverbal　形 言語を用いない
☐ **vessel** 名 [ˈvesəl] 容器，(大型の)船	merchant vessel　商船

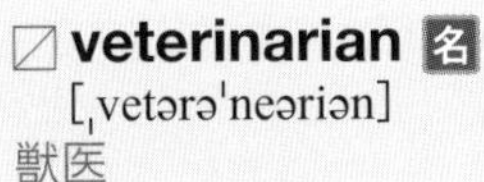

☐ **veterinarian** 名 [ˌvetərəˈneəriən] 獣医	類 vet 名 獣医
☐ **viable** 形 [ˈvaɪəbəl] 存立できる，実行可能な	viable economy　成長経済 ▶ viability 名 実行可能性
☐ **vibrate** 動 [ˈvaɪbreɪt] 振動する	▶ vibrant 形 震える
☐ **vicious** 形 [ˈvɪʃəs] 悪質な	▶ vice 名 悪
☐ **viewpoint** 名 [ˈvjuːpɔɪnt] 観点	clinical viewpoint　臨床的観点
☐ **vigorous** 形 [ˈvɪgərəs] 精力的な，強健な，激しい	▶ vigor 名 活力 ▶ vigorously 副 精力的に
☐ **villainous** 形 [ˈvɪlənəs] 悪質な	▶ villain 名 悪党
☐ **vinegar** 名 [ˈvɪnɪgə] 酢，食用酢	▶ vinegary 形 すっぱい
☐ **vintage** 名 形 [ˈvɪntɪdʒ] ブドウの収穫，年代物の	vintage clothes　古着
☐ **vivid** 形 [ˈvɪvɪd] はつらつとした，鮮明な	▶ vividness 名 鮮やかなこと ▶ vividly 副 鮮明に
☐ **vocation** 名 [vəʊˈkeɪʃən] 職業，使命	▶ vocational 形 職業上の
☐ **voluntarily** 副 [ˈvɒləntərəli] 自発的に	▶ volunteer 名 志願者 ▶ voluntary 形 自発的な 反 involuntarily 副 嫌々ながら
☐ **voter** 名 [ˈvəʊtə] 有権者	voter list　有権者リスト

☐ **vulnerability** 名 [vʌlnərəˈbələti] 脆弱性	▶ vulnerable 形 弱い，傷つきやすい
☐ **wade** 動 [weɪd] 歩く，歩いて渡る	熟 wade in ～　～に加わる
☐ **wagon** 動 名 [ˈwægən] ワゴン（で送る）	熟 on the wagon　禁酒して
☐ **warehouse** 動 名 [ˈweəhaʊs] 倉庫（に入れる）	warehouse stock　製品在庫
☐ **warrant** 動 名 [ˈwɒrənt] 正当化する，正当な理由，根拠	類 justify 動 正当化する ▶ warranty 名 保証
☐ **warrior** 名 [ˈwɒriə] 戦士	warrior class　士族
☐ **watchful** 形 [ˈwɒtʃfəl] 用心深い	▶ watchfully 副 用心深く ▶ watchfulness 名 用心深い
☐ **waterfowl** 名 [ˈwɔːtəfaʊl] 水鳥	waterfowl habitat　水鳥の生息地
☐ **waver** 動 [ˈweɪvə] 揺れる，ゆらめく	熟 waver between ～　～の間で揺れ動く ▶ waveringly 副 揺れ動いて
☐ **weaken** 動 [ˈwiːkən] 弱くする	▶ weak 形 弱い，もろい ▶ weakened 形 弱体化した
☐ **weather-monitoring** 名 [ˈweðəˌmɒnɪtərɪŋ] 気象監視	weather-monitoring satellite　気象衛星
☐ **weave** 動 [wiːv] 織る，縫うように進む	weave a story　物語を作り上げる
☐ **weed** 動 名 [wiːd] 雑草（を除く）	▶ weeding 名 除草

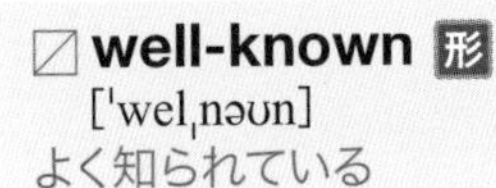

☐ **well-known** 形 [ˈwelˌnəʊn] よく知られている	well-known fact　周知の事実
☐ **wholesale** 名 [ˈhəʊlseɪl] 卸売り	反 retail　名 小売り
☐ **wicked** 形 [ˈwɪkɪd] 邪悪な	▶ wickedness　名 邪悪
☐ **windbreak** 名 [ˈwɪndbreɪk] 防風林，防風設備，風よけ	windbreak forest　防風林
☐ **winner-take-all** 形 [ˈwɪnəteɪˌkɔːl] 勝者総取りの	winner-take-all society　勝者独り勝ち社会
☐ **witty** 形 [ˈwɪti] 機知に富んだ，気のきいた	▶ wit　名 知恵 反 witless　知恵のない
☐ **workforce** 名 [ˈwɜːkfɔːs] 労働力	workforce cut　人員削減
☐ **workhorse** 名 [ˈwɜːkhɔːs] 使役馬，働き者	willing workhorse　自発的な働き者
☐ **wreckage** 名 [ˈrekɪdʒ] 難破貨物，漂着物	▶ wreck　名 動 難破(させる)
☐ **yardstick** 名 [ˈjɑːdˌstɪk] 基準，尺度	universal yardstick　統一的尺度
☐ **yearn** 動 [jɜːn] 憧れる，慕う	▶ yearning　名 憧れ
☐ **yield** 動 名 [jiːld] 産出する，産出，産出高	類 output　動 名 産出(する)，産出高
☐ **youthful** 形 [ˈjuːθfəl] 若々しい	▶ youthfulness　名 若々しさ

頻出熟語 252

☐ **abide by ～** ～を遵守する，～に従う	You have to **abide by** your promise. 約束は守らなければならない。
☐ **account for ～** ～を説明する	How can you **account for** his failure? 彼の失敗をどう説明できますか。
☐ **accuse *A* of *B*** A を B の理由で責める	He **accused** her **of** being irresponsible. 彼は無責任だという理由で彼女を責めた。
☐ **act on ～** ～に従って行動する	You are required to **act on** social conventions. あなたたちは社会の慣習に従って行動することを求められている。
☐ **act up** 暴れる，悪化する	Mike began to **act up** in class. マイクは授業で騒ぎ始めた。
☐ **add up to ～** 結局～となる	Small efforts **add up to** a big chance. 小さな努力が結局は大きなチャンスを生むことになる。
☐ **adhere to ～** ～を忠実に守る	Teachers must tell students to **adhere to** school regulations. 教師は生徒たちに，校則を忠実に守るように言わなければならない。
☐ **against a rainy day** 万が一に備えて	My wife saved money **against a rainy day**. 妻はまさかのときに備えてお金を貯めていた。
☐ **ahead of time** 定刻前に，前もって	We will arrive 15 minutes **ahead of time**. 15 分定刻より早く着くでしょう。
☐ **air out ～** ～を風にあてる	It's a beautiful day.　Let's **air out** the rooms. 天気がいいですね。部屋を換気しましょう。

☐ **all along** 初めから，ずっと	Do you know it **all along**? 初めから知っていたのですか。
☐ **allow for 〜** 〜を考慮に入れる	The mayor always **allows for** the unexpected. 市長は常に不測の事態を考慮に入れている。
☐ **allude to 〜** 〜をほのめかす，言及する	I'd like to know about the new plan you **alluded to** before. あなたが以前にほのめかした新しいプランについて知りたい。
☐ **anything but 〜** 決して〜ではない，〜どころではない	His daughter is **anything but** shy. 彼の娘は決して内気ではない。
☐ **appoint *A* to *B*** A を B に任命する	We **appointed** him **to** the key post. 私たちは彼を重要な役職に任命した。
☐ **approve of 〜** 〜をよしとする，許す	My parents won't **approve of** my marriage. 両親は私の結婚を許さないだろう。
☐ **around the clock** 24 時間通して，昼夜休みなく	The staff worked **around the clock**. 職員は昼夜休みなく働いた。
☐ **as follows** 次の通りで	The specifications are **as follows**. 仕様は次の通りです。
☐ **as opposed to 〜** 〜とは対照的に	Adults, **as opposed to** children, know themselves. 子どもと違って，大人は自分自身を知っている。
☐ **at all costs** いかなる犠牲を払っても	We had to win **at all costs**. どんな犠牲を払っても勝たねばならなかった。
☐ **at any rate** とにかく，ともかく	**At any rate**, I will be here tonight. とにかく，今夜私はここにいます。

☑ **at face value** 額面通りに，文字通りの意味で	You mustn't accept what he said **at face value**. 彼が言ったことを額面通りに受け取ってはいけない。
☑ **at hand** 手元に，目前に	You should keep a memo pad **at hand** when you follow someone's instructions. 人の指示に従うときは，メモ用紙を手元に置いておくべきです。
☑ **at large** 逃亡中で，野放しで	Two suspects are **at large**. 2人の容疑者が捕まっていない。
☑ **at length** 長々と，詳細に	The author didn't discuss the history of this country **at length** in this chapter. 筆者はこの国の歴史について，この章で詳しく論じてはいない。
☑ **at odds** 一致してない，不和で	He's **at odds** with his classmates. 彼は同級生ともめている。
☑ **at the discretion of ～** 自らの判断により，(自由)裁量で	This fund is used **at the discretion of** the president. この資金は大統領の自由裁量で使用される。
☑ **attribute *A* to *B*** AをBのせいにする	She **attributed** her husband's bad temper **to** his illness. 彼女は夫の不機嫌を病気のせいにした。
☑ **back down** 手を引く，後退する	It was too late to **back down**. 手を引くには遅すぎた。
☑ **back down on ～** ～を撤回する，取り下げる	The member said he was not **backing down on** his plan. 議員は自分の提案を撤回するつもりはないと言った。
☑ **be absorbed in ～** ～に夢中になる	My friend **is absorbed in** reading. 友人は読書にふけっている。
☑ **be abundant in ～** ～が豊かである，～に富んでいる	This continent **is abundant in** natural resources. この大陸は天然資源が豊富である。

☐ **be all Greek to ～** ～にはちんぷんかんぷんである	It **was all Greek to** my grandmother. それは私の祖母にはさっぱりわかりませんでした。
☐ **be appreciative of ～** ～に感謝している	We **are** all **appreciative of** your kindness. 私たちは皆あなたの親切に感謝しています。
☐ **be apt to *do*** ～しがちである，～する傾向がある	He **is apt to** arrive late on Fridays. 彼は金曜日に遅刻しがちだ。
☐ **be at stake** 危うくなって，危機にひんして	Their team's honor **was at stake**. 彼らのチームの名誉が懸かっていた。
☐ **be bent on ～** ～を決意している，～に熱中している	My colleague **is bent on** getting a new job. 同僚は新しい仕事に就こうと決心している。
☐ **be caught up in ～** ～に捕らわれる，夢中になる	You may **be caught up in** a traffic jam. あなたは渋滞に巻き込まれるかもしれない。
☐ **be committed to ～** ～に取り組む，専心する	He **is committed to** the cause of world peace. 彼は世界平和のためにその身を捧げている。
☐ **be compatible with ～** ～と互換性のある，両立できる	The man's liberal thoughts **are** not **compatible with** tradition. その男性の先進的な思想は伝統と両立しない。
☐ **be consistent with ～** ～と一致する，両立する	The results **are** not **consistent with** our earlier research. 結果は私たちの以前の調査と一致しなかった。
☐ **be convinced of ～** ～を確信している	We **are convinced of** his safety. 私たちは彼の無事を確信している。
☐ **be deficient in ～** ～に欠けている	The salesperson seems to **be deficient in** common sense. その販売員は常識に欠けているようだ。

☐ **be devoted to ～** ～に専念している	My brother **is devoted to** a horserace. 兄は競馬に夢中になっている。
☐ **be endowed with ～** ～に恵まれている	She **is endowed with** artistic talent. 彼女は芸術的才能に恵まれている。
☐ **be engrossed in ～** ～に夢中になっている，没頭している	My son **is engrossed in** a video game. 息子はテレビゲームに夢中になっている。
☐ **be entitled to ～** ～の資格がある，権利がある	The worker was supposed to **be entitled to** a fair profit. その労働者は正当な利益を得る権利があると思われた。
☐ **be envious of ～** ～をねたんでいる	Don't **be envious of** other's possessions. 他人の所有物をねたんではいけない。
☐ **be exempt from ～** ～を免除されて	They **are exempt from** paying tax. 彼らは納税を免除されている。
☐ **be fed up with ～** ～にうんざりしている	My family **is fed up with** the noise of traffic. 私の家族は交通騒音にうんざりしている。
☐ **be fitted with ～** ～が取りつけられている	These doors **are fitted with** new locks. これらのドアには新しい鍵がついている。
☐ **be free of ～** ～がない，免除されている	You **are free of** blame. あなたには罪がない。
☐ **be grateful to ～** ～に感謝している	I'**m grateful to** you. あなた方に感謝しています。
☐ **be held up** 頓挫する，立ち往生する	The game **was held up** by weather. 試合は天候により中断された。

☐ **be hostile to[toward] ～** ～に敵対する，反対する	He **was hostile to** the offer. 彼はその申し入れに反対だった。
☐ **be ignorant of ～** ～を知らない，気づかない	The young man **is ignorant of** the real world. その若者は世間を知らない。
☐ **be in charge of ～** ～を担当している，任されている	She **is in charge of** accounting. 彼女は経理を担当している。
☐ **be in favor of ～** ～に賛成している	The majority **was** not **in favor of** legal changes. 大多数は法律改正に賛成ではなかった。
☐ **be in ～ shape** ～の状態である	He can't **be in** bad **shape**. 彼は体調が悪い状態であるはずはない。
☐ **be in the same boat** 同じ境遇にある，運命を共にする	The citizens **are** all **in the same boat**. 市民はみんな同じ境遇にある。
☐ **be indifferent to ～** ～に無関心である	She **is** quite **indifferent to** history. 彼女は完全に歴史に無関心である。
☐ **be indispensable to ～** ～に必要不可欠である	Water **is indispensable to** our life. 水は私たちの生命に必要不可欠だ。
☐ **be liable to *do*** ～しがちだ，～しそうだ	Children **are liable to** fall ill. 子どもは病気にかかりがちだ。
☐ **be met with ～** ～をもって迎えられる	The old man **was met with** a good reception. その老人は温かく迎えられた。
☐ **be mindful of ～** ～を心にとめる，～に気を配る	We should **be mindful of** safe driving. 私たちは安全運転を心がけるべきだ。

☐ **be nothing more than ～** ～にすぎない	It's **nothing more than** a story. それは物語にすぎない。
☐ **be notorious for ～** 悪名高い，（悪いことで）有名である	The vice-president **is notorious for** being difficult. その副会長は気難しいことで有名である。
☐ **be on *one's* toes** 身構えている	The students **are** always **on their toes** when their professor comes into the classroom. 学生たちは教授が教室に入ってくると，いつも身構えている。
☐ **be on the tip of *one's* tongue** （言葉などが）口先まで出かかっている	Oh, the title of the movie **is on the tip of my tongue**. ああ，その映画のタイトルが口先まで出かかっているのに。
☐ **be on the verge of ～** 今にも～しようとして	The baby **was on the verge of** tears. 赤ん坊は今にも泣きそうだった。
☐ **be out of shape** 体調が悪く，調子が悪く	My sister **is** usually **out of shape**. 姉はたいてい体調が悪い。
☐ **be particular about ～** ～にこだわる，細心の注意を払う	My girlfriend **is particular about** clothes. ぼくのガールフレンドは衣服にこだわる。
☐ **be proficient in ～** ～に堪能である，熟練している	The woman **is proficient in** French. その女性はフランス語に堪能だ。
☐ **be relevant to ～** ～に関連する	**Was** his remark **relevant to** the subject? 彼の発言は議題と関係があったのですか。
☐ **be reluctant to *do*** しぶしぶ～する	I **was reluctant to** accept his advice. 私はしぶしぶ彼の助言を受け入れた。
☐ **be second to none** 誰にも負けない	I'**m second to none** as a cook. 私はコックとしては誰にも負けない。

☐ **be subject to ～** ～しがちである，～しやすい	My mother **is subject to** headaches. 母は頭痛を起こしやすい。
☐ **be taken aback by ～** ～に驚く	We **were taken aback by** his complaint. 私たちは彼の不平に驚いた。
☐ **be true of ～** ～に当てはまる	This theory **is true of** reptiles. この理論は爬虫類には当てはまる。
☐ **be weary of ～** ～にあきあきする，うんざりする	She **is weary of** housekeeping. 彼女は家事にうんざりしている。
☐ **be well off** 裕福である	We **are well off** now. 我々は今，裕福である。
☐ **be worn out** 疲弊している，摩耗している	I **was worn out** yesterday. 私は昨日疲れ果てていた。
☐ **beat around the bush** さぐりを入れる，遠回しに言う	Let's stop **beating around the bush**. 遠回しに言うのはやめましょうよ。
☐ **beef up ～** ～を増強する，強化する	The prime minister wants to **beef up** border defenses. 首相は国境の防御を強化したいと思っている。
☐ **behind *one's* back** ～の知らないところで，陰で	Don't speak ill of others **behind their back**. 陰で他人の悪口を言ってはいけない。
☐ **behind the times** 時代に遅れて	His idea falls **behind the times**. 彼の考えは時代遅れだ。
☐ **between ourselves** ここだけの話で，内緒の話で	This is **between ourselves**. ここだけの話ですよ。

☐ **beyond description** 言葉では表現できない（ほど）	I'm happy **beyond description**. 私は言葉では表現できないほど嬉しい。
☐ **beyond *one's* means** 収入の範囲を超えて，身分不相応に	He seemed to live **beyond his means**. 彼は身分不相応な生活をしているようだった。
☐ **boast of 〜** 〜を自慢する	She sometimes **boasts of** her knowledge. 彼女は時々自分の知識を自慢する。
☐ **bounce back** 跳ねかえる，回復する	Mary finally **bounced back** from a severe cold. メアリーはやっとひどいかぜから回復した。
☐ **break down** 壊す，動かなくなる	The computer has **broken down**. そのコンピューターは壊れている。
☐ **break *one's* word** 約束を破る	Bill is the last person to **break his word**. ビルは約束を破る人ではない。
☐ **break out** 突然起こる［発生する・出現する］	A fire **broke out** in a neighborhood bookstore. 近所の書店で火事があった。
☐ **break the ice** 堅苦しさをなくす，緊張をほぐす	The host told a joke to **break the ice** with the guests. 司会者は出演者たちの緊張を解きほぐすために，ジョークを言った。
☐ **bring about 〜** （徐々に）〜をもたらす	This new system **brought about** big changes. この新しい制度は，大きな変化をもたらした。
☐ **bring down 〜** 〜を倒す，下げる	The people tried to **bring down** the dictator, but that was in vain. 民衆は独裁者を失脚させようとしたが，むだだった。
☐ **bring home to *A B*** A に B を痛感させる	The movie **brought home to** them the danger of drugs. その映画は彼らに麻薬の恐ろしさを痛感させた。

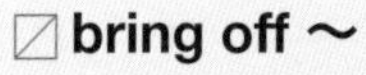

☐ **bring off ～** ～を成し遂げる，やり遂げる	We need to spend more time to **bring off** this project. このプロジェクトをやり遂げるには，もっと時間をかける必要がある。
☐ **bring out ～** ～を外に出す，持ち出す	You must try to **bring out** the best in your students. 生徒たちの最良の部分を引き出すようにしなければなりません。
☐ **brush up** 身なりを整える，学び直す	The student decided to **brush up** her communication skill. その生徒はコミュニケーション能力を磨き直すことに決めた。
☐ **bump into ～** ～と偶然出会う，衝突する	I **bumped into** her in the hospital. 私は彼女に病院で偶然出会った。
☐ **burn the midnight oil** 夜遅くまで働く[勉強する]	He'll **burn the midnight oil** tonight. 今夜彼は遅くまで勉強するつもりだ。
☐ **burst into ～** 急に～の状態になる，突然～し始める	The audience **burst into** laughter with his word. 聴衆は，彼の言葉にどっと笑った。
☐ **but for ～** ～がなかったら，～を別にすれば	**But for** water, nothing could survive. 水がなかったら，何も生き残れません。
☐ **by a fluke** まぐれで	She won the game **by a fluke**. 彼女はその試合にまぐれで勝った。
☐ **by a narrow margin** 少し[わずか]の差で，僅差で	He failed to win first prize **by a narrow margin**. 彼はわずかの差で優勝を逃した。
☐ **by all means** 何としてでも	He'll do it **by all means**. 彼は必ずやります。
☐ **by halves** 中途半端に	Don't do anything **by halves**. 何事も中途半端にするな。

☐ **by leaps and bounds** 急速に，飛躍的に	My baby grows **by leaps and bounds**. 私の赤ちゃんはどんどん成長しています。
☐ **by means of 〜** 〜を用いて，〜によって	They can communicate **by means of** sign language. 彼らは手話を使って意思疎通ができる。
☐ **by nature** 生まれつき，生来	I think he is kind **by nature**. 私は彼は根は優しいと思う。
☐ **by virtue of 〜** 〜のおかげで，理由で	The woman succeeded **by virtue of** her effort. その女性は自分の努力のおかげで成功した。
☐ **by word of mouth** 口コミで，口づてで[に]	The reputation of the restaurant spread **by word of mouth**. そのレストランの評判は口コミで広がった。
☐ **call for 〜** 〜を必要とする，〜を要する	The situation **calls for** urgent measures. 状況は緊急の措置を必要としている。
☐ **call forth 〜** 〜を生じさせる，引き出す	The speech that a little girl made at the conference **called forth** a big echo. 幼い少女が会議で行ったスピーチは大反響を呼んだ。
☐ **call it a day** （その日の仕事などを）終わりにする，切りあげる	We should **call it a day**. 今日の仕事はもう終わりにすべきだ。
☐ **call off 〜** 〜を中止する	They will decide to **call off** the strike. 彼らはストライキを中止することに決めるだろう。
☐ **call on 〜** 〜に求める，〜を訪問する	The member **called on** the prime minister for resign. 議員は首相に辞任を求めた。
☐ **call the roll** 出席をとる	The teacher **called the roll**. 教師は出席を取った。

☐ **carry out ～** (計画など)を実行[遂行]する	We'll **carry out** a brief survey next week. 来週，簡単な調査を行う予定です。
☐ **carry over** 持ち越す，くり越す	The effects of the long recession will **carry over** to the next generation. 長い不況の影響は次の世代まで尾を引くだろう。
☐ **carry through ～** ～を最後までやり通す，成し遂げる	Our class **carried through** the plan. 私たちのクラスはその計画をやり遂げた。
☐ **catch on** 人気を博する，受ける，流行する	The idea of watches being a fashion item has been slow to **catch on**. 腕時計がファッションアイテムだという考えはゆっくりと広まった。
☐ **catch on to ～** ～を理解する[つかむ]	I couldn't **catch on to** the meaning. 私は意味が理解できなかった。
☐ **catch sight of ～** ～をちらりと見る	We **caught sight of** a rare bird on the way. 私たちは途中で珍しい鳥を見かけた。
☐ **catch up on ～** ～に追いつく，～の遅れを取り戻す	I must work hard to **catch up on** my homework. 宿題の遅れを取り戻すために私は頑張らなければならない。
☐ **charge *A* with *B*** A を B の罪で告発する	The president was **charged with** tax evasion. その社長は脱税で告発された。
☐ **chip in** みんなでお金を少しずつ出し合う	The residents decided to **chip in** for a donation. 住人たちは寄付金を少しずつ出し合うことにした。
☐ **clean out ～** ～を一掃する，空にする	Please **clean out** your room before you leave. 出ていく前に部屋を一掃してください。
☐ **clear up ～** ～をきれいにする，片づける	We have to **clear up** the basement. 地下室をきれいにしなければならない。

☐ **close in** 近づく，迫ってくる	Dark clouds are **closing in.** 黒雲が近づいている。
☐ **collide with ～** ～と衝突する，～にぶつかる	A luxury car **collided with** a parked car. 高級車が停車中の車にぶつかった。
☐ **come before ～** ～より重要である，前に来る	Health **comes before** anything else. 健康が一番大切だ。
☐ **come down on ～** ～を急襲する，非難する	My grandfather **came down on** me for misbehaving. 祖父は私の不作法を叱った。
☐ **come down with ～** (病気)にかかる，(病気)で倒れる	Tom seems to **come down with** a bad cold. トムはひどいかぜにかかっているようだ。
☐ **come in handy** (物・人が)役に立つ，役立つ	Your effort will **come in handy** someday. 君の努力はいつか役立つだろう。
☐ **come into ～** ～を相続する，受け継ぐ	His son will **come into** a fortune in a few years. 数年もしないうちに彼の息子は財産を相続するだろう。
☐ **come near *doing*** もう少しで～するところだ	The boy **came near** being drowned. その少年はもう少しで溺れるところだった。
☐ **come to ～** ～になる	We've just **come to** a conclusion. ちょうど結論に達したところだ。
☐ **come up with ～** ～を思いつく，考えつく	He is sure to **come up with** a better plan. きっと彼はもっといい案を思いつく。
☐ **comply with ～** ～に従う，応じる	We must **comply with** a code. 私たちは規定を順守するべきだ。

☐ **consent to ～** ～を承諾する，～に同意する	His daughter **consented to** emergency care. 彼の娘は救急治療に同意した。
☐ **contribute to ～** ～に貢献する	The artist will **contribute to** the refugees' cause. そのアーティストは難民の福祉に貢献するだろう。
☐ **count for ～** ～の価値がある，～に値する	I think money **counts for** nothing. お金は重要ではないと思う。
☐ **count on ～** ～を頼りにする，～を当てにする	You can **count on** them. 彼らに任せればいい。
☐ **crack up** 割れてばらばらになる，衝突する	The passenger boat **cracked up**. その客船はめちゃめちゃに壊れた。
☐ **creep over ～** (恐怖などが)～を徐々に襲う	Sam could not resist a faint smile **creeping over** his face. サムは顔にかすかな笑みが浮かぶのを抑えられなかった。
☐ **cross out ～** ～を取り消す，削除する	He is demanding to **cross out** this agenda item. 彼はこの議題の取り消しを要求している。
☐ **cut back on ～** ～の量を減らす	You need to **cut back on** salt. 減塩を心がけてください。
☐ **cut corners** 近道する，手を抜く	I know he is apt to **cut corners** in his work. 彼が仕事の手を抜く傾向にあることはわかっている。
☐ **die down** 徐々にやむ[弱まる・静まる]	They waited for the wind to **die down**. 彼らは風が収まるのを待った。
☐ **dig up ～** ～を掘り出す，発掘する	Dogs like **digging up** soil. 犬は土を掘り起こすのを好む。

☐ **distract *one's* attention** ～の注意をそらす	I tried to **distract their attention** from the real issue. 私は本筋の問題から彼らの注意をそらそうとした。
☐ **do away with ～** ～を処分する，捨てる，排除する	We must **do away with** such a law. そんな法律は廃止しなければならない。
☐ **do justice to ～** ～に正当な取り扱いをする	Please **do justice to** our opinion. 我々の意見を公平に評価してください。
☐ **drag on** 延々と続く，時間がかかる	Meetings should not **drag on** for so long. 会議はそんなにだらだらと長引かせるものではない。
☐ **draw on ～** (手段として)～を利用する	You should **draw on** her advice. 彼女のアドバイスを参考にするべきだ。
☐ **drop ～ a line** (～に)一筆書く，手紙を書き送る	I will **drop** you **a line**. 手紙を書きますよ。
☐ **drop back** 後退する，遅れる	Ann **dropped back** to tie her shoelace. アンは靴ひもを結ぶために遅れた。
☐ **drop off ～** うとうとする，～から外れる	I **dropped off** into a restless sleep. 私は浅い眠りに落ちた。
☐ **eat up ～** ～を食べ尽くす，使い果たす	This kind of vehicle **eats up** gas. この手の乗り物はガソリンを食う。
☐ **even out ～** ～を平ら[一様]にする	Please **even out** the temperature in the wine warehouse. ワイン貯蔵庫の温度を一定にしてください。
☐ **face off** 対決する	The heroine got the courage to **face off** against her enemy. その主人公は勇気を出して敵と対決した。

☐ **fall back on ～** ～を当てにする，～に頼る	The orphan had nothing to **fall back on**. その孤児には頼るものがなかった。
☐ **fall for ～** ～を好きになる，～にひっかかる	Never **fall for** a bluff. はったりを決して信じるな。
☐ **fall off ～** ～から落ちる	Clothes **fell off** the hanger. 洋服がハンガーからずり落ちた。
☐ **fall through** (計画などが)失敗に終わる	That plan **fell through** by various reasons. あの計画は様々な理由で不成立に終わった。
☐ **feel under the weather** 具合がよくない	I **felt** a little **under the weather** at that time. そのとき私は少し具合が悪かった。
☐ **feel up to ～** ～ができそうに思う	If you **feel up to** it, please tell me about that. もし気が向いたら，そのことについて教えてね。
☐ **file a suit against ～** ～を(相手取って)告訴する	They **filed a suit** for damages **against** the company. 彼らはその会社を相手取って損害賠償請求訴訟を起こした。
☐ **fill *A* in on *B*** *A* に *B* に関する情報を提供する	He **filled** me **in on** a secret matter of this country. 彼はこの国の機密事項に関する情報を提供してくれた。
☐ **fix up ～** ～を設定する，～の手はずを整える	I'd like to **fix up** a meeting with the principal. 校長先生との会合を取り決めたいと思います。
☐ **flag down ～** 合図して～を停止させる	Could you **flag down** a cab? 手を挙げてタクシーを止めていただけますか。
☐ **flip through ～** ～をパラパラめくる	I was bored, so I **flipped through** a booklet. 退屈だったので，小冊子をパラパラめくった。

☐ **food for thought** 思考の糧，考えるべきこと	This true story will give you **food for thought.** この実話はあなたに考えるべき事柄を与えるでしょう。
☐ **foot the bill for ～** ～のための費用 [経費] を支払う	I'll **foot the bill for** your travel expenses. 私があなたの旅費を払おう。
☐ **for all ～** ～にもかかわらず	**For all** his knowledge, he couldn't find a job. あれだけの知識があっても，彼は仕事が見つからなかった。
☐ **for the time being** 差し当たり(は)，当分(の間)	The rainy days will continue **for the time being.** 雨の日は当分続くだろう。
☐ **get ～ across** ～を渡らせる，～を理解させる	This is the message that she wanted to **get across.** これが彼女が伝えたかったメッセージです。
☐ **get ～ wrong** ～を誤解する，～を間違える，	Don't **get** me **wrong** any more. もうこれ以上誤解しないで。
☐ **get around to ～** ～するための時間を見つける	I never **got around to** it. なかなかそれに手が回らなかった。
☐ **get by on ～** ～でどうにかやっていく	We'll **get by on** our small salary. 自分たちのささやかな給料で何とかやっていくつもりだ。
☐ **get down to ～** ～に本腰を入れて取りかかる	Now, let's **get down to** business. さて，本題に入りましょうか。
☐ **get in *one's* way** (人)の邪魔をする	Never **get in my way**! 邪魔するな！
☐ **get on *one's* nerves** (人)の神経に障る[を逆なでする]	He is **getting on my nerves.** 彼(の言動)は私の神経を逆なでしています。

☐ **get on with ～** ～と仲よくやっていく	**Get on with** everyone, or you won't be here. みんなと仲よくやっていきなさい，でないとここにはいられないよ。
☐ **get rid of ～** ～を取り除く，駆除する	I want you to **get rid of** bad habits. あなたに悪い習慣を断ってほしいのです。
☐ **get the best of ～** ～に勝つ，～を負かす	They **got the best of** the argument. 彼らは議論に勝った。
☐ **give away ～** ～を譲る，手放す，贈る	She never **gives away** a secret. 彼女は決して秘密を漏らさない。
☐ **go back on ～** (約束などを)破る，撤回する	Don't **go back on** your resolution to stop smoking. 禁煙の決意を破るべきではない。
☐ **grit *one's* teeth** 歯を食いしばる	The patient **gritted his teeth** in determination. 患者は心を決めて歯を食いしばった。
☐ **grow on ～** ～に募る，～が好きになる	The habit of laziness **grew on** her. 彼女は怠け癖がだんだんひどくなった。
☐ **hand off ～** ～を手渡す，任せる	I'll **hand off** the project to you this time. 今回は君にプロジェクトを任せるよ。
☐ **hang around** ぶらつく，ブラブラする	The unemployed person **hung around** all day. その失業者は一日中ブラブラしていた。
☐ **hang up** 電話を切る，中断する	For two reasons, our project is **hung up**. ２つの理由で，私たちのプロジェクトは中断している。
☐ **have every reason to *do*** ～するには正当な理由がある	We **have every reason to** be upset. 私たちには怒るだけの理由がある。

☐ **have the guts to *do*** ～をする度胸がある	He actually **had the guts to** do it. 彼には実際にそれをやるだけの根性があった。
☐ **head out** 出発する	Shall we **head out** for a meal? 食事に出ようか。
☐ **hold off ～** ～を寄せつけない，遅らせる	I don't mean to **hold off** a decision. 結論を先送りにするつもりはない。
☐ **hold *one's* horses** はやる気持ちを抑える	**Hold your horses**, and wait until the manager says it's OK. 落ち着け，そして監督がいいと言うまで待て。
☐ **hold over ～** ～を持続させる，保有する	In this kingdom, the king **holds over** the military. この王国では，王が軍部を掌握している。
☐ **in a temper** 激怒して，短気を起こして	She was **in a temper** due to the false news. 事実に反するニュースで彼女はかっとなっていた。
☐ **in a word** 一言で言えば，手っ取り早く言えば	**In a word**, this matter stands thus. つまり，こういうことさ。
☐ **in conformity with ～** ～と一致して，合致して	This project was **in conformity with** city plans. このプロジェクトは都市計画に適合していた。
☐ **in due course** やがて，そのうち	That woman will get a promotion **in due course.** あの女性はいずれ昇進しますよ。
☐ **in exile** 亡命中で	His family has lived **in exile** in Bern. 彼の家族はベルンで亡命生活を送っている。
☐ **in jest** 冗談に[で]，おもしろ半分に	I said it **in jest**. ふざけて言っただけだよ。

☐ **in store for ～** ～に備えて，待ち受けて	There was a pleasant surprise **in store for** her. うれしい驚きが彼女を待ち受けていた。
☐ **in the lap of luxury** ぜいたくに	The aristocracy lived **in the lap of luxury** at that time. 当時，貴族たちはぜいたくざんまいに暮らしていた。
☐ **jump at ～** (チャンスなど)に飛びつく	You should be careful not to **jump at** a chance to make money. 金もうけのチャンスに飛びつかないように気をつけるべきだ。
☐ **let down ～** ～の期待を裏切る，～を失望させる	Don't **let down** your father. お父さんを失望させないでおくれ。
☐ **lick *one's* wounds** 傷を癒やす	Nancy **licked her wounds**. ナンシーは心の傷を癒やそうとした。
☐ **lift off** 打ち上げられる	The space shuttle **lifted off** as scheduled in the US. スペースシャトルはアメリカで予定通りに打ち上げられた。
☐ **live from hand to mouth** その日暮らしをする	The old man **lives from hand to mouth**. その老人はその日暮らしをしている。
☐ **look down on ～** ～を見下す，軽蔑する	My wife **looks down on** gambling. 妻は賭けごとを軽蔑している。
☐ **make over ～** ～を譲渡する，作り直す	I'd like to **make over** my old overcoat. 私は古いオーバーを仕立て直したいと思っている。
☐ **miss out on ～** ～を逃す，見逃す	You have **missed out on** a great opportunity. あなたはすばらしい機会を逃してしまった。
☐ **on end** 続けて，延々と	To my surprise, it has been raining for a week **on end**. 驚いたことに，1 週間も続けて雨が降っています。

☐ **on the presumption that ～** ～を前提として，仮定として	She attacked him **on the presumption that** he was guilty. 彼女は彼を有罪と仮定して非難した。
☐ **out of sorts** 元気がない，機嫌が悪い	She feels **out of sorts** today. 彼女は今日イライラしています。
☐ **pass away** 過ぎ去る，亡くなる	The severe pain **passed away** in a few minutes. その激しい痛みは数分で消え去りました。
☐ **pick through ～** ～を丹念に調べる	The volunteers **picked through** the wreckage for clues. ボランティアたちは手がかりを求めて，がれきを丹念に調べた。
☐ **play down ～** ～を軽視する，見くびる	They seem to **play down** the impact of climate change. 彼らは気候変動の影響を軽視しているようだ。
☐ **pull in** 停車する，（列車が駅に）入ってくる	I **pulled in** for gas immediately. 私は直ちに給油のため車を寄せた。
☐ **put in ～** ～を取りつける	The government **put in** $5,000 worth of new equipment. 政府は 5000 ドル相当の新規設備を導入した。
☐ **put off ～** ～を遠ざける，延期する	Our game of golf was **put off** because of heavy snow. 私たちのゴルフの試合は大雪のために延期になりました。
☐ **read off ～** ～を読み取る，すらすらと読み上げる	The professor **read off** the list of successful candidates. 教授は合格者のリストをすらすらと読み上げた。
☐ **rule out ～** ～を除外する，排除する	We **ruled out** a military option. 我々は軍事的選択を排除した。
☐ **run against ～** ～にぶつかる，～の不利になる	That man **ran against** resistance. その男は思いがけない抵抗にあった。

☐ **sell out ～** (～を)売り切る，完売する	To our regret, we are all **sold out**. 残念ながら，全部売り切れてしまいました。
☐ **set aside ～** ～を脇に置く，取りのけておく	**Set aside** money for your children. 子どもたちのためにお金を確保しておいてください。
☐ **set off ～** ～を始める	We will **set off** a debate over management reforms. 経営改革に関する議論を始めます。
☐ **settle up ～** ～を清算する	I finally **settled up** my debts last month. 先月，私はやっと借金を完済した。
☐ **show off ～** ～を誇示する，引き立たせる	I think he always **shows off** his ability. 彼はいつも能力を見せびらかしていると思う。
☐ **sit in ～** ～に参加する	Three women **sat in** the meeting last week. 先週は３名の女性がその会議に出席した。
☐ **speak for ～** ～の代弁をする，弁護する	He was attempting to **speak for** the poor and downtrodden. 彼は，貧しく虐げられている人々の代弁をしようと試みていました。
☐ **spring up** (疑惑などが)生じる	A trivial idea suddenly **sprang up**. 不意につまらない考えが浮かんだ。
☐ **stay off ～** (飲食物などを)控えている	John has **stayed off** alcohol for years. ジョンは何年もアルコールを控えている。
☐ **stick to *one's* guns** 自分の立場[信念]を守る	The prime minister **stuck to his guns** in the face of overwhelming opposition. 首相は圧倒的な反対に遭っても，自分の意見を曲げなかった。
☐ **sum up ～** ～を合計する，要約する	Can you try to **sum up** his argument? 彼の論点を要約してみてくれないか。

☐ **take up ～** ～を取り上げる，始める	The party leader **took up** the issue during an official meeting. 党首は公の会談でその問題を取り上げた。
☐ **tell *A* from *B*** A と B を識別する	I can't **tell** a good brandy **from** a bad one. よいブランデーと悪いブランデーの区別がつかない。
☐ **throw off ～** ～を振り捨てる	It's time to **throw off** your feeling of shyness. 恥じらいを振り捨てるべきときです。
☐ **tidy up ～** ～をきれいに片づける	**Tidy up** your table. テーブルの上を片づけなさい。
☐ **toss out ～** ～を放り出す，提示する	The reporter **tossed out** a question. その記者が質問を投げかけた。
☐ **trip up ～** (人)の揚げ足を取る	I don't want you to **trip up** someone. 人の揚げ足を取らないでほしい。
☐ **try out ～** ～を試してみる	Why don't you **try out** a bold plan? 大胆な案を試してみないか。
☐ **tune up ～** ～を調律する，調整する	You really need to **tune up** your system before the wedding. 結婚式の前に体の調子を整えないといけない。
☐ **wear off** すり減る，徐々に消えていく	The painkiller is gradually **wearing off**. 鎮痛剤が徐々に切れてきた。
☐ **weigh on ～** ～に重くのしかかる，～の重荷になる	The problems in his business **weigh on** his mind. 事業の問題が彼の心に重くのしかかっている。
☐ **wrap up ～** (仕事などを)完成させる，仕上げる	Can we **wrap** it **up** now? もう仕事をおしまいにしていいですか。

⬅矢印の方向に引くと、取り外し可能です